2

Harlan Coben

Harlan Coben est né et a grandi dans le New Jersey, où il vit actuellement avec sa femme et ses quatre enfants. Après avoir obtenu un diplôme en sciences politiques au Amherst College, il a travaillé dans l'industrie du voyage avant de se consacrer à plein temps à l'écriture.

Il est le premier auteur à avoir reçu l'Edgar Award, le Shamus Award et l'Anthony Award, trois prix majeurs de la littérature policière aux États-Unis.

Il est l'auteur de *Ne le dis à personne...* (Belfond, 2002) – Prix des Lectrices de *ELLE* 2003, *Disparu à jamais* (2003), *Une chance de trop* (2004), *Juste un regard* (2005) et *Innocent* (2006), ainsi que de la série des aventures de l'agent Myron Bolitar : *Rupture de contrat* (Fleuve Noir, 2003), *Balle de match* (2004), *Faux rebond* (2005) et *Du sang sur le green* (2006). Son prochain roman, *Promets-moi*, qui met à nouveau en scène Myron Bolitar, vient de paraître aux éditions Belfond.

Retrouvez l'actualité d'Harlan Coben sur :
www.harlan-coben.fr

RUPTURE DE CONTRAT

DU MÊME AUTEUR
CHEZ POCKET

NE LE DIT A PERSONNE... (Grand Prix des lectrices de *Elle*)
DISPARU A JAMAIS
UNE CHANCE DE TROP
JUSTE UN REGARD
INNOCENT

Dans la série Myron Bolitar :

RUPTURE DE CONTRAT
BALLE DE MATCH
FAUX REBOND
DU SANG SUR LE GREEN

HARLAN COBEN

RUPTURE DE CONTRAT

Traduit de l'américain
par Martine Leconte

FLEUVE NOIR

Titre original :
DEAL BREAKER

ISBN : 978-2-266-14305-9

1

Otto Burke, roi de la tchatche et de la persuasion, poussait les feux :

— Allons, Myron, je suis sûr qu'on peut s'entendre. Vous donnez un peu de mou et nous aussi. Un compromis, comme on dit. Les Titans forment une équipe. Comme nous tous. Y compris vous. Marchons la main dans la main, Myron. Qu'en dites-vous ?

Myron Bolitar, les coudes sur la table, forma un V inversé avec ses deux mains. Il avait lu quelque part que ça vous donnait l'air intelligent. L'air du mec qui réfléchit. En fait, il se sentait plutôt couillon.

— J'en serais ravi, Otto, répéta-t-il pour la énième fois. Sincèrement. Mais on est allés aussi loin qu'on le pouvait, côté compromis. C'est à vous de faire un effort.

Otto opina vigoureusement, comme s'il venait d'entendre une vérité première qui reléguait Socrate au rang de philosophe de comptoir. Il pencha la tête puis tourna son sourire de circonstance vers le manager de son équipe.

— Qu'en penses-tu, Larry ?

Discipliné et excellent acteur, Larry Hanson écrasa un poing aussi dodu et poilu qu'un cochon d'Inde sur la table de conférence.

— Bolitar peut aller se faire foutre ! hurla-t-il, jouant les enragés mieux que personne. Tu m'entends, Bolitar ? Tu vas te faire mettre. Chez les Grecs. Ou en enfer.

— En enfer, je préfère, dit Myron.

— Ah, tu joues les rigolos avec moi, hein ? Réponds-moi, petit con. T'as entendu ce que je t'ai dit ?

Myron le regarda, très cool.

— Vous avez un brin de persil entre les dents.

— Espèce d'enfoiré !

— Et vous êtes mignon tout plein quand vous êtes en colère. Votre visage s'illumine.

Les yeux de Larry Hanson s'écarquillèrent, son champ de vision s'élargit, bascula de Myron à son boss, puis de nouveau vers Myron.

— T'es plus sur ton terrain de chasse, là. Et tu le sais, bordel !

Myron se tint coi. En vérité, Larry Hanson avait partiellement raison. Myron n'était pas très à l'aise. Deux ans seulement qu'il était agent sportif. La plupart de ses poulains étaient des cas limites – pas mauvais, mais pas des surdoués non plus. En outre, le foot n'était pas réellement son domaine de prédilection. Il n'avait que trois gars de niveau national dans son écurie – dont une seule graine de champion. Et maintenant il se retrouvait assis face à Otto Burke, trente et un ans, l'enfant prodige de la NFL, et à Larry Hanson, ex-star du football américain, recyclé dans le business. Et voilà qu'il tentait de négocier le contrat du siècle.

Eh oui, lui, Myron Bolitar, le néophyte, avait signé avec Christian Steele, dit « la Fusée ». Un quarterback plus rapide que l'éclair, deux fois vainqueur du trophée Heisman. Encensé par la presse, classé meilleur joueur amateur quatre ans de suite. Pour ne rien gâter, le gosse avait tout pour plaire : brillant étudiant, beau comme un pâtre grec, poli et propre sur lui, et… blanc (ce qui faisait de lui une denrée rare).

Mais, surtout, il avait signé avec Myron.

— Messieurs, la balle est dans votre camp, poursuivit Myron. Notre offre est plus qu'honnête.

Otto Burke secoua la tête.

— Foutaises ! hurla Larry Hanson. Tu n'es qu'un crétin, Bolitar. Tu vas foutre en l'air la carrière de ce môme.

Tandis que Myron songeait à proposer une thérapie de groupe pour calmer le débat, Larry ouvrit de nouveau la bouche mais Otto le fit taire d'un geste. À l'époque où il sévissait encore sur le terrain, même les défenseurs les plus costauds, tels Dick Butkus ou Ray Nitzchke, ne pouvaient arrêter Larry. Et maintenant, un diplômé de Harvard, soixante-dix kilos tout habillé, le réduisait au silence en levant simplement la main. Ah, le pouvoir de l'esprit sur la matière !

Otto Burke se pencha en avant. Sourire imperturbable, regard pénétrant, il aurait fait merveille comme animateur dans un talk-show où les participants se mettent à nu avec délice devant des millions de téléspectateurs. Déconcertant, l'Otto. Frêle, attaches fines, cheveux noirs et longs façon Heavy Metal, visage d'enfant orné d'un petit bouc ridicule qu'on aurait dit dessiné au marqueur. Il fumait une longue cigarette – ou peut-être semblait-elle longue par contraste avec ses doigts étonnamment courts.

— Bon, dit-il. Tâchons d'être rationnels, Myron. OK ?

— Rationnels. Oui, tâchons.

— Voilà qui est mieux. En vérité, Christian Steele n'a pas encore fait ses preuves. Chez les amateurs, il se débrouille, mais contre des pros ? Des pétards mouillés, on en a vu plus d'un.

Larry ricana :

— Et de ce côté-là, tu t'y connais, Bolitar. T'as le chic pour dénicher des ringards.

Myron l'ignora. L'insulte n'était pas nouvelle (la bave du crapaud n'atteint pas, etc.). Il contre-attaqua, s'adressant calmement à Otto :

— Nous parlons ici du futur meilleur quarterback de toute l'histoire du football américain. Je sais que vous avez fait des pieds et des mains pour l'avoir. Vous avez échangé trois joueurs et en avez vendu six pour vous offrir Christian. Pourquoi, s'il est si nul ?

— Mais votre offre…

Otto s'interrompit, leva les yeux au plafond comme pour chercher le mot juste, puis reprit :

— Votre offre n'est pas… raisonnable.

— Carrément débile, précisa Larry.

— Mais définitive, conclut Myron.

Otto secoua la tête, sans se départir de son sourire.

— Parlons-en, d'accord ? Examinons le problème sous tous ses angles. Vous êtes novice dans ce business, Myron. Un ex-sportif qui veut passer de l'autre côté de la barrière. Je respecte les petits gars ambitieux tels que vous. Parole.

Myron avala la pilule sans protester. Il aurait pu faire remarquer à Otto qu'ils avaient à peu près le même âge mais il préféra la jouer cool. Profil bas. On a toujours besoin d'un plus grand que soi…

— Si vous vous plantez sur ce coup-là, poursuivit Otto, c'est la fin de votre carrière. Voyez ce que je veux dire ? Y a déjà plein de gens qui pensent que vous n'êtes pas à la hauteur – pas capable de gérer un client d'un tel potentiel. Ce n'est pas mon cas, bien sûr. Je pense que vous êtes très futé. Mais, vu la façon dont vous réagissez…

De nouveau, il secoua la tête d'un air désapprobateur, tel le maître d'école décu par son meilleur élève.

Larry se leva et fusilla Myron du regard.

— Pourquoi tu ne te conduirais pas correctement, pour une fois ? Dis à ce gosse de se trouver un vrai agent !

Myron n'était pas surpris. Il avait escompté ce scénario du genre bon flic contre méchant flic. En fait, il s'était attendu à pire. Larry Hanson était relativement inoffensif. Pas du genre à vous faire un enfant dans le dos. Otto Burke, en revanche, était plus redoutable. Un vrai serpent ondulant dans les hautes herbes, au beau milieu d'un champ de mines. En fin de compte, Myron préférait le « méchant » flic, plus franc du collier.

— Bien, dit Myron. Je suppose que la discussion est close.

— Vous avez raison. Un compromis nuirait à l'image de votre poulain. En outre, ça vous coûterait un bon paquet à tous les deux. Or vous ne voulez pas perdre d'argent, n'est-ce pas ?

Myron le toisa.

— Vous croyez ?

— J'en suis sûr.

— Je peux prendre des notes ?

Il saisit un crayon et écrivit sur son calepin : *Ne... veux... pas... perdre... d'argent.*

— Merci du conseil, ajouta-t-il avec un large sourire.

— Épargne-nous ton humour foireux, marmonna Larry.

Otto était branché sur pilote automatique et conserva son ton mielleux :

— Si je puis me permettre, je pense que Christian a envie de palper rapidement.

— Vraiment ?

— Certains émettent de sérieuses réserves quant à l'avenir de Christian Steele. On murmure... (il tira longuement sur sa cigarette) qu'il aurait quelque chose à voir avec la disparition de cette fille.

— Ah, dit Myron. Nous y voilà.

— Où ça ?

— Vous aimez remuer la boue, hein ?

Désignant Myron du pouce, Larry Hanson s'adressa à Otto :

— Écoutez-moi ce minus ! Cette histoire avec l'ex-pétasse de Christian, c'est une bombe à retardement…

— Lamentables ragots, l'interrompit Myron. Personne n'y a cru. Au contraire, cette tragédie l'a rendu plus sympathique aux yeux du public. Et je vous interdis de traiter Kathy Culver de pétasse.

Larry leva un sourcil.

— Tiens, tiens, te voilà bien susceptible, pour un nullard de ton espèce ! J'aurais touché une corde sensible ?

Myron demeura impassible. Il avait fait la connaissance de Kathy Culver cinq ans plus tôt, alors qu'elle était encore lycéenne. Déjà une vraie beauté, à l'époque. Comme sa sœur Jessica. Et puis, voici dix-huit mois, Kathy avait mystérieusement disparu du campus de l'université de Reston. Personne ne savait ce qu'elle était devenue. L'histoire avait fait la une de la presse à scandale. Une ravissante étudiante, fiancée à une star du foot, sœur de la romancière Jessica Culver… Une aubaine pour les journalistes, qui s'en donnèrent effectivement à cœur joie. Il y avait du sexe là-dessous, évidemment. Ils se jetèrent sur l'affaire avec l'avidité de convives autour d'une table de buffet.

Or un deuxième drame venait de frapper la famille Culver. Adam, le père de Kathy, avait été assassiné, trois jours auparavant, lors d'une agression que la police avait qualifiée de « sauvage ». Myron avait songé à contacter la famille pour présenter ses condoléances, puis avait décidé de s'abstenir, ne sachant pas si sa démarche aurait été la bienvenue. Certain, en fait, qu'elle eût été mal interprétée.

— Maintenant, si…

Quelqu'un frappa à la porte puis l'entrouvrit timidement. Esperanza passa la tête dans l'entrebâillement.

— Un appel pour vous, Myron.

— Prenez le message.

— Je crois que c'est important.

Elle resta immobile sur le seuil, regard fixé sur Myron. Qui comprit enfin.

— J'arrive, dit-il.

Esperanza s'éclipsa et Larry Hanson émit un sifflement admiratif.

— Joli petit lot, Bolitar !

— Merci, Larry. Venant de vous, ça me va droit au cœur. Je reviens dans une minute, ajouta-t-il en se levant.

— Hé, mon gars, on n'a pas toute la journée !

— Je sais.

Myron quitta la salle de conférence et rejoignit Esperanza à son bureau.

— Le « Ticket Resto », dit-elle simplement. Il dit que c'est urgent.

Christian Steele.

À en juger par sa silhouette menue, personne n'aurait pu deviner qu'Esperanza avait été lutteuse professionnelle. Durant trois ans elle avait fait un tabac sur les rings, sous le nom de Pocahontas. Elle n'avait pas une goutte de sang indien dans les veines, mais c'était un détail, selon les sponsors. Latinos, Amérindiens, quelle différence ?

Au sommet de sa carrière, Esperanza Diaz (alias Pocahontas) se produisait dans tous les États du pays. Le scénario ne variait pas : elle arrivait sur le ring chaussée de mocassins, vêtue d'une tunique en daim bordée de franges et le front ceint d'un bandeau qui retenait ses longs cheveux noirs. Elle enlevait la tunique avant le combat, révélant une musculature harmonieuse, étonnante chez une si frêle créature.

La lutte est un sport passablement ennuyeux. Tout se passe très vite, c'est assez peu spectaculaire. Certains sont mauvais, d'autres bons. Pocahontas était excellente, le public l'adorait. Jolie, rapide, elle aurait dû gagner tous ses combats grâce à sa technique, ses adversaires contraints à accumuler des gestes de défense non réglementaires (jet de sable dans les yeux, coups sur les seins, etc.) Ça provoquait des émeutes chez les spectateurs, furieux contre les arbitres, qui évidemment ne voyaient rien. Tout cela dura jusqu'au jour où Grande Cheffe Mama, aussi gigantesque qu'un mammouth, prit les choses en main et Pocahontas sous son aile. À partir de là, ce fut du vrai spectacle.

— Je prends la communication dans mon bureau, dit Myron.

Sur sa table de travail trônait une plaque en cuivre vissée sur un socle en ébène, cadeau de ses parents :

MYRON BOLITAR
Agent sportif

Il secoua la tête. Myron ! Il ne comprenait toujours pas comment on pouvait infliger un tel prénom à son propre fils. Quand ils avaient emménagé dans le New Jersey, il avait dit à tous ses nouveaux copains qu'il s'appelait Mike. En vain. Ensuite, il s'était choisi le surnom de Mickey. Encore raté : tout le monde s'obstinait à l'appeler Myron. Ce prénom honni resurgissait comme un monstre de film d'épouvante qui jamais ne meurt, quels que soient les coups qu'on lui porte. Bref, jamais il ne pardonnerait à ses parents.

Il décrocha.

— Allô, Christian ?

— Monsieur Bolitar ?

— Oui. Et appelez-moi… Myron.

Accepter l'inévitable est un signe de sagesse.

— Désolé de vous déranger. Je sais que vous êtes très occupé…

— J'étais justement en train de négocier ton contrat, mon garçon. Otto Burke et Larry Hanson sont dans la pièce d'à côté.

— Je vous remercie, monsieur Bolitar. Mais, euh… il faut que je vous voie de toute urgence. C'est très important.

La voix du jeune homme tremblait.

— Quelque chose ne va pas, Christian ?

Perspicace, le Myron !

— Je… je préfère ne pas en discuter au téléphone. Vous croyez que vous pourriez venir dans ma chambre, sur le campus ?

— Aucun problème. À quelle heure ?

— Maintenant, si c'est possible. Je ne sais plus où j'en suis. Il faut que vous jugiez par vous-même.

Myron soupira.

— Entendu. Je vais expédier Otto et Larry vite fait. C'est toujours bon pour les négociations. Je suis là dans une heure.

En fait, ça lui prit bien plus longtemps que prévu.

Le parking, sur la 46e, était à deux pas de son bureau de Park Avenue. Myron salua le gardien, prit un ticket et gagna le quatrième sous-sol où était garée sa Ford Taurus.

Il s'apprêtait à ouvrir la portière quand il entendit un bruit bizarre. Comme le sifflement d'un serpent. Ou, alternative plus plausible en plein New York, le son de l'air s'échappant d'un pneu crevé. À l'arrière, côté droit.

— Salut, Myron.

Il fit volte-face. Deux hommes se tenaient là, et leur sourire n'avait rien d'engageant. L'un d'eux était une armoire à glace. Myron n'était pas du genre modèle de poche – un mètre quatre-vingt-dix-huit, quatre-vingt-dix kilos – mais ce gars-là était franchement hors normes – à vue de nez, pas loin de deux mètres vingt sans talonnettes et dans les cent cinquante kilos tout nu. Body-buildé à mort – on aurait dit qu'il portait des bouées de sauvetage sous son costard. L'autre était de taille moyenne et arborait un Borsalino.

Le malabar s'approcha lentement, les bras écartés du corps pour cause de triceps hypertrophiés. Il n'arrêtait pas de pencher la tête de droite et de gauche, faisant craquer l'espèce de tronc d'arbre qui lui tenait lieu de cou.

— Des problèmes mécaniques ? demanda-t-il avec un ricanement graveleux.

— Un pneu à plat, dit Myron. La roue de secours est dans le coffre. C'est sympa de proposer votre aide.

— T'as pas saisi, Bolitar. Ceci n'est qu'un premier avertissement.

— Ah bon ?

Le gorille saisit Myron par les revers de son veston et le souleva de terre.

— Tu ne t'approches pas de Chaz Landreaux, mec. Il a déjà signé.

— Écoutez, si ça ne vous dérange pas, j'aimerais que vous changiez d'abord mon pneu…

— La prochaine fois, c'est pas ton pneu qu'il faudra changer. Pigé ?

— Cher monsieur, savez-vous que les stéroïdes ont des effets secondaires irréversibles ? Ça vous atrophie les testicules, notamment.

Le type devint écarlate.

— Ah ouais ? Et si je t'écrabouillais la tronche comme une tomate trop mûre, hein ? Si je te transformais en bouillie pour les chats ?

— Les chats mangent de la bouillie ? Première nouvelle. Je croyais que c'était des croquettes.

— Va te faire foutre.

Myron prit une profonde inspiration. Puis tout ses muscles se bandèrent et entrèrent en action. Un coup de boule pour commencer, qui atterrit sur l'appendice nasal du primate. Il y eut un drôle de craquement, comme lorsqu'on marche sur une colonie de cafards. Le sang gicla.

— Espèce de…

Alors Myron projeta son coude replié sur la pomme d'Adam de son adversaire, lui enfonçant la trachée pratiquement jusqu'aux cervicales. Gloups… et le silence. Myron paracheva le travail du tranchant de la main, vlan sur la nuque du costaud, façon coup du lapin. Le gros s'effondra comme une poupée de chiffon.

— Ça va, ça suffit !

L'homme au chapeau s'approcha, revolver pointé sur Myron.

— Laisse-le. Et recule, mains en l'air.

Myron le considéra, admiratif.

— Waouh ! C'est un vrai Borsalino ?

— J'ai dit « Recule ».

— D'accord, d'accord, on se calme.

— T'avais besoin de l'amocher ainsi ? dit le dandy d'un ton de reproche. Il ne faisait qu'obéir aux ordres.

— Disons que c'est un malentendu, alors, conclut Myron. Toutes mes excuses.

— Écoute, le message est simple. Tu ne t'approches pas de Chaz Landreaux. OK ?

— Vous rêvez. Dites à Roy O'Connor que ce n'est pas OK du tout.

— Hé, je ne suis pas le messager de service. Dis-le-lui toi-même.

Sur ces sages paroles, il aida tant bien que mal son collègue à se relever et l'entraîna vers leur voiture. Le colosse titubait, une main sur son appendice nasal encore sanglant et l'autre sur sa gorge endolorie. Son pif était salement endommagé mais il n'était pas au bout de ses peines, se réjouit Myron. Qu'il essaie seulement d'avaler un café !

Les deux malfaisants grimpèrent dans leur bagnole et filèrent sans demander leur reste. Et sans avoir eu la politesse de changer le pneu crevé de Myron.

2

Myron n'étant pas fondamentalement doué pour la mécanique, il lui fallut une bonne demi-heure pour changer sa roue. Entre deux écrous, il en profita pour appeler Chaz Landreaux depuis son portable.

Durant les premiers kilomètres, il roula prudemment, certain que la roue de secours allait se faire la malle. Puis, peu à peu, il reprit confiance et accéléra. En route pour la piaule de Christian, sur le campus.

Quand Chaz répondit à son message, Myron lui exposa brièvement la situation. Du moins ce qu'il en savait.

— Ils sont déjà venus ici, dit Chaz.

En bruit de fond : pleurs et rires d'enfants en bas âge, objets qui dégringolent, Chaz qui réclame le silence.

— Ils sont venus quand ? demanda Myron.

— Il y a environ une heure. Trois types.

— Ils vous ont tabassé ?

— Non. Juste des menaces. Ils m'ont dit qu'ils allaient me broyer les deux jambes si je n'honorais pas mon contrat.

Original, pensa Myron.

Chaz Landreaux était un joueur de basket en dernière année à l'université de Georgie. Il avait toutes les chances d'être « drafté » par la NBA. Élevé dans le ghetto de Philadelphie, six frères, deux sœurs, pas de père. Lors de sa première année à la fac, un sous-fifre d'un ponte nommé Roy O'Connor l'avait contacté –

quatre ans avant que Chaz ait l'âge de négocier quoi que ce soit avec un agent. L'homme offrit au jeune étudiant une « avance » de cinq mille dollars payable par mensualités de deux cent cinquante dollars s'il signait un contrat stipulant qu'il s'engageait à prendre O'Connor comme agent quand il deviendrait professionnel.

À l'époque, Chaz avait hésité. Il savait que d'après le règlement de l'Association des athlètes universitaires, la NCAA, le contrat serait considéré comme nul et non avenu. Mais le type lui avait assuré que ça ne posait aucun problème. Ils post-dateraient le contrat et le déposeraient dans un coffre pendant quatre ans. Tout le monde n'y verrait que du feu.

Chaz n'ignorait pas que c'était illégal. D'un autre côté, il savait ce que représenterait cet argent pour sa mère et ses frères et sœurs, qui vivaient entassés dans deux pièces. À ce point de la négociation, Roy O'Connor était intervenu en personne et avait avancé l'argument décisif : si Chaz changeait d'avis par la suite, il pourrait rembourser l'argent et déchirer le contrat.

Quatre ans plus tard, Chaz venait effectivement de changer d'avis. Il proposa donc de rembourser jusqu'au dernier *cent*. « Pas question, fut la réponse d'O'Connor. Tu as signé avec nous, tu restes avec nous. »

Pratique assez courante dans le milieu. Des douzaines d'agents avaient recours à ce genre de chantage. Norby Walters et Lloyd Bloom, deux des agents les plus influents du pays, avaient même été arrêtés pour ça. Les menaces faisaient également partie du tableau, mais en général ça n'allait pas plus loin. Si un joueur ne se laissait pas impressionner, l'agent finissait par renoncer.

Pas Roy O'Connor, apparemment. Il avait des arguments musclés.

— Je veux que tu te mettes au vert pendant quelque temps, dit Myron. Tu as un endroit où te planquer ?

— Ouais, je peux aller crécher chez un pote à Washington. Mais qu'est-ce qu'on va faire ?

— Je m'en occupe. Toi, contente-toi de disparaître.

— OK, pigé. Oh, autre chose, Myron…

— Quoi ?

— L'un des gus a dit qu'il vous connaissait. Sacrément balèze, le mec. Je veux dire, une vraie montagne.

— Il t'a dit comment il s'appelait ?

— Aaron. Il a dit de vous dire que vous aviez le bonjour d'Aaron.

Les épaules de Myron s'affaissèrent. Aaron… Un nom surgi du passé, et qui n'évoquait pas que des bons souvenirs, loin de là. Roy O'Connor avait des arguments plus que musclés : carrément dangereux.

Trois heures après avoir quitté son bureau, Myron chassait de son esprit l'incident du parking et frappait à la porte de Christian. Le garçon avait obtenu son diplôme deux mois plus tôt mais occupait encore sa chambre sur le campus car il avait obtenu un job d'été comme assistant de l'entraîneur de l'équipe de foot junior.

Christian ouvrit immédiatement. Avant que Myron ait le temps d'expliquer son retard, il lui dit :

— Merci d'être venu si vite.

— Je t'en prie.

Christian était blême. Plus aucune trace des fossettes qui lui creusaient les joues et faisaient craquer les filles quand il souriait. Ses mains tremblaient.

La chambre ressemblait davantage à un décor de sitcom qu'au repaire d'un étudiant. Tout d'abord, la pièce était bien rangée. Le lit était fait, les baskets sagement alignées dessous. Pas de chaussettes ni de slips éparpillés par terre. Sur les murs, des fanions ! Pas le moindre poster de Claudia Schiffer ou de Cindy Crawford. Myron n'en croyait pas ses yeux.

Tout d'abord, Christian resta silencieux. Debout l'un en face de l'autre, ils avaient l'air aussi à l'aise que deux inconnus coincés dans un cocktail sans même un verre à la main pour se donner une contenance. Le garçon fixait obstinément le plancher comme un gamin pris en faute. Il n'avait fait aucun commentaire à propos des taches de sang sur le costume de Myron. Sans doute ne les avait-il pas remarquées.

Pour briser la glace, Myron décida de tenter l'une de ses formules brevetées :

— Alors, que se passe-t-il ?

Christian se mit à faire les cent pas, chose peu aisée dans une pièce d'à peine deux mètres sur trois. Il avait les yeux rouges et des traces de larmes sur les joues.

— Est-ce que M. Burke était très fâché que vous ayez écourté le rendez-vous ?

— Il a failli faire une attaque mais ne t'inquiète pas, il survivra. Bon, si tu me disais plutôt ce qui te tracasse…

Christian hésita :

— Je… Je suis paumé, monsieur Bolitar.

Chaque fois qu'on l'appelait ainsi, Myron avait l'impression qu'on s'adressait à son père.

— De quoi s'agit-il, Christian ?

— C'est… (Il s'interrompit, prit une profonde inspiration puis se jeta à l'eau :) C'est à propos de Kathy.

— Kathy Culver ?

— Vous l'avez connue, n'est-ce pas ?

— Oui. Il y a longtemps.

— Quand vous étiez avec Jessica.

— En effet.

— Alors peut-être que vous pouvez comprendre. Kathy me manque terriblement. Elle était unique.

Myron hocha la tête en signe d'encouragement, façon animateur de télé-vérité.

Christian recula d'un pas et faillit renverser une étagère.

— Ils se sont tous emparés de cette histoire. Les tabloïdes, la télé. C'est même passé dans *Avis de recherche*. Les journalistes écrivaient en première page qu'on était un couple « idyllique ». Comme si idyllique voulait dire irréel. Comme si je n'éprouvais aucun sentiment. Comme si c'était juste un coup de pub. Après, tout le monde m'a répété que j'étais jeune, que je m'en remettrais très vite. Kathy n'était qu'une jolie blonde parmi tant d'autres, une de perdue dix de retrouvées, surtout pour un gars comme moi, etc. Elle avait disparu et j'étais censé tourner la page. *Ciao bella*, à la suivante !

Soudain, Myron voyait Christian d'un œil nouveau. Le petit gars du Kansas un peu timide, enthousiaste, naïf et surdoué qui devait devenir l'idole des stades venait de lui apparaître sous son vrai jour : un môme perdu, manipulé, dont les parents étaient morts, qui n'avait sans doute pas d'amis sincères mais était entouré de fans, et de vautours qui comptaient profiter de lui. Comme Myron, au fond ?

Non. Les autres agents, peut-être, mais pas lui. Il n'était pas comme ça. Pourtant, une pointe de culpabilité le titillait quelque part, non loin du cœur.

— Je n'ai jamais cru que Kathy était morte, poursuivit Christian. C'est bien ça le problème, je suppose. Le fait de ne pas savoir, ça vous rend fou, au bout d'un moment. Parfois… parfois il m'est arrivé de souhaiter qu'ils retrouvent son corps. Tout plutôt que cette incertitude, cet espoir insensé. C'est une pensée horrible, n'est-ce pas, monsieur Bolitar ?

— Non. Pas du tout.

Christian le regarda droit dans les yeux et cette fois il n'avait plus rien d'un enfant.

— Je n'arrête pas de penser à cette histoire de petite culotte. Vous êtes au courant, n'est-ce pas ?

Myron acquiesça. Le seul indice, dans la disparition

de Kathy, c'était sa petite culotte qu'on avait retrouvée déchirée dans une poubelle du campus. Selon la rumeur, le sous-vêtement était maculé de sperme et de sang. D'où la conclusion hâtivement confirmée par les médias : Kathy Culver était morte. Schéma classique. Elle avait été violée et assassinée par un psychopathe. On ne retrouverait sans doute jamais son corps. Ou bien quelques mois plus tard, des chasseurs tomberaient par hasard sur des restes humains à demi décomposés au milieu des bois, ce qui ferait un excellent scoop pour le JT, avec quelques gros plans sur la famille éplorée.

— Ils en ont fait un truc très moche, continua Christian. Ils disaient toujours « rose », ou bien « en soie ». Généralement c'était les deux. Ils n'ont jamais parlé de sous-vêtement, ils ont parlé de « dessous », comme si c'était un mot obscène. Ils ont fait passer Kathy pour une pute qui n'a eu que ce qu'elle méritait. Et ça, monsieur Bolitar, je ne peux plus le supporter.

Sa voix faiblit, il déglutit péniblement et finit par se taire. Myron respecta son silence. Le garçon en avait gros sur le cœur, visiblement. Il fallait que les choses sortent, que les paroles éclosent, une à une.

— Il faut que je vous raconte la suite, dit finalement Christian.

— Prends ton temps, fiston. Je t'écoute.

— Aujourd'hui j'ai vu un truc. Je…

Il s'interrompit et son regard était un appel au secours.

— Je suis convaincu que Kathy est toujours en vie.

Myron eut l'impression qu'on venait de lui verser un seau d'eau glacée sur la tête. Il s'attendait à tout sauf à ça.

— Tu peux répéter ?

Christian se dirigea vers son bureau. Aussi clean que le reste de la pièce. Deux ou trois feutres et un crayon dans un bocal, une lampe d'architecte vissée sur un coin, un agenda et un dictionnaire.

— C'est arrivé par la poste aujourd'hui, dit-il en tendant un magazine à Myron.

Sur la couverture, la photo d'une femme nue. Dire qu'elle était pourvue d'atouts hors du commun serait un euphémisme. La plupart des mâles américains sont obsédés par les grosses mamelles et Myron était un mâle, américain de surcroît. Là, cependant, ça frisait la bête de cirque. Plutôt moche de visage, la fille était lestée de trois kilos de silicone sur chaque poumon. Elle fixait l'objectif en se léchant les babines, jambes écartées, chatte à l'air, index pointé vers un potentiel client.

— Ouais, pensa Myron. Très esthétique...

Le magazine s'appelait *Nibards*. L'accroche, imprimée en relief en travers du sein droit de la dame, disait : « Plus envie de brouter ? Convainquez-la de se faire épiler ! »

Myron était un peu perdu.

— Tu peux me donner les sous-titres ?

— Le trombone.

— Quoi ?

Christian, de toute évidence, n'avait plus envie de parler. Myron feuilleta le magazine, notant au passage quelques photos de cul plus vulgaires les unes que les autres. Jusqu'au moment où il tomba sur la page marquée d'un trombone. De la pub. En en-tête, une invite en caractères gras :

Osez le téléphone rose !
Choisissez la partenaire de vos rêves !

Il y avait trois rangées de photos, quatre filles par rangée, le tout occupant une pleine page. Les légendes étaient sans originalité. *Jeunes Asiatiques en manque ! Lesbiennes juteuses à point ! Fais-moi mal, j'adore ça ! Chiennes en chaleur ! Tétons d'ado et fente étroite !* (sans doute pour ceux qui n'aimaient pas la photo de couverture). *Viens picorer ma cerise ! Mister ZOB réclamé d'urgence*, etc. Certains des clichés et des textes étaient un peu plus « orientés ». Des filles équipées de godmichés, et aussi des trucs bizarres, que Myron n'avait jamais vus, du genre expérience scientifique. Les génériques téléphoniques étaient à l'avenant. 800-PUTE. 900-SALOPE. 600-SODOME., etc.

Myron fit la grimace. Il avait envie d'aller se laver les mains.

Puis il la vit.

Au dernier rang, deuxième à partir de la droite. La légende la disait : *Prête à tout !* et donnait la marche à suivre : *900-344-DÉSIR. 3 $ 99 la minute. Facturation discrète. Visa et Mastercard acceptées.*

La fille, sur la photo, c'était Kathy Culver.

Myron sentit un frisson lui parcourir l'échine. Il referma le magazine et vérifia la date de publication. Le dernier numéro paru.

— Quand as-tu reçu ce truc ? demanda-t-il à Christian.

— Je vous l'ai dit. Par le courrier de ce matin. J'ai gardé l'enveloppe.

Papier kraft, pas d'adresse d'expéditeur, évidemment. Pas de timbre, pas de cachet de la poste. Quelqu'un avait simplement écrit à la main :

CHRISTIAN STEELE
BOÎTE 488

Pas de mention de la ville ni de l'État. De toute évidence, cet envoi émanait du campus.

— Tu reçois pas mal de lettres de fans, n'est-ce pas ?

— Oui, dit Christian, mais pas ici. C'est ma boîte privée, très peu de gens la connaissent.

Myron manipula l'enveloppe avec précaution, soucieux de préserver d'éventuelles empreintes digitales.

— Ça pourrait être un montage. Quelqu'un a pu mettre sa tête sur…

— Non, monsieur Bolitar, dit Christian, les yeux rivés sur ses baskets. Ce n'est pas seulement son visage. Je… euh…

— D'accord, je vois, dit Myron.

Bravo, mec, toujours aussi subtil !

— Pensez-vous qu'on devrait appeler la police ?

— Peut-être.

— Je veux faire ce qu'il faut faire, précisa Christian en serrant les poings. Mais je refuse de traîner une fois encore Kathy dans la boue. Vous avez vu ce qu'ils lui ont fait quand c'était une victime. Vous imaginez ce que ça va donner s'ils tombent sur ce magazine ?

— La curée.

— Oui, dit Christian, et je ne veux pas cela.

— Pas de panique, dit Myron. Je m'en occupe.

— Comment ?

— C'est mon problème, fiston.

— Il y a autre chose, dit Christian. L'écriture sur l'enveloppe.

— Oui ?

— Je ne pourrais pas le jurer, mais ça ressemble drôlement à celle de Kathy.

3

En la voyant, Myron s'arrêta net.

Il était entré dans le bar comme un somnambule, l'esprit confus, incapable de se concentrer. Il avait beau essayer de mettre en place les pièces du puzzle, de trier les images que lui avait montrées Christian et ce qu'elles impliquaient, il ne parvenait à aucune conclusion logique.

Il avait fourré le magazine dans la poche droite de son imper. Revue porno et trench-coat, le tableau était complet ! Les mêmes questions se bousculaient dans sa tête, jusqu'à lui donner la nausée. Était-il possible que Kathy soit encore en vie ? Si oui, que s'était-il passé ? Qu'est-ce qui avait pu la conduire de sa chambre d'étudiante aux pages de *Nibards* ?

C'est alors qu'il avait aperçu la femme la plus belle qu'il eût jamais vue.

Juchée sur l'un des tabourets de bar, jambes croisées, elle sirotait tranquilement son cocktail. Elle portait un corsage blanc déboutonné jusqu'à la naissance des seins, une courte jupe grise et des bas noirs. Le tout lui allait à la perfection. L'espace d'un instant, Myron crut qu'elle était le fruit de son imagination, une hallucination enchanteresse et dangereuse apparue pour son malheur. Mais ses réactions physiques, bien réelles, aussi violentes qu'une déferlante venant s'écraser sur la plage, le convainquirent du contraire.

La gorge sèche, les genoux tremblants, il s'avança vers elle.

— Vous venez souvent ici ?

C'est à peine si elle daigna poser les yeux sur lui.

— Original, comme approche. Très créatif.

— Ce n'est pas l'approche qui compte, c'est la suite, dit-il avec un sourire qu'il voulait conquérant.

— Ravie de l'apprendre. Et maintenant, ajouta-t-elle en portant son verre à ses lèvres, laissez-moi seule, je vous prie.

— On joue les coquettes, hein ?

— Du balai !

— Arrêtez. Vous êtes en train de vous ridiculiser.

— Je vous demande pardon ?

— C'est évident pour tout le monde dans ce bar.

— Sauf pour moi. Vous pourriez éclairer ma lanterne ?

— Il est évident que vous avez envie de moi.

Elle ne put retenir l'ébauche d'un sourire.

— Vraiment ?

— Ce n'est pas votre faute : je suis irrésistible.

— Mais bien sûr. D'ailleurs je tombe en pamoison. Ne soyez pas cruel, retenez-moi !

— Je suis à vos ordres, madame. Et à vos pieds.

Elle poussa un soupir, mi-amusée, mi-agacée. Elle était plus belle que jamais, plus belle encore que le jour où elle l'avait quitté. Quatre ans déjà, mais la blessure ne s'était jamais refermée. Leur week-end dans la maison de Win, au milieu des vignes… Il se souvenait de la brise marine qui soulevait doucement ses cheveux, de la façon dont elle penchait la tête quand elle parlait, de son allure de petite fille dans le vieux sweat-shirt qu'il lui avait prêté. Moments fugitifs d'un bonheur à jamais perdu.

— Salut, Myron, dit-elle.

— Salut, Jessica. Tu as l'air en pleine forme.

— Qu'est-ce que tu fais ici ?

— J'ai mon bureau au-dessus. C'est mon QG, en quelque sorte.

— Ah, c'est vrai, tu t'occupes de sportifs, à présent.

— Exact.

— Plus cool que tes combines d'agent secret à la noix, j'espère.

Myron ne se donna pas la peine de répondre. Elle le regarda bien en face mais ce fut elle qui finit par baisser les yeux.

— Excuse-moi, dit-elle enfin. J'attends quelqu'un.

— De sexe masculin ?

— Myron…

— Désolé. Un vieux réflexe.

Il ne put s'empêcher de lorgner sa main gauche et se réjouit de n'y voir aucune bague.

— Alors, finalement, tu n'as pas épousé ce type – comment s'appelait-il, déjà ?

— Doug.

— Ah oui. Dougie.

— C'est toi qui te moques du prénom des gens ?

Il haussa les épaules. Un point pour elle.

— Alors, qu'as-tu fait de lui ?

Elle étudia avec attention le cercle humide qu'avait laissé le pied d'un verre sur le comptoir.

— Ça n'avait rien à voir avec lui et tu le sais.

Il ouvrit la bouche pour répliquer puis se ravisa. Inutile de ressasser le passé.

— Et alors, où en es-tu ? Qu'est-ce qui te ramène dans notre bonne vieille pomme ?

— Je vais enseigner à l'université, pendant un semestre.

De nouveau, les battements de son cœur s'accélérèrent.

— Tu habites de nouveau à Manhattan ?

— Depuis un mois.

— Je suis sincèrement désolé, pour ton père. Je…

— Nous avons reçu tes fleurs. Merci.

— J'aurais voulu faire davantage.

— C'était mieux ainsi.

Elle finit son verre et ajouta :

— Il faut que j'y aille. Ravie de t'avoir revu.

— Je croyais que tu avais rendez-vous.

— J'ai dû confondre.

— Je t'aime toujours, tu sais.

Elle descendit de son tabouret, sans un mot.

— Et si tu nous donnais une deuxième chance ?

— Non.

Elle lui tourna le dos et s'éloigna.

— Jess ?

— Quoi encore ?

Il fut tenté de lui parler de la photo de sa sœur dans le magazine.

— On pourrait peut-être déjeuner, un de ces jours ? Juste pour parler…

— Non.

Elle se dirigea résolument vers la sortie, le laissant en plan. Une fois de plus.

Windsor Horne Lockwood, troisième du nom, écoutait Myron d'un air concentré, mains jointes, sourcils froncés. Il faisait ça très bien. Quand Myron eut terminé son histoire, il posa ses paumes bien à plat sur le bureau.

— Eh bien, quelle journée !

Après avoir partagé une chambre à l'université avec Windsor Horne Lockwood III, Myron lui louait maintenant les cent mètres carrés qui lui tenaient lieu de siège social. Les gens disaient souvent à Myron que son prénom ne lui allait pas – ce qu'il prenait pour un compliment. Windsor, en revanche, avait tout à fait la tête du prénom, du patronyme, du rang et de l'emploi. Blond, pas un cheveu de travers, raie impeccable et du bon côté, profil d'une beauté patricienne, presque trop parfait.

Il était toujours tiré à quatre épingles – et des épingles de luxe, ma chère. Chemises monogrammées, polos avec l'incontournable crocodile, pantalons de golf pour le golf, pompes à deux couleurs et à petits trous *made in England*. Il avait même une espèce d'accent bizarre, pas franchement british mais qui se voulait tel. Évidemment, il jouait au golf, comme son père et son grand-père. Évidemment, il était bronzé toute l'année – enfin, le bronzage branché : les bras jusqu'au milieu du biceps (chemisettes à manches courtes obligent) et l'encolure en V. Pour le reste, il demeurait aussi blanc qu'un navet : Windsor était blond, ne l'oublions pas. Soumis aux rayons solaires, il ne bronzait pas, il cramait. Du coup, il se payait des séances d'UVA.

Win était l'archétype du blanc-bec puant de prétention. À côté de lui, Christian Steele avait l'air d'un livreur de pizzas.

D'emblée, Myron avait détesté Windsor Horne Lockwood III. Comme tout le monde. Win y était habitué et n'y voyait aucun inconvénient : les gens se fient toujours à leur première impression. En l'occurrence, elle pouvait se résumer en deux mots : fric et arrogance. Ce qui, dans l'esprit du commun des mortels, va de pair avec la bêtise. Win n'y pouvait rien, ces trois étiquettes lui collaient à la peau. Tant pis pour ceux qui n'avaient pas le courage d'aller chercher plus loin : il s'en foutait comme de son premier biberon.

Win pointa le doigt sur le magazine.

— Donc, tu n'as pas jugé utile d'en parler à Jessica ?

Myron se leva, fit quelques pas puis se rassit.

— Qu'est-ce que j'aurais pu lui dire ? « Salut, je t'aime, je veux qu'on se remette ensemble. Et tiens, à propos, je te file une photo de ta frangine. Tu sais, celle qu'on croit morte. Ben non, elle bosse dans le porno. »

Win réfléchit un moment.

— Je l'aurais formulé autrement.

Il feuilleta le magazine, très détaché, façon homme d'affaires. Myron l'observait. Il avait décidé de ne rien dire à propos de Chaz Landreaux et de l'incident dans le parking. Pas pour l'instant, en tout cas. Win avait une curieuse façon de réagir, quand on s'attaquait à Myron. Parfois, ça devenait saignant. Mieux valait garder ça pour plus tard, quand il saurait quoi faire de Roy O'Connor. Et d'Aaron.

Win reposa le magazine sur le bureau.

— Bon, quand est-ce qu'on commence ?

— Qu'on commence quoi ?

— L'enquête. C'est ce que tu voulais, non ?
— Tu veux dire, t'es d'accord pour m'aider ?
Win se fendit d'un sourire.
— Évidemment, mon vieux. Allez, vas-y, ajouta-t-il en tournant le cadran du téléphone vers Myron.
— Tu veux… Tu veux que j'appelle le numéro indiqué sur le magazine ?
— Non, je veux que t'appelles la Maison Blanche, histoire de voir si Hillary a des trucs croustillants à nous raconter.
Myron saisit le combiné.
— Euh… T'as déjà fait ça, toi ? Je veux dire, tu as déjà appelé des numéros roses ?
Win prit un air à la fois choqué et goguenard :
— Tu rigoles ?
— Non.
— Dans ce cas, je vais te laisser. Dégrafe ta ceinture, baisse ta braguette et ferme les yeux…
— Très drôle !
Myron composa le numéro qui figurait sous la photo de Kathy. Durant sa carrière au FBI et par la suite, en tant que privé, il avait eu l'occasion de passer des coups de fil assez embarrassants. Jamais, toutefois, il ne s'était senti aussi mal à l'aise.
Un horrible bip lui perça les tympans, puis une voix électronique se fit entendre : « Désolés, nous ne pouvons donner suite à votre appel. Désolés, nous ne pouvons… »
Soulagé, Myron leva les yeux vers Win.
— Ça ne marche pas !
— Ah oui, j'ai oublié de te dire : on a bloqué l'accès à certains serveurs. Pas seulement les trucs de cul mais aussi les astrologues, les voyants, etc. Les secrétaires passaient leur temps au téléphone et on avait des notes pas possibles. Tiens, prends celui-ci, c'est ma ligne privée.
Myron recomposa le numéro. Au bout de seulement

deux sonneries, une bande enregistrée se déclencha. « Hello, dit une voix de femme. Vous êtes bien sur la ligne Éros. Si vous avez moins de dix-huit ans ou si vous ne souhaitez pas payer cette communication, veuillez raccrocher. » Bip d'une seconde, puis elle reprit : « Bienvenue sur Éros, où vous pouvez bavarder avec les filles les plus sexy, les plus compréhensives et les plus désirables du monde. »

Myron nota que la voix parlait beaucoup plus lentement, détachant chaque mot, marquant une pause entre chaque phrase.

« Dans un instant vous serez en ligne avec l'une de nos créatures de rêve, qui réalisera vos fantasmes les plus secrets et vous entraînera vers les sommets de l'extase. Confidentialité garantie, facturation discrète. »

Le débit était toujours aussi lent, comme si la bande s'adressait à des débiles mentaux. Enfin vinrent les instructions : « Si vous désirez entendre les confessions de notre maîtresse d'école très coquine, appuyez sur 1. Pour entrer en contact avec notre infirmière très dévouée, appuyez sur 2. Si vous… »

Myron leva les yeux vers Win.

— Je suis en ligne depuis combien de temps ?

— Six minutes.

— Et ça fait combien ?

— Vingt-quatre dollars.

— Bonjour l'arnaque !

— Raison de plus pour ne pas traîner.

Myron appuya sur un chiffre au hasard. Une sonnerie retentit une bonne dizaine de fois – bon sang, ils savaient vraiment plumer le pigeon ! Enfin, une voix féminine (sensuelle, légèrement enrouée) prit le relais :

— Bonjour, mon chou. Comment vas-tu ?

— Bonjour, dit Myron. Je… euh…

— C'est quoi ton petit nom, trésor ?

— Myron.

Il se mordit la langue – trop tard. Quel con ! Comment avait-il pu donner son vrai prénom ?

— Myron, hein ? Ça me plaît. C'est tellement sexy.

— Merci, mais je…

— Moi, c'est Violette.

Ben voyons !

— Comment as-tu eu mon numéro, Myron ?

— Je l'ai trouvé dans un magazine.

— Quel magazine, Myron ?

Elle commençait à l'agacer, à répéter son prénom sans arrêt.

— *Nibards*.

— Ah oui. J'adore ce magazine. Il me rend… enfin, tu vois.

Pas à dire, elle avait du vocabulaire !

— Écoutez, euh… Violette. À ce propos, je voudrais vous poser une question, concernant votre publicité.

— Myron…

— Oui ?

— J'adore ta voix. Je suis sûre qu'il ne faut pas t'en promettre. Tu veux savoir comment je suis ?

— Non, pas vraim…

— J'ai les yeux bruns, de longs cheveux noirs. Je mesure un mètre soixante-douze. Pour le reste, 90-60-90, bonnet C.

— Vous êtes sûrement très belle mais…

— Qu'est-ce que tu aimes, Myron ?

— Pardon ?

— Qu'est-ce qui t'excite ?

— Écoutez, Violette, vous êtes très gentille, sincèrement, mais je voudrais parler à la jeune fille qui était sur l'annonce.

— C'est moi.

— Non, je veux dire, celle de la photo, sur le magazine.

— Mais c'est moi, Myron.

— C'est une blonde aux yeux bleus. Vous venez de dire que vous êtes brune avec des yeux marron.

Win leva le pouce, signe d'approbation mêlé d'une pointe de moquerie. Bravo Bolitar, sacré détective !

— Toi tu connais les femmes, dit Violette. J'étais blonde et maintenant je suis brune. Mais je peux changer, si tu veux.

— Non. Il faut que je parle à la fille de la photo. C'est très important.

— Je suis meilleure qu'elle, Myron. Je suis *la* meilleure.

— Je n'en doute pas, Violette. Vous avez l'air très professionnelle. Une autre fois, peut-être. Mais pour l'instant, il faut que je parle à cette autre jeune fille.

— Elle n'est pas ici, Myron.

— Quand sera-t-elle de retour ?

— Je ne sais pas, Myron. Mais pourquoi ne pas te détendre un peu ? Toi et moi, on va se payer du bon temps…

— Je ne voudrais pas être impoli, mais non merci. Je ne suis pas intéressé. Puis-je parler à votre patron ?

— Mon patron ?

— Oui.

Soudain, sa voix perdit toute sensualité.

— Vous plaisantez ?

— Pas du tout. Passez-moi votre chef.

— Bon, si vous y tenez… Ne quittez pas.

Une minute s'écoula. Puis deux.

— Laisse tomber, dit Win. Elle veut juste voir combien de temps tu vas patienter. Tu es sur sa ligne, et en ce moment elle compte les dollars de sa commission.

— Je ne crois pas. Elle a dit qu'elle aimait ma voix.

— Oh, excuse-moi, je n'avais pas compris qu'il s'agissait d'un coup de foudre…

Quelques minutes plus tard, Myron raccrocha.

— Ça fait combien ?

Win jeta un coup d'œil à sa montre.

— Vingt-trois minutes.

Il pianota sur sa calculatrice.

— Voyons, vingt-trois à trois dollars quatre-vingt-dix-neuf la minute, ça nous fait… Ce coup de fil te coûte quatre-vingt-onze dollars et soixante-dix-sept *cents*, mon grand.

— C'est donné, pour ce que je viens d'apprendre ! Tu sais quoi ? Elle n'a pas dit un seul truc salace.

— T'es déçu ?

— Non, mais tu ne trouves pas ça bizarre ?

Win haussa les épaules tout en feuilletant le magazine.

— Tu l'as regardé de près ?

— Non, pas vraiment.

— La moitié des pages sont de la pub pour les réseaux roses. C'est du business, et sacrément juteux. À côté d'eux, Nasdaq peut aller se rhabiller.

— Ouais, le *safe sex*. Un placement sûr.

Quelqu'un frappa à la porte.

— Entrez ! dit Win.

Esperanza passa la tête dans l'entrebâillement.

— Un appel pour vous, Myron. Otto Burke.

— Dites-lui que je le prends tout de suite.

— Je ne suis pas débordé en ce moment, dit Win. Je vais tâcher de savoir qui a commandité l'annonce. Et il nous faudra un échantillon de l'écriture de Kathy Culver.

— Merci. Je vais voir ce que je peux faire.

Win avait repris sa pose de penseur.

— Tu sais, bien sûr, que cette photo ne veut rien dire. Il y a sans doute une explication toute simple.

— Peut-être.

Myron se leva. Ça faisait deux heures qu'il essayait

de se convaincre qu'il s'engageait sur une fausse piste. En vain.

— Myron ?

— Oui ?

— La présence de Jessica dans ce bar, en bas. Tu ne crois tout de même pas qu'il s'agissait d'une simple coïncidence ?

— Non, bien sûr.

— J'aime mieux ça, dit Win. Fais gaffe à toi, mec. Simple conseil d'ami.

4

Qu'il aille se faire voir !

Jessica Culver était assise à la table de la cuisine familiale, à la place qu'elle occupait autrefois, quand elle n'était encore qu'une gamine.

Comment avait-elle pu se faire avoir ainsi ? Elle aurait dû se méfier, se préparer à cette entrevue. Au lieu de cela, elle avait perdu tous ses moyens. Elle avait hésité, s'était arrêtée dans ce bar, en bas de son bureau.

Quelle idiote !

Et ce n'était pas tout. Il l'avait surprise, elle avait paniqué. Mais pourquoi ?

Elle aurait dû dire la vérité à Myron. Elle aurait dû lui avouer la raison de sa présence dans ce bar, d'une voix calme et maîtrisée. Mais non. Tandis qu'elle sirotait tranquillement son cocktail, il s'était pointé, la prenant par surprise. Beau comme autrefois, plus craquant que jamais. Il avait l'air si malheureux, et si…

Et merde, Jessie, tu n'es qu'une pauvre conne.

Oui, elle avait le don de tout faire foirer. La reine du ratage, de l'autodestruction. Son éditeur et son agent pensaient le contraire, évidemment. Ils adoraient ses

« fables ». Le terme venait d'eux – elle-même les qualifiait plutôt de « foirades ». Néanmoins et nonobstant, ces écrits, qui ne correspondaient à aucun genre littéraire connu, avaient fait d'elle un auteur hors du commun. Jessica Culver avait un indéniable « tranchant ». (Terme inventé par les professionnels de l'édition, là encore.)

Ils avaient peut-être raison, Jessie n'aurait su le dire. Une chose était certaine : ces fables avaient bousillé sa vie.

Oh, pitié pour l'artiste dont le cœur saigne en silence !

Elle secoua la tête et décida de cesser de s'apitoyer sur son sort. C'était quoi, cette soudaine crise d'introspection ? Pas du tout son genre. Mais, bon, elle avait quelques excuses. Elle venait de revoir Myron et ça avait réveillé en elle tout un tas de souvenirs. Et si on n'avait pas… Et si on avait… Une foule de « Et si » qui auraient pu changer la face du monde. Le cours de sa vie, en tout cas.

Elle avait été égoïste, pas une seconde elle n'avait pensé à Myron. Et maintenant elle s'interrogeait. Comment avait-il vécu leur rupture ? Quatre ans. Quatre ans qu'ils ne s'étaient plus revus. Elle avait relégué Myron dans un tiroir de son cerveau, soigneusement cadenassé. Elle avait pensé (espéré ?) que c'était une affaire classée. Mais se retrouver face à face avec lui aujourd'hui, cela remettait tout en cause. D'un seul coup, elle venait de tirer un trait sur ces quatre années d'oubli. La blessure qu'elle croyait cicatrisée s'était remise à saigner.

Jessica jeta un coup d'œil par la fenêtre. Elle attendait Paul. Paul Duncan, lieutenant de police du comté de Bergen. « Oncle Paul », pour elle. Le meilleur ami de son père, qui l'avait fait sauter sur ses genoux quand elle était bébé. Également l'exécuteur testamentaire d'Adam Culver. Les deux hommes avaient collaboré durant plus de vingt-cinq ans – Paul était flic et Adam médecin légiste.

Paul Duncan venait pour aider Jessica à régler les détails des funérailles de son père. Rien de pompeux, Adam n'aurait jamais voulu cela. Non, il y avait autre chose qui la tracassait. Elle tenait à en parler avec lui, seule à seul.

— Bonsoir, ma chérie.

Jessica se retourna, pour se retrouver face à sa mère.

— Bonsoir, Maman.

Carol Culver s'avança. Elle portait un tablier et triturait un chapelet qui pendait à son cou.

— J'ai fait mettre sa chaise dans la cave, dit-elle. Maintenant qu'il ne reviendra plus…

Sa chaise ? Soudain Jessica s'aperçut que la chaise en question, symbole de l'autorité paternelle, avait disparu. Ce siège rustique et inconfortable sur lequel son père avait de toute éternité posé son arrière-train, à la place d'honneur, près du réfrigérateur, si près qu'il n'avait qu'à se retourner pour en ouvrir la porte et en sortir une autre bouteille de lait… cette chaise patriarcale, donc, n'existait plus. Reléguée dans la cave, au milieu des vieux machins dont on ne voulait plus, entourée d'un cocon de toiles d'araignées.

Mais pas celle de Kathy.

Jessica tendit la main vers la chaise qui se trouvait juste à sa droite. Celle de Kathy. Elle était toujours là. Leur mère n'y avait pas touché. Leur père, d'accord, il était mort. Mais Kathy ? Qui savait ? Elle pouvait revenir d'une minute à l'autre, par la porte de derrière, souriante, fidèle à elle-même (« Quoi, vous vous êtez inquiétés ? Mais non, tout va bien, et qu'est-ce qu'on mange ? ») Les morts sont définitivement morts, quand on a vécu avec un médecin légiste, on sait cela et on en prend son parti. On les enterre et on prie pour eux. L'âme, c'est une autre histoire. La mère de Jessica était une authentique catholique, pratiquante et tout le bazar. La messe tous les matins, et la foi en la vie éternelle. Un peu comme les mecs qui font de la muscu tous les jours et finissent par croire qu'ils sont tellement beaux qu'ils en sont immortels. Jessica enviait sa mère. Ce doit être tellement confortable, de croire en l'après-vie ! Elle-même était, hélas, cartésienne jusqu'au bout des ongles, sceptique et mécréante, désespérément.

À une exception près : sa petite sœur Kathy.

Elle voulait toujours croire en un miracle. Elle avait des cauchemars, qui la réveillaient au beau milieu de la nuit. Kathy tombée au fond d'un puits, et qui criait à l'aide. Kathy, la cheville prise dans un piège. Ou, pire, Kathy réduite à l'état de squelette, bouffée par les hyènes et les asticots… Le corps de Kathy enterré dans le ciment, ou bien lesté et pourrissant au fond d'une rivière. Était-elle morte sans souffrir, avait-elle été torturée ? L'avait-on découpée en morceaux, brulée, fait fondre dans l'acide ?

Mais, surtout, dernier espoir, était-elle encore en vie ?

Atroce incertitude.

Avait-elle été kidnappée ? Était-elle prisonnière dans un harem du Moyen-Orient ? Ou bien enchaînée à un radiateur dans une ferme au fin fond du Wisconsin, à la merci d'un débile mental ? Ou peut-être qu'elle s'était cogné la tête et souffrait d'amnésie, vivant dans la rue, sans ressources ? Ou alors elle avait coupé tous les ponts, déterminée à changer d'existence…

Les scénarios étaient multiples. Même les gens dénués d'imagination sont capables d'inventer les pires horreurs quand une personne aimée disparaît du jour au lendemain. Ou, pis encore, de s'inventer mille raisons d'espérer, envers et contre toute évidence.

Les pensées morbides de Jessica furent distraites par

le toussotement asthmatique d'un moteur de voiture. Une antique Chevrolet cabossée, qu'elle eût reconnue entre toutes, se gara dans l'allée. Jessica se leva d'un bond et courut vers la porte.

Paul Duncan était un homme trapu, aux cheveux poivre et sel – dorénavant plus salés que poivrés. Il avait la démarche assurée des flics qui aiment leur métier. Il rejoignit Jessica sur la première marche du perron et lui planta un baiser sur la joue.

— Salut, ma beauté ! Comment vas-tu ?

Elle l'étreignit, sincèrement heureuse de le voir.

— Ça va, Oncle Paul.

— Tu es resplendissante.

— Merci.

Paul mit sa main en visière pour se protéger du soleil.

— Si on entrait, ma grande ? Il fait une chaleur d'enfer, dehors.

Elle posa la main sur son avant-bras.

— Dans une minute. Mais d'abord, il faut que je te parle.

— À propos de quoi ?

— Mon père.

— Ce n'est plus de mon ressort, ma chérie. Je ne suis plus à la Crime, et tu le sais. En outre, il y aurait conflit d'intérêts. J'étais l'ami d'Adam, et…

— Mais il faut que tu saches ce qui se passe.

— D'accord. Je t'écoute.

— Maman dit que la police pense qu'il a été tué dans la rue.

— Oui, je sais.

— Tu n'y crois pas une seconde, n'est-ce pas ?

— Ton père a été victime d'un vol qui a mal tourné. Son portefeuille a disparu. Sa montre. Et même sa chevalière et son alliance. Le type l'a totalement dépouillé.

— Pour faire croire à un crime crapuleux.

Paul sourit, avec cette gentillesse et cette indulgence dont il avait toujours fait preuve à son égard, pour sa première communion, son seizième anniversaire, au lycée pour son diplôme de fin d'études.

— Où veux-tu en venir, Jess ?

— Tu ne trouves pas ça bizarre ? Je veux dire, tu ne crois pas que ça pourrait avoir un rapport avec la disparition de Kathy ?

Il recula d'un pas, comme s'il était choqué par sa suggestion.

— Ta sœur s'est évanouie dans la nature. Ton père a été tué un an et demi plus tard, en pleine rue. Je ne vois pas le rapport…

— Vraiment ? Tu crois sincèrement que la foudre frappe deux fois de suite au même endroit ?

Il fourra ses mains dans ses poches.

— Ta famille a été victime de deux horribles tragédies en très peu de temps, Jess. C'est vrai. Malheureusement, ce sont des choses qui arrivent. La vie est injuste, mais Dieu a sans doute ses raisons.

— Alors c'est le destin, selon toi ?

Il leva les mains, paumes vers le ciel, en un geste fataliste.

— Le destin, la foudre… Ce sont tes mots, et c'est toi l'écrivain. Je dis simplement que c'est une double tragédie. Mais j'ai vu pis, crois-moi. Et ton père aussi.

La porte d'entrée s'ouvrit et la mère de Jessica passa la tête dans l'entrebâillement.

— Que se passe-t-il ? Que faites-vous dehors, tous les deux ?

— Rien, Carol. Tout va bien.

Carol interrogea sa fille du regard.

— Tout va bien, Maman. On bavardait, c'est tout.

Jessica rentra dans la maison. Paul Duncan ne bougea pas. Il avait toujours su qu'elle lui poserait un problème.

Déja, toute petite, elle n'arrêtait pas de demander « pourquoi ? ». Jamais elle ne se contentait d'une vague réponse. Il avait espéré que cela n'arriverait pas, mais il avait envisagé cette éventualité.

Sauf qu'il n'avait pas encore prévu de solution.

Minuit.

À dix heures du soir, Christian Steele s'était coulé sous la couette, avait lu pendant une dizaine de minutes puis avait éteint la lumière. Et, depuis, il était étendu dans le noir, immobile, les yeux grands ouverts, incapable de trouver le sommeil.

— Kathy, dit-il à voix haute.

Son esprit voletait, tel un papillon, s'arrêtant parfois brièvement sur un souvenir avant de se poser sur un autre. Autour de lui, l'obscurité, mais pas le silence. Le silence n'existe pas pour les footballeurs. Il entendait le cliquetis des chaussures à crampons dans les couloirs. La fanfare, les encouragements des pom-pom girls, les vivas de la foule… Il entendait distinctement Charles et Eddie, ses plaqueurs, leurs plaisanteries grivoises. Christian n'avait d'ailleurs rien à leur envier : il avait fait la fête, lui aussi, les soirs de victoire. Il s'était retrouvé la tête penchée sur la cuvette des WC, en train de rendre toutes les bières ingurgitées. Mais pas ce soir. Oh non, pas ce soir.

— Kathy, répéta-t-il.

Était-ce possible ? Après tout ce temps…

Tant de choses étaient arrivées, coup sur coup. Fin de l'université. L'entraînement commençait après-demain. La presse s'intéressait à lui plus que jamais. Il aimait sa célébrité naissante, il aimait voir sa photo en première page des revues de sport. On disait de lui qu'il était un gentil garçon et ça lui plaisait. (Aurait-il dû être une brute sous prétexte qu'il savait taper dans un ballon ?) Il aimait qu'on le porte aux nues – même s'il doutait, au fond de lui, de mériter un tel enthousiasme.

Christian était excité comme une puce et plus effrayé qu'une souris devant un cobra. Il savait qu'il devait songer à son avenir. Myron l'avait mis en garde : la gloire n'a qu'un temps. Et il savait de quoi il parlait, Myron. « Vas-y maintenant, gamin, à fond la caisse : ça durera dix ans, à tout casser. » Mon Dieu, il y avait tellement en jeu ! Une bonne pincée tout de suite en tant que débutant, et le pactole par la suite, lorsqu'il serait un pro confirmé…

Mais au fond, quelle importance ? Un prénom le hantait : Kathy…

Le téléphone sonna.

Christian se leva d'un bond, le cœur battant. Les réflexes trop rapides, ça vous joue parfois des tours. Ce n'était probablement que Charles ou Eddie, qui s'étonnaient qu'il ne les ait pas encore rejoints pour faire la fête. C'est vrai, il était en retard.

— Allô ?

Pas de réponse.

— Allô ?

Toujours rien. Mais la personne à l'autre bout du fil n'avait pas raccroché.

— Christian Steele à l'appareil. Qui êtes-vous ? Parlez, à la fin !

Pas un mot. Excédé, Christian reposa le combiné. Il s'apprêtait à se rallonger sur son lit quand la sonnerie retentit de nouveau.

— Allô ?

Même scénario. Il écouta plus attentivement et il lui sembla percevoir une respiration. La panique le saisit, sans raison. Ce n'était sans doute qu'un obsédé qui avait composé son numéro par hasard. Ou bien Charles ou Eddie qui lui faisaient une farce. Pas de quoi se mettre dans tous ses états. Et pourtant…

— Que voulez-vous ?

Silence.

— Je vous préviens, si jamais vous rappelez, j'appelle la police !

Il raccrocha d'un geste brusque. Sa main tremblait. Soudain, il se souvint d'un truc. « Étoile, six, neuf. » Il avait reçu une pub de la compagnie de téléphone le matin même. Il y avait aussi un spot qui passait régulièrement à la télé. Une femme enceinte jusqu'aux yeux recevait un coup de fil, se propulsait péniblement vers l'appareil et arrivait trop tard. Elle décrochait malgré tout et une voix off informait alors les téléspectateurs : « Vous venez de rater votre correspondant ? Peut-être était-ce un appel important. Un seul moyen de le savoir : appuyez sur la touche étoile, puis sur le six et le neuf. Vous serez en liaison avec la personne qui vient de vous appeler, même si sa ligne est occupée. Nous recomposerons son numéro pour vous aussi longtemps que nécessaire. »

Christian composa étoile, six, neuf. Après deux ou trois sonneries, une voix informatisée lui répondit :

« Votre correspondant est actuellement en ligne. Nous vous rappellerons dès qu'il aura libéré sa ligne. Merci. »

Il raccrocha et resta assis près du téléphone. À l'extérieur, la fête battait son plein, en trois ou quatre endroits du campus. À en juger par les bruits de verre cassé, ses potes jouaient au bière-bowling, un sport où les bouteilles remplacent les quilles.

Enfin, le téléphone sonna.

Il sursauta et s'empara du combiné comme s'il s'agissait du ballon qu'un adversaire vient de lâcher. Au bout de la quatrième sonnerie, il tomba sur le message d'un répondeur :

« Bonsoir. Je ne suis pas là pour l'instant. Après le bip sonore, laissez-nous votre message et je vous rappellerai. Merci d'avance ! »

Christian lâcha le téléphone. Un frisson glacé lui parcourut l'échine.

Cette voix, sur le répondeur. C'était celle de Kathy.

5

Myron entra dans son bureau en titubant. Ivre non pas d'alcool mais de fatigue : la nuit dernière, il n'avait même pas eu la force de se mettre au lit. Il avait essayé de lire mais les mots dansaient devant ses yeux. Il avait allumé la télé. Rien que des rediffusions de feuilletons débiles. En général, ça lui tenait lieu de somnifère, mais pas cette fois. Il n'avait qu'une pensée en tête : Jess était de retour. Et comme l'avait dit Win, ce n'était sûrement pas une coïncidence.

Vers minuit sa mère était venue le voir, en robe de chambre.

— Ça va, mon chéri ?

— Tout va bien, Maman.

— Tu m'as paru préoccupé, toute la soirée.

— Mais non, beaucoup de boulot, c'est tout. Ne t'inquiète pas.

Elle lui avait lancé ce regard typique des mères attentionnées et clairvoyantes, du genre « Je t'ai mis au monde, mon garçon, ne me raconte pas d'histoires, je te connais comme si je t'avais fait. »

— Si tu le dis, mon chéri…

À trente et un ans, Myron vivait encore chez ses parents. Certes, il avait son propre espace – sa chambre, sa salle de bains – aménagé au sous-sol. Mais il fallait bien l'admettre, il n'avait toujours pas quitté le cocon familial.

Cinq minutes après le départ de sa mère, il avait reçu un coup de fil de Christian Steele, sur sa ligne privée, qui ne sonnait qu'au sous-sol afin de ne pas déranger Papa et Maman. Christian lui raconta l'épisode des appels anonymes.

Myron connaissait évidemment le système Étoile-six-neuf. Le seul problème, c'est que ce service ne vous donnait pas le numéro de votre dernier correspondant, il se contentait de le rappeler pour vous. Myron, cependant, avait des amis au sein de la Compagnie du téléphone. Il promit d'aider Christian. L'Étoile-six-neuf ne traitait que les appels locaux. Cela excluait un correspondant téléphonant d'un autre État. Ça limitait les recherches. Il pouvait aussi faire identifier les appels reçus par Christian. Pas besoin d'être sur écoute, comme dans les séries télé : la technologie a fait des progrès, tout centre téléphonique est capable de vous dire qui vous appelle avant même que vous ne décrochiez.

Mais, naturellement, tout ceci ne répondait pas à la question cruciale : était-ce vraiment la voix de Kathy que Christian avait entendue ? Si oui, qu'est-ce que cela signifiait ?

Myron s'approcha du bureau d'Esperanza.

— Tout baigne ?

Elle lui lança un regard assassin, secoua la tête d'un air dégoûté et replongea le nez dans ses dossiers.

— Ah, je vois, dit-il. Retour au décaféiné, cure de désintox ? Mademoiselle est en manque…

Elle ne daigna pas répondre. Myron haussa les épaules.

— Des messages ?

Esperanza marmonna quelque chose en espagnol, où Myron crut saisir l'équivalent de « pauvre abruti ».

— Vous pourriez me dire ce qui vous tracasse ?

— Comme si vous ne le saviez pas !

— Je n'en ai pas la moindre idée, figurez-vous.

Nouveau regard, tout aussi courroucé. Les femmes sont douées, pour ce genre de communication non verbale. Particulièrement Esperanza.

— Laissez tomber, reprit Myron. Appelez-moi Otto Burke.

— Maintenant ? Vous êtes sûr que vous avez le temps de lui parler ?0

— Vous l'appelez, d'accord ? Et arrêtez de me prendre la tête.

Ah, ces bonnes femmes et leurs états d'âme ! Il traversa la pièce et ouvrit la porte de son bureau. Il s'arrêta net sur le seuil.

— Oh ! Euh…

Il s'éclaircit la gorge et referma la porte derrière lui.

— Hello, Jessica.

Pour la plupart des athlètes, songeait Jessica, les feux de la gloire s'éteignent en douceur. Mais pour quelques-uns d'entre eux, ça s'arrête d'un coup. Comme une panne de courant. Un jour le podium, et le lendemain l'anonymat.

C'est ce qui s'était passé avec Myron.

La plupart du temps, ça marche comme ça : il y a un petit gars très doué au lycée, l'entraîneur le remarque. Il obtient une bourse à l'université, tout baigne. Mais il n'est pas aussi brillant qu'on le croyait et tout s'écroule. Car ce monde est impitoyable. T'es le meilleur ou t'es rien du tout. Quelques-uns, bien sûr, sortiront du lot. Mais à quel prix ?

Manipulés, exploités, dopés, ils oseront regarder le soleil dans les yeux… et se retrouveront aveugles.

Les autres, qui ont suivi leur petit bonhomme de chemin, resteront à l'arrière du peloton, passant d'amateur à pro, mais sans grand espoir. Quel monde étrange et cruel, songeait Jessica. Quelle bande de masochistes !

Myron n'était pas comme eux.

Doué pour le basket, dès le départ. Il n'avait pas douze ans que les entraîneurs l'avaient déjà repéré. Doué, ne ratant jamais un panier. Une détente étonnante pour un jeune Blanc. Vinrent les honneurs, les coupes locales, régionales puis nationales. L'équipe de Boston l'avait enrôlé, son avenir était tout tracé. Il ferait partie des Celtics.

Et puis ce fut l'accident.

Un accident tout bête, comme on dit. Un match amical contre les Bullets de Washington. Deux molosses l'ont pris en tenaille. Résultat : fractures multiples, genou niqué. Plâtre, fauteuil roulant, béquilles, rééducation.

Seize mois plus tard, Myron remarchait. Mais il boitait, et cela dura pendant encore deux ans. Il ne retrouva jamais toutes ses facultés motrices. Sa carrière était foutue. On l'avait privé de sa vie, de son avenir. La presse sportive parla de lui durant quelques mois, puis s'en désintéressa.

Ensuite ce fut le black-out total.

Jessica fronça les sourcils. À l'époque, elle n'avait pas vu les choses comme ça. Les feux de la gloire… tu parles !

— Bon, eh bien maintenant je sais tout, dit Myron.

— Tu sais quoi ?

— Pourquoi Esperanza est de mauvaise humeur.

— Oh ! Je lui ai dit que nous avions rendez-vous. Elle n'avait pas l'air ravie de me voir.

— Tu m'étonnes !

— J'ai eu l'impression qu'elle m'aurait tuée au premier regard, si elle l'avait pu. Je me trompe ?

— Un bon café, ça te dirait ?

Il décrocha le téléphone et commanda deux cafés serrés.

— Alors, dis-moi, comment va Win ? demanda-t-elle.

— Plutôt bien.

— Sa famille est propriétaire de l'immeuble ?

— Oui.

— Ainsi Win est devenu un roi de la finance – malgré lui ?

Myron hocha la tête et attendit la suite.

— Alors tu le fréquentes encore. Et tu travailles toujours avec Esperanza. Rien n'a changé, à ce que je vois.

— Au contraire.

Esperanza apparut à la porte, l'air toujours aussi renfrognée.

— Otto Burke est en conférence, annonça-t-elle.

— Alors, essayez Larry Hanson.

Elle tendit un café à Jessica, se fendit d'un sourire crispé et sortit de la pièce. Jessica considéra son gobelet d'un œil méfiant.

— Tu crois qu'elle a craché dedans ?

— Probablement.

Elle posa le gobelet sur une table basse.

— J'avais l'intention de réduire la caféine, de toute façon.

Derrière Myron, le mur était tapissé d'affiches de comédies musicales. Il se mit à pianoter sur le sous-main en cuir.

— Je suis désolée, pour hier, dit Jessica. Je voulais te surprendre et tu m'as devancée.

— Tu veux toujours avoir l'avantage, n'est-ce pas ?

— Oui, je suppose. Une vieille habitude.

Il ne répondit pas.

— J'ai besoin de ton aide, dit-elle enfin.

Là encore, il resta silencieux. Elle prit une profonde inspiration et se lança :

— D'après la police, mon père a été tué lors d'une tentative de cambriolage. Je n'y crois pas une seconde.

— Et que crois-tu ?

— Je suis convaincue que sa mort a un rapport avec Kathy.

— Qu'est-ce qui te fait dire ça ?

— Je ne crois pas aux coïncidences.

— Et qu'en pense l'ami de ton père, celui qui est dans la police ? Comment s'appelle-t-il, déjà ?

— Paul Duncan.

— C'est ça. Tu en as parlé avec lui ?

— Oui.

— Et ?

— Paul confirme la version officielle. Il s'appuie sur les faits observés sur le lieu du crime. Le portefeuille et les bijoux volés, ce genre d'indices. Il se montre parfaitement logique et objectif, ce qui ne lui ressemble pas.

— Que veux-tu dire ?

— Paul Duncan est un passionné. Une tête brûlée. Or son meilleur ami se fait assassiner et il semble presque blasé. Il y a quelque chose qui ne colle pas. Je ne sais pas quoi, mais je le sens.

Myron se frotta le menton mais ne fit aucun commentaire.

— Écoute, tu sais que je n'étais pas très proche de mon père, poursuivit-elle. Il n'était pas très démonstratif et s'entendait beaucoup mieux avec les cadavres qu'il disséquait qu'avec les vivants. La vie de famille, pour lui, c'était un concept plus qu'une réalité. Malgré tout, je veux découvrir la vérité. Pour Kathy.

— Comment s'entendait-elle avec lui ? demanda Myron.

Jessica réfléchit un instant.

— Mieux, les derniers temps. Quand on était gosses, Kathy était toujours dans les jupes de Maman. Mais en grandissant, elle s'était rapprochée de notre père. Je dirais même qu'elle avait fini par le préférer à Maman. Il s'est effondré quand elle a disparu. C'est devenu une obsession. Non, obsession n'est pas un mot assez fort – nous étions tous obsédés, naturellement. Mais lui a changé du tout au tout. Lui qui avait toujours été calme et réfléchi, qui n'aimait pas faire de vagues, est devenu complètement paranoïaque. Il a profité de ses fonctions de médecin légiste pour mettre la pression sur la police, vingt-quatre heures sur vingt-quatre. Il était convaincu qu'ils ne faisaient pas correctement leur boulot. Il a même mené sa propre enquête.

— Il a découvert quelque chose ?

— Pas que je sache.

Myron posa les yeux sur une affiche d'un film des Marx Brothers, sur le mur en face de lui. *Une nuit à l'Opéra*. Groucho le regardait mais ne lui inspira aucune idée brillante.

— Qu'y a-t-il ? demanda Jessica.

— Rien. Vas-y, continue.

— En fait, il n'y a pas grand-chose d'autre à dire. J'ai seulement remarqué que les dernières semaines, mon père a eu un comportement bizarre. Il s'est mis à m'appeler pour un oui ou pour un non, alors qu'avant on se parlait à peu près trois fois par an. On aurait dit qu'il avait soudain décidé de jouer au Papa-gâteau.

Myron hocha la tête et, de nouveau, son regard se posa ailleurs. Jessica n'était pas loin de penser qu'il avait oublié sa présence quand enfin il parla, d'une voix très douce :

— À ton avis, qu'est-ce qui est arrivé à Kathy ?

— Je ne sais pas.

— Penses-tu qu'elle est morte ?

— Je… Elle me manque. Je refuse de croire à sa mort.

— Et qu'attends-tu de moi ?

— Je voudrais que tu enquêtes. Que tu découvres la vérité.

— Pourquoi moi ?

— Je… J'ai pensé que toi tu me croirais. Que tu accepterais de m'aider.

— Oui, je veux bien t'aider. Mais il faut que tu comprennes une chose : je ne suis pas neutre dans cette affaire. J'ai des intérêts en jeu.

— Christian ?

— Je suis son agent. Je dois le préserver.

— Kathy lui manque terriblement.

— Je sais.

— Comment va-t-il ?

— Pas trop mal.

— C'est un gentil garçon. Je l'aime bien, conclut Jessica.

Elle se leva et fit quelques pas vers la fenêtre. Myron, elle s'en rendait compte, ne pouvait supporter de garder les yeux sur elle trop longtemps. Elle le comprenait : leur rupture était encore douloureuse pour elle aussi. Douze étages plus bas, dans Park Avenue, se déroulait une scène plutôt cocasse. Sur le trottoir, un chauffeur de taxi enturbanné brandissait le poing vers une vieille dame armée d'une canne. Sans se démonter, la grand-mère indigne lui balança un coup de canne dans les côtes. L'homme tomba sur les genoux, mais son turban ne bougea pas d'un poil.

— Je te connais bien, tu sais, dit Jessica en se détournant de la fenêtre. Tu n'as jamais été doué pour cacher tes sentiments. Il y a quelque chose que tu ne veux pas me dire.

Il ne répondit pas.

— Myron…

Il fut sauvé par le gong – en l'occurrence par Esperanza, qui fit irruption dans le bureau sans frapper.

— Je n'ai pas pu avoir Larry Hanson, annonça-t-elle.

Juste derrière elle, Myron aperçut Win.

— J'ai des tuyaux sur ce magazine. Figure-toi que…

Il s'arrêta net en voyant Jessica.

— Salut, Win, dit-elle.

— Jessica Culver ! Mon Dieu, tu es resplendissante ! J'ai lu un article sur toi, l'autre jour. « La nouvelle bombe sexuelle de la littérature. »

— Tu ne devrais pas lire ce genre de torchon.

— C'était dans la salle d'attente de mon dentiste. Je te jure !

Un ange passa, le silence se fit pesant, bientôt rompu par Esperanza qui sortit en claquant la porte.

— Toujours aussi aimable, murmura Jessica.

Myron se leva.

— Où loges-tu ?

— Chez ma mère.

— Le numéro n'a pas changé ?

— Non.

— Je te rappelle plus tard. Pour l'instant, il faut que j'accompagne Win.

Jessica et Win échangèrent un sourire de pure convenance. Comme toujours, l'expression de Win était indéchiffrable.

— J'ai rendez-vous avec mon éditeur cet après-midi, dit-elle en se tournant vers Myron. Mais tu peux me joindre ce soir.

— OK. Je t'appelle, promis.

Et là, ce fut l'impasse. Aucun des deux ne savait comment prendre congé. Un petit salut désinvolte ? Une poignée de main, un bisou sur la joue, un baiser d'amour ?

— Bon, il faut qu'on y aille, dit Myron.

Soudain pressé, il passa devant elle en prenant soin de garder ses distances. Win lui emboîta le pas, non sans un haussement de l'épaule droite qui pouvait dire aussi bien

« Salut ma belle, à plus ! » que « Raté, ma poule. Dommage ! ». Elle les suivit des yeux. Batman et Robin…

Elle avait revu Myron deux fois en deux jours, et ils n'avaient pas eu le moindre contact physique. Pas le moindre effleurement. Elle ne savait qu'en penser.

6

— Alors, qu'est-ce que tu as trouvé ? demanda Myron.

Win donna un brusque coup de volant vers la droite et les pneus de la Jaguar XJR crissèrent avec véhémence. Ils roulaient depuis dix minutes, sans avoir échangé le moindre mot. Les CD favoris de Win, à fond sur la stéréo, leur évitaient de parler. En ce moment, c'était *L'Homme de la Manche*. Don Quichotte chantait la sérénade à sa dulcinée et tentait de changer la face du monde, tandis que Myron rongeait son frein.

— Allez, dis-moi, le supplia Myron.

— *Nibards* est édité par la PEA, lâcha Win.

— C'est-à-dire ?

— Presse Érotique Associated.

Un autre tournant en épingle à cheveux. Win appuya sur l'accélérateur.

— Eh, dis donc, la limitation de vitesse, ça te dit quelque chose ? Et le code de la route ?

Win poursuivait :

— Leur siège éditorial est à Fort Lee, dans le New Jersey.

— Leur « siège éditorial » ? Ça veut dire quoi ?

— Peu importe. On a rendez-vous avec M. Fred Nickler, le directeur éditorial.

— Je parie que sa Maman est fière de lui.

— Je te parie qu'il lui a dit qu'il travaillait dans la pub.

— Et qu'est-ce que tu lui as dit, toi, à ce Fred Nickler ? Que tu voulais acheter la boîte ?

— Pas du tout. Je l'ai simplement appelé et lui ai demandé un rendez-vous. Il a dit oui. Il avait l'air plutôt sympa.

— Un enfant de chœur, c'est sûr.

Myron regarda par la vitre. Les immeubles défilaient à toute vitesse, comme dans un film en accéléré.

— Tu te demandes sans doute ce que faisait Jessica dans mon bureau.

Win haussa les épaules. Il n'était pas du genre à s'immiscer dans les affaires des autres.

— Elle est venue me voir à propos de la mort de son père. La police persiste : il a été tué par un petit malfrat. Mais elle n'est pas d'accord.

— Et que s'est-il passé, à son avis ?

— Elle pense qu'il y a un lien entre ce meurtre et la disparition de Kathy.

— L'affaire se corse. Tu veux qu'on l'aide ?

— Oui.

— Tu es donc d'accord avec sa théorie ?

— Oui.

— C'est parti, dit Win. *Avanti !*

Ils se garèrent devant un bâtiment qui aurait pu être aussi bien un entrepôt bien entretenu qu'un immeuble de bureaux à loyer bon marché. Pas d'ascenseur, mais il n'y avait que trois étages. La maison d'édition PEA créchait au deuxième. En pénétrant dans le hall d'accueil, Myron eut une première surprise. Il ne savait pas trop à quoi s'attendre de la part d'un marchand de cul, mais en tout cas pas à ce décor hyperclean. Sur les murs peints en blanc, des reproductions d'œuvres de McKnight, Fanch, Behrens. Des plages avec cocotiers et des couchers de soleil. Pas le plus petit sein, nu ou non. La deuxième surprise, c'était la réceptionniste.

Neutre, elle aussi. Physique agréable, tenue correcte. Rien à voir avec une ex-bunny/star du porno sur le retour, blonde platinée au décolleté provocant et au sourire suggestif. Myron était presque déçu.

— Que puis-je pour vous ? demanda-t-elle.

— Nous avons rendez-vous avec M. Nickler, dit Win.

— Et vous êtes messieurs… ?

— Windsor Lockwood et Myron Bolitar.

Elle appuya sur une touche du téléphone, les annonça et, trente secondes plus tard, les guida vers le bureau de son boss. Nickler les accueillit avec une franche poignée de main. Il portait un costume bleu foncé, une chemise blanche avec une cravate rouge – plus classique qu'un candidat républicain au Sénat (surprise numéro trois). Myron s'était attendu à une chaîne en or sur un torse velu, à une énorme bagouse avec diamant, ou au moins à une boucle d'oreille à la Joey Buttafuoco. Mais Fred Nickler n'arborait qu'une alliance fort discrète. Il avait les cheveux grisonnants et le teint pâle.

— Il ressemble à ton oncle Sid, murmura Win.

C'était vrai. L'éditeur de *Nibards* ressemblait à Sidney Griffin, orthodontiste de son état.

— Asseyez-vous, je vous prie, dit Nickler en prenant place dans son confortable fauteuil en cuir. (Il sourit à Myron.) J'ai assisté à la finale contre l'équipe du Kansas. Fantastique performance, Bolitar.

— Merci, dit Myron.

— Quel talent ! Ah, ce dernier panier ! Vraiment incroyable. Un match que je ne suis pas près d'oublier. Mais revenons au présent. En quoi puis-je vous aider, messieurs ?

— Nous aimerions quelques renseignements à propos d'une annonce parue dans l'une de vos… euh… publications.

— Quel magazine ?

— *Nibards*.

Le mot eut du mal à passer : Myron ne pouvait le prononcer sans une grimace.

— Intéressant, commenta Nickler.

— Pourquoi ?

— Le lancement de cette revue est relativement récent et nous sommes assez déçus. Les tirages sont très inférieurs à ceux de nos autres mensuels. J'envisage d'arrêter la publication d'ici un mois ou deux, si les résultats ne s'améliorent pas.

— Combien de magazines publiez-vous ?

— Six.

— Sont-ils tous du même genre que… *Nibards* ?

Nickler eut un petit rire ironique.

— Oui, ils sont tous pornographiques. Et parfaitement légaux, si c'est ce qui vous inquiète.

Myron lui montra la revue que lui avait donnée Christian.

— Quand celui-ci est-il sorti ?

Nickler y jeta un bref coup d'œil.

— Il y a quatre jours.

— Seulement ?

— C'est le dernier numéro. Il vient tout juste d'être distribué dans les kiosques. Je suis d'ailleurs surpris que vous l'ayez trouvé.

Myron ouvrit le magazine à la page marquée d'un trombone et le lui tendit.

— Nous aimerions savoir qui a financé cette publicité.

Nickler chaussa ses lunettes.

— Laquelle ?

— Rangée du bas.

— Ah, téléphone rose.

— Il y a un problème ?

— Non. Mais personne n'a financé cette page.

— Que voulez-vous dire ?

— C'est ainsi que ça fonctionne, dans le métier. Quelqu'un m'appelle pour publier une pub pour le téléphone rose. Je lui dis que ça va lui coûter tant. Alors il m'explique qu'il démarre son affaire, qu'il n'a pas les capitaux. Si son concept me paraît viable, nous marchons à cinquante-cinquante. En d'autres termes, je m'occupe du marketing et lui de la logistique – les lignes téléphoniques, les filles, etc. Ensuite, nous partageons les bénéfices. Ça limite les risques, pour lui comme pour moi.

— C'est une pratique courante, dans votre business ?

— C'est même incontournable. Je dirais que quatre-vingt-dix pour cent de mon budget publicitaire me vient des lignes roses.

— Pourriez-vous nous donner le nom de votre associé dans ce cas particulier ?

— Vous plaisantez ?

— J'ai l'air de plaisanter ? dit Win.

Nickler examina plus attentivement la photo.

— Vous êtes de la police ?

— Non.

— Détectives privés ?

— Non.

Il ôta ses lunettes et nous regarda bien en face.

— Je ne suis qu'un modeste entrepreneur, dans cette immense industrie. Et je souhaite le rester. Je ne fais d'ombre à personne, moyennant quoi les requins me laissent tranquille. Croyez-moi, je n'ai besoin d'aucune publicité.

Myron lança un regard à Win. Nickler avait sûrement une femme et des enfants, une jolie villa dans une banlieue chic. Ses voisins devaient croire qu'il travaillait dans l'édition. Il y avait sûrement moyen de faire pression sur lui.

— Je serai franc avec vous, dit Myron. Si vous refusez

de nous aider, vous ne manquerez pas de publicité. Les journaux, la télé, et tout le toutim.

— C'est une menace ?

— Qu'allez-vous imaginer ?

Myron sortit un billet de cinquante dollars de son portefeuille et le posa sur le bureau.

— Nous voulons seulement savoir qui a placé cette annonce.

Nickler repoussa le billet vers Myron, l'air soudain très irrité.

— C'est quoi, ce cinéma ? La caméra cachée ? Les pots-de-vin, ce n'est pas mon genre. Si ce type a fait quelque chose d'illégal, je n'ai rien à voir avec lui. Gérer une affaire comme la mienne n'est déjà pas si facile. Moi, je respecte la loi. Pas de mineures, pas de drogue, je paie mes impôts, comme tout le monde. Je suis réglo.

— C'est bien ce que je te disais, dit Myron à Win, ce mec est un saint.

— Pensez ce que vous voulez, continua Nickler d'une voix fatiguée. Je ne suis qu'un petit chef d'entreprise qui essaie de gagner honnêtement sa vie.

— Ça ferait une belle épitaphe, c'est sûr.

— Écoutez, je ne suis pas très fier de ce business, mais il y a pire. IBM, Exxon, Union Carbide… ce sont eux les monstres, les vrais exploiteurs. Moi je ne vole personne, je ne mens pas, je ne pollue pas. Je ne fais que répondre à un besoin de société.

— Je comprends votre point de vue, monsieur Nickler, répondit Win. Mais pourrions-nous avoir le nom et l'adresse de votre partenaire ?

Nickler ouvrit un tiroir et en sortit un dossier.

— Il a des problèmes avec la justice ?

— Nous voulons seulement lui parler.

— Vous pouvez me dire pourquoi ?

— Moins vous en saurez, mieux ça vaudra pour vous, fit Win.

Fred Nickler hésita, vit le regard de Myron fixé sur lui et capitula :

— La société s'appelle ABC. Ils ont une boîte postale à Hoboken. Numéro 785. Le type s'appelle Jerry. C'est tout ce que je sais.

— Merci, dit Myron. Dernière question : avez-vous déjà vu la fille qui est sur la photo ?

— Non.

— Vous en êtes sûr ?

— Absolument.

Myron lui tendit sa carte.

— Si jamais un détail vous revient, appelez-moi. C'est important.

Nickler hésita. Finalement, il dit :

— Oui, d'accord.

Quand ils furent hors de portée de voix, Win demanda à Myron :

— Alors, ton avis ?

— Il ment. Pire que mon dentiste.

De retour dans la voiture, Myron tenta de téléphoner, ce qui ne fut pas chose facile, vu que Win avait le pied vissé sur l'accélérateur. Myron, lui, avait les yeux rivés sur le compteur, comme s'il venait de poser ses fesses sur le siège arrière d'un taxi kamikaze. Il réussit néanmoins à joindre Esperanza :

— MB Sports à votre service.

MB Sports. M pour Myron, B pour Bolitar. Myron avait trouvé ça tout seul mais ne s'en vantait pas.

— Salut, c'est moi. Est-ce qu'Otto Burke ou Larry Hanson ont rappelé ?

— Non, mais vous avez plein d'autres messages.

— Rien de la part d'Otto Burke ou de Larry ?

— Vous êtes sourd, ou quoi ?

— J'arrive.

Myron raccrocha. Otto et Larry auraient dû se manifester. Conclusion : ils l'évitaient. La question était de savoir pourquoi.

— Un problème ? demanda Win.

— Peut-être.

— Dans ce cas, rien de mieux qu'une petite cure de jouvence.

Myron leva le nez et reconnut la rue, immédiatement.

— Non, pas maintenant, Win.

— Mais si, justement.

— Il faut que je retourne au bureau.

— Ça peut attendre. Il faut que tu retrouves ton énergie interne. Ton équilibre cosmique. Il faut que tu te refocalises.

— Arrête ton char.

Win sourit et entreprit de se garer.

— Y a qu'à demander. Allez, viens, ma poule. Laisse-toi faire.

L'enseigne disait : TAEKWONDO.

Kwan, le maître des lieux, avait dans les soixante-dix ans et s'était retiré de la vie active depuis longtemps. En homme d'affaires avisé, il faisait trimer ses disciples et passait le plus clair de son temps dans son bureau climatisé, d'où il supervisait les opérations devant quatre ou cinq écrans vidéo. À l'occasion, il s'emparait de son micro et rectifiait le tir, terrorisant l'un des jeunes disciples.

L'anglais de maître Kwan laissait encore à désirer, mais son accent ne faisait qu'ajouter à son prestige. Win l'avait fait venir de Corée quatorze ans plus tôt, alors que lui-même n'était encore qu'un gamin de dix-sept ans. Myron avait la vague impression qu'à l'époque, Mister Kwan parlait parfaitement l'anglais.

Win et Myron endossèrent leurs uniformes immaculés – le *dobok* – et entourèrent leur taille de la fameuse ceinture. Win était ceinture noire, champion au niveau national. Il pratiquait le taekwondo depuis l'âge de sept ans. Myron s'y était mis sur le tard, à l'université, mais ne se débrouillait pas trop mal.

Ils s'approchèrent et se cassèrent en deux pour saluer le maître avec déférence.

— Bon après-midi, dirent-il à l'unisson.

Kwan sourit, exhibant des gencives édentées.

— Vous êtes en avance.

— Oui, maître, dit Win.

— Besoin d'aide ?

— Non, merci, maître.

Kwan se tourna vers ses écrans de télévision, leur signifiant par là que l'entretien était terminé. Myron et Win le saluèrent une fois encore et se rendirent au *dojang* privé réservé aux ceintures noires. Ils commencèrent par une séance de méditation – Myron n'en avait jamais compris l'utilité mais Win adorait ça, il se livrait à cet exercice au moins une heure par jour. Il se contorsionna aussi sec dans la position du lotus. Myron, pour sa part, se contenta de s'asseoir en tailleur. Tous deux fermèrent les yeux, mains sur les genoux, paumes tournées vers le plafond, pouce à la base du petit doigt. Les instructions résonnaient dans la tête de Myron comme un mantra. Dos bien droit. Bout de la langue enroulé et plaqué contre l'arrière des dents du haut. Il inspira par le nez pendant six secondes, s'appliquant à forcer l'air jusqu'à son abdomen, cage thoracique bloquée. Il compta jusqu'à sept puis expira lentement par la bouche pendant dix secondes, veillant à bien contracter son estomac. Puis il attendit quatre autres secondes avant de prendre une autre inspiration. Et ainsi de suite.

Win accomplissait cela sans le moindre effort. Il

n'avait même pas besoin de compter les secondes, il faisait le vide dans son esprit sans même y penser – si l'on peut dire. Myron, lui, avait la méditation besogneuse. Il fallait qu'il compte, sinon il ne pouvait s'empêcher de réfléchir aux problèmes de la journée – et là, il n'avait que l'embarras du choix. Malgré tout, il commença à se relaxer, il sentit ses muscles se relâcher avec chaque longue expiration.

Au bout de dix minutes, Win ouvrit les yeux et dit « *Barro* » (« Stop », en coréen).

Ensuite, ils firent des exercices d'élongation pendant une vingtaine de minutes. Win était aussi souple qu'un danseur classique – pour lui, le grand écart était une position toute naturelle. Sur ce plan-là, Myron avait beaucoup progressé depuis qu'il s'était mis au taekwondo.

En résumé, si Myron était agile, Win était en caoutchouc.

Ensuite ils passèrent aux *poomse*, une série de figures compliquées s'apparentant à une chorégraphie d'une violence extrême. Ce que les fondus de la muscu ne comprendront jamais, c'est que les arts martiaux sont la forme absolue de l'immobilisme. Vous êtes apparemmennt en mouvement – bondissant, virevoltant, lançant bras et jambes en avant ou en l'air, à fond pendant une demi-heure. C'est à la fois épuisant et jouissif. En fait, c'est de la frime. C'est l'autre qui bouge. Toi tu bouges pas, tu le vois venir, et un petit kick du pied gauche, splatche, il s'étale !

Pour Win, c'était de la routine. Il maîtrisait toutes les attaques et toutes les esquives. Il excellait surtout dans l'art de tromper son adversaire. Quand on le rencontrait dans la rue, on le prenait pour une lavette arrogante et snob incapable d'écraser une pêche trop mûre d'un direct du droit. Dans un *dojang*, il se transformait en terreur. Le taekwondo est considéré comme un art et le mot convient parfaitement. Win était un artiste, le meilleur que Myron eût connu.

Myron se souvenait de la première fois où il avait pris conscience des talents cachés de Win. Ils étaient en première année de fac. Une bande de footballeurs balèzes avaient décidé de lui raser le crâne parce qu'ils n'aimaient pas ses boucles blondes. Cinq d'entre eux s'étaient introduits en pleine nuit dans la chambre qu'ils partageaient. Quatre pour l'immobiliser (le dernier était chargé du coupe-chou et de la crème à raser).

Cette année-là, l'équipe de foot connut une saison désastreuse : cinq joueurs sur la touche pour cause de blessures.

Myron et Win terminèrent par deux ou trois rounds de boxe puis cent pompes – Win les comptant à voix haute en coréen. Enfin, nouvelle séance de méditation, pendant un quart d'heure.

— *Barro*, dit Win.

Ils rouvrirent les yeux.

— Tu te sens mieux ? demanda Win. T'as refait le plein d'énergie ?

— Oui, espèce de sauterelle de mes deux !

Win se déplia, passant de la position du lotus à la station debout en un mouvement délié et plein de grâce.

— Alors, as-tu pris une décision ?

Myron se releva laborieusement.

— Oui. Je vais tout dire à Jessica.

7

Une multitude de Post-it jaunes recouvraient le téléphone de Myron, telles des guêpes sur une tartine de confiture. Il les cueillit d'un geste et les passa en revue.

Aucun message d'Otto Burke ou de Larry Hanson. Mauvais signe.

Il prit le casque d'écoute et se le plaqua sur les oreilles. Longtemps il avait rechigné à utiliser ce gadget, qu'il trouvait plus approprié pour les aiguilleurs du ciel que pour les agents de sportifs, mais il avait dû se rendre à l'évidence : son bureau était une matrice dans laquelle il était aussi dépendant du téléphone qu'un fœtus de son cordon ombilical. Ces oreillettes lui facilitaient la vie : il pouvait se déplacer et garder les mains libres, sans craindre d'attraper un énième torticolis, à force de coincer le combiné contre son épaule.

Son premier appel fut pour le directeur du marketing d'une chaîne de restauration fast-food. Ils étaient prêts à sponsoriser Christian et leur offre était alléchante, mais Myron hésitait. Burger City était une société locale, or il visait plus haut. Dans son job, le plus dur était parfois de savoir dire « non ». Il en avait discuté avec Christian et avait décidé que c'était au gamin de prendre la décision. Après tout, il s'agissait de son avenir. Et de son fric.

Myron avait déjà obtenu quelques contrats lucratifs pour Christian. Une marque de céréales, dès octobre. Et Pepsi (version *light*) lançait une campagne télévisée avec Christian dans le rôle principal, où on le voyait projeter une bouteille d'un litre et demi vers le ciel, laquelle retombait en spirale au beau milieu de minettes en folie. De son côté, Nike venait de sortir une gamme de vêtements de sport sous le label « Steele ».

Christian était bien parti pour gagner des millions de dollars avec ces contrats. Bien plus qu'en jouant pour les Titans, n'en déplaise à Otto Burke. C'était curieux, d'ailleurs. Les fans n'aimaient pas que leurs idoles se fassent « acheter » aussi grassement par un club. D'un autre côté, ça ne les gênait apparemment pas que leurs héros gagnent des fortunes grâce à Pepsi, Nike et je ne sais qui, simplement pour promouvoir des produits qu'ils n'avaient jamais consommés, ni même testés. Ça n'avait aucun sens. Christian pouvait gagner plus d'argent en acceptant de tourner un spot de trente secondes pour une pub quelconque qu'en souffrant le martyre sur le terrain pendant toute une saison, sans compter les risques de blessures graves.

Aucun des collègues de Myron ne critiquait le système. La plupart d'entre eux percevaient de trois à cinq pour cent du salaire de leurs poulains. (Myron prenait quatre pour cent). En revanche, c'était carrément vingt à vingt-cinq pour cent sur les contrats de pub. En d'autres termes, si un agent signe un contrat d'un million de dollars avec un club, il empoche quarante mille petits billets verts. S'il signe pour la même somme avec un sponsor, il en touche deux cent cinquante mille.

Le deuxième appel de Myron fut pour Ricky Lane, running-back chez les Jets de New York et vieux pote de fac de Christian. (Le running-back est, grosso modo, un transperceur de muraille, le p'tit gars censé se faufiler entre les défenseurs adverses pour aller déposer le ballon dans l'en-but.) Ricky était l'un des meilleurs atouts de Myron, qui était d'ailleurs convaincu que c'était lui qui avait persuadé Christian de le choisir comme agent.

— J'ai un job pour toi, fiston. Une petite prestation dans un camp d'entraînement pour juniors. Cinq mille dollars.

— Ouais, dit Rick. Faut voir. Combien de temps ?

— Juste quelques heures. Un petit discours, quelques autographes, ce genre de truc.

— Quand ?

— Samedi en huit.

— Mais j'ai aussi ce cirque, au centre commercial trucmuche…

— Ça, c'est dimanche, dit Myron. Livingston, pour les équipements sportifs Morley.

Ricky devait toucher une autre enveloppe de cinq mille dollars en échange de sa présence durant deux heures. Assis derrière une table, à signer des autographes.

— Cool.

— Tu veux que je t'envoie une limousine ?

— Pas la peine. Je viendrai avec ma caisse. À propos, vous avez du nouveau pour les contrats de l'année prochaine ?

— J'y travaille, Ricky. Laisse-moi encore une semaine ou deux. Écoute, je voudrais que tu voies Win, assez rapidement. D'accord ?

— OK, pas de problème.

— Tu vas bien ?

— La super forme. J'ai hâte de m'y remettre, à fond la caisse.

— Continue l'entraînement. Et n'oublie pas d'appeler Win. C'est important.

— Sûr. Allez, à plusse, Myron.

— Oui, à bientôt.

Ensuite les appels s'enchaînèrent, la plupart émanant de la presse. Ils voulaient tous savoir si Christian avait signé avec les Titans. La réponse de Myron était invariable : « *No comment.* » Immédiatement complétée ainsi (parfois, les médias sont bien utiles) : « Des négociations sont en cours. Il n'est pas exclu que l'on arrive à un accord. »

Ensuite il appela Joe Norris, un vieux de la vieille des Yankees, véritable légende dont les gamins s'échangeaient – ou plutôt s'arrachaient – la carte plastifiée. À l'approche de la cinquantaine, Joe se faisait plus de blé en un mois qu'en une saison du temps de sa splendeur.

Ensuite Myron appela Linda Regal, une pro du tennis qui déprimait parce qu'un commentateur télé l'avait qualifiée d'« ancienne sur le circuit ». Il est vrai qu'elle allait bientôt souffler ses vingt bougies.

Notre ami apprit ensuite qu'Eric Kramer était de passage en ville. Diplômé de l'UCLA, grand espoir de la NFL. Myron se débrouilla pour dîner avec lui. Sacrée performance, car la compétition était rude. À part lui, environ un millier d'autres agents espéraient attirer l'attention de la star. À titre d'exemple : il y a environ douze mille agents qui courtisent deux cents futurs champions frais émoulus d'une université où ils n'ont rien à faire, sinon jouer au foot. Entre l'éthique et le profit, tôt ou tard, il faut bien faire un choix. Et qui l'emporte, à votre avis ?

Myron appela Sam Logan, manager des Jets de New York, pour discuter du contrat de Ricky Lane.

— Ce môme est au top, dit-il. Je t'assure, il vaut de l'or.

— Non, dit Logan. Il n'est pas prêt.

— Il va casser la baraque, je te dis.

Myron se leva et se mit à marcher de long en large. Son bureau était spacieux et bien situé, sur Park Avenue, au niveau de la 46e Rue. Ça impressionnait les visiteurs et les apparences comptaient beaucoup dans ce milieu dominé par des ordures.

— Écoute, Sam, poursuivit-il. Je te le répète : ce gamin est étonnant. C'est un nouveau Gayle Sayers.

— Il est trop petit.

— Qu'est-ce que tu racontes ? Tu trouves que Barry Sanders est trop petit ? Ou Emmitt Smith ? Ricky est plus grand qu'eux.

— Bon, d'accord, il a un bon potentiel et il travaille dur. Mais je ne peux pas aller au-delà de…

Le chiffre était encore trop bas au goût de Myron, mais il y avait du progrès.

Myron resta ainsi pendu au téléphone toute la journée.

À un moment donné, Esperanza lui apporta un sandwich qu'il se contenta de humer.

À vingt heures, il passa son dernier coup de fil :

— Allô ? dit Jessica.

— Il faut qu'on parle. Je serai chez toi dans une heure.

Myron scrutait le visage de Jessica, guettant sa réaction. Impassible, elle regardait le magazine comme s'il s'agissait d'un numéro de *Newsweek*. À plusieurs reprises, elle jeta un coup d'œil à la couverture pour immédiatement revenir à la photo de Kathy, sans pour autant montrer la moindre émotion. Seules les articulations exsangues de ses mains crispées la trahissaient.

— Ça va ? lui demanda Myron.

— Oui, répondit-elle d'une voix étonnamment calme. Tu me dis que Christian a reçu ça par la poste ?

— Oui.

— Et Win et toi avez rencontré l'homme qui publie ce… (elle grimaça, manifestant enfin son dégoût :) cette chose ?

— Oui.

— Est-ce qu'il vous a donné l'adresse de l'annonceur ?

— Juste une boîte postale. Je ferai des recherches demain, pour tâcher de savoir qui va chercher le courrier.

Elle leva les yeux vers lui pour la première fois.

— J'irai avec toi.

Il faillit protester mais s'abstint : il ne la connaissait que trop bien, aucun argument ne pourrait la faire changer d'avis.

— D'accord.

— Quand Christian t'a-t-il donné ce truc ?

— Hier.

— Alors hier, tu savais déjà !

— Oui.

— Et tu ne m'as rien dit ! Je me suis confiée à toi, je

me sentais complètement perdue, et pendant tout ce temps-là tu étais au courant !

— Je ne savais pas comment te le dire.

— Pendant qu'on y est, y a-t-il autre chose que tu me caches ?

— Christian pense avoir eu Kathy au bout du fil hier soir.

— Quoi ?

Il lui raconta brièvement l'épisode. Quand il parvint au moment où Christian avait cru reconnaître la voix de Kathy, elle blêmit.

— Ton amie à la compagnie du téléphone a pu trouver quelque chose ?

— Non. Mais nous savons à quelle zone correspond ce numéro.

— C'est-à-dire ?

— Ça couvre le nord du New Jersey.

— Super ! L'État le plus peuplé du pays ! Ça ne représente jamais qu'environ deux ou trois millions de personnes…

— Je sais, ça ne nous aide pas beaucoup, mais c'est mieux que rien.

De nouveau, elle posa les yeux sur le magazine.

— Excuse-moi, je ne voulais pas être désagréable. C'est juste que…

— Laisse tomber.

— Tu es un type bien, Myron. Le plus honnête que j'aie jamais connu. Sincèrement.

— Et toi, la pire des emmerdeuses.

— Difficile de te contredire sur ce point, dit-elle en esquissant un sourire.

— As-tu l'intention de prévenir la police ? Ou d'en parler à Paul Duncan ?

Elle réfléchit un moment.

— Je ne sais pas.

— La presse va s'en donner à cœur joie. Ils vont traîner Kathy dans la boue.

— Qu'ils aillent se faire voir.

— Je voulais juste te prévenir.

— Ils peuvent la traiter de pute autant qu'ils voudront, je m'en fous.

— Tu as pensé à ta mère ?

— Rien à cirer. Tout ce que je veux, c'est qu'on retrouve Kathy.

— Alors tu vas avertir la police…

— Non.

Il la regarda, perplexe.

— Tu peux m'expliquer pourquoi ?

Elle ne répondit pas tout de suite. Quand enfin elle se décida, sa voix était claire, elle pesait ses mots.

— Ça fait plus d'un an que Kathy a disparu. Pendant tout ce temps, qu'ont fait les flics ? Rien. Elle s'est évanouie dans la nature et ils n'ont pas été fichus de retrouver sa trace.

— Donc ?

— À présent, nous avons ce magazine. Quelqu'un l'a envoyé à Christian – Kathy elle-même, peut-être. En tout cas, cette personne cherche à rétablir le contact. Tu te rends compte ? Pour la première fois depuis dix-huit mois, nous avons enfin une piste. Je ne veux pas torpiller cette chance. Je ne veux pas effrayer celui ou celle qui est derrière tout cela.

Elle brandit le magazine et poursuivit :

— Ce truc est immonde et révoltant, bien sûr, mais c'est aussi notre seul lien avec Kathy, et quelque part ça me redonne une raison d'espérer. Si la police et la presse s'en mêlent, c'est foutu.

— Oui, tu n'as pas tort, admit Myron.

— Alors, qu'est-ce qu'on fait, maintenant ?

— On va à la poste de Hoboken. Je passe te prendre demain matin. Disons, à six heures ?

8

Le parfum de Jessica !

Ils étaient à la poste principale de Hoboken, elle debout tout près de lui. Elle avait dû se laver les cheveux la veille ou le matin même. Il retrouvait cette odeur enivrante autrefois si familière et qui le ravissait. Elle avait toujours le même effet sur lui.

— Alors, jouer au détective, c'est comme ça ?

— Excitant, n'est-ce pas ?

Ils avaient fait de leur mieux pour passer inaperçus. Pas si facile, quand le mec est du genre play-boy et la fille belle à en tomber par terre. Ils étaient arrivés à six heures et demie et poireautaient depuis plus de quarante-cinq minutes. Jusqu'à présent, personne ne s'était pointé pour prendre le contenu de la boîte postale numéro 785.

Ils commençaient à se lasser. Jessica avait lu tous les prospectus – d'un ennui mortel. Puis elle avait examiné les avis de recherche punaisés sur les murs. Un peu plus intéressant, mais déprimant : comme si un mec traqué par la police allait entrer dans un bureau de poste pour acheter des timbres !

— En tout cas, tu sais y faire avec les femmes, dit-elle. Dans le genre rendez-vous romantique, chapeau !

— C'est pourquoi on m'appelle Casanova.

Elle ne put s'empêcher de rire. Et ce son cristallin, qu'il n'avait plus entendu depuis si longtemps, lui fendit le cœur.

— Et ça te plaît d'être un agent « sportif », Casanova ?

— Beaucoup.

— Je les ai toujours pris pour des escrocs.

— Je te remercie.

— Tu sais ce que je veux dire. Des parasites. Des sangsues, des vipères. Des mecs qui ne pensent qu'au fric et exploitent les petits jeunes. Sans foi ni loi, à part le billet vert. Ils polluent le sport, sont prêts à tout renier pour une poignée de dollars. Ils sont…

— Responsables aussi des problèmes au Moyen-Orient. Et de l'effondrement de la Bourse. Et de la faim dans le monde…

— Oui, quelque part. Mais je ne t'inclus pas dans le lot.

— Trop aimable.

— Arrête, tu sais très bien ce que je veux dire.

Il haussa les épaules.

— Oui, je sais. Il y a plein d'agents véreux. Il y a aussi des médecins charlatans, des avocats pourris, des…

Il s'interrompit. Il avait l'impression de réciter une leçon. Qui donc lui avait sorti ce discours, récemment ? Mais oui, Fred Nickler. C'est avec ces mêmes arguments que le pornographe justifiait la publication de ses magazines.

— Les agents sont un mal nécessaire, conclut-il. Sans eux, les athlètes se feraient avoir.

— Par qui ?

— Les propriétaires de club, les requins de la finance, les multinationales. Les agents sont comme des nounous, pour les sportifs. Ils veillent à leurs intérêts, négocient leurs contrats.

— Alors, où est le problème ?

— Il y en a deux, à mon avis. D'abord, certains agents sont effectivement des escrocs, tu as raison. Ils trouvent un poulain et le saignent à blanc. Mais ça finit par se savoir. L'histoire de Kareem Abdul-Jabar, par exemple. Tu te rappelles le scandale ?

— Non, mais peu importe. Continue.

— L'autre problème, c'est qu'un agent est obligé de coiffer plusieurs casquettes à la fois. Négociateur, comptable, entraîneur, conseiller financier et matrimonial, coursier, secrétaire et psy, disponible vingt-quatre heure sur vingt-quatre.

— Et tu t'en sors ?

— Je tire mon chapeau à Win. C'est lui qui gère les finances. Moi, je suis le juriste. En plus, nous avons Esperanza. Une vraie perle. On se complète.

Une silhouette s'approcha de la boîte postale 785.

— L'heure de vérité, dit Myron.

L'homme était grand et maigre. Ses membres et son visage semblaient anormalement étirés, comme s'il avait été peint par le Greco.

— Tu le reconnais ? demanda Myron.

— Il y a quelque chose... Mais non, je ne crois pas.

— Viens, fichons le camp d'ici.

Ils sortirent discrètement et grimpèrent dans la voiture. Myron s'était garé juste devant le bâtiment, sur un emplacement interdit, en prenant la précaution de glisser un macaron de la police – cadeau d'un copain flic – sous un essuie-glace.

L'homme émergea du bureau de poste deux minutes plus tard et monta dans une Oldsmobile jaune immatriculée dans le New Jersey. Il s'engagea sur la Route 3 en direction du nord. Myron le suivit à distance.

Au bout de vingt minutes de filature, Jessica s'étonna :

— Pourquoi a-t-il loué une boîte postale aussi loin de chez lui ?

— Peut-être qu'il ne va pas chez lui mais au boulot.

— Le téléphone porno ?

— Possible. Ou alors il ne tient pas à ce que ses voisins soient au courant de ses activités.

Le Greco prit la sortie 160, puis la Route 208, toujours

en direction du nord. À Ridgewood, il tourna dans Lincoln Avenue.

— Mais on va vers chez moi ! s'écria Jessica.

— Exact.

— C'est dingue !

Ils n'étaient plus qu'à cinq kilomètres de la maison de Jessica. Si l'Oldsmobile jaune continait sur Lincoln jusqu'à Godwin Road…

Mais non. L'homme s'engagea sur Kenmore Road et se gara dans l'allée du numéro 78. Ils étaient à Glen Rock, à la limite de Ridgewood.

Myron dépassa la maison, tourna au carrefour suivant et arrêta la voiture derrière une haie. Avant de descendre, il appela son bureau. Esperanza décrocha immédiatement.

— Salut, ma belle. Trouvez-moi tout ce que vous pourrez sur le 78 Kenmore Road à Glen Rock, New Jersey. Nom du propriétaire ou du locataire, références bancaires, etc. La totale.

— Compris.

Puis il composa un autre numéro.

— Ma copine à la compagnie du téléphone, dit-il à Jessica. Allô, Lisa ? Salut, c'est Myron. J'ai besoin d'un service. 78 Kenmore Road, Glen Rock, New Jersey. Je ne sais pas combien de lignes a ce type mais je voudrais que tu me les donnes toutes. Et que tu notes tous les numéros qu'il va appeler durant les deux prochaines heures… Oui, c'est ça. Au fait, tu as pu découvrir quelque chose, à propos du numéro d'hier ?

Il écouta la réponse de Lisa, hocha la tête :

— Oui, je comprends. Je te remercie, en tout cas.

— Qu'est-ce qu'elle a dit ? demanda Jessica quand il eut raccroché.

— Le 900 est géré par une petite boîte privée qui a

son siège en Caroline du Sud. Lisa ne peut pas accéder à leur fichier.

— Et maintenant, qu'est-ce qu'on fait ? On reste là à reluquer cette baraque ?

— Non. Je vais jeter un coup d'œil. Toi tu ne bouges pas d'ici.

Elle leva un sourcil.

— Tu plaisantes ?

— Écoute, c'est toi-même qui ne voulais pas risquer d'effrayer notre éventuel « contact ». Si ce type a quelque chose à voir avec ta sœur, comment va-t-il réagir en te voyant, à ton avis ?

Elle croisa les bras, furieuse. Elle savait qu'il avait raison, ce qui ne l'empêchait pas de se sentir frustrée.

— OK, vas-y, soupira-t-elle.

Il sortit de la voiture. Le quartier était typique des banlieues de la classe moyenne. Toutes les maisons semblaient sorties du même moule, avec chacune son carré de jardin et son allée cimentée menant au garage.

Myron frappa à la porte d'entrée. Le Greco vint ouvrir.

— Jerry ?

Pris au dépourvu, l'homme ouvrit la bouche mais ne trouva rien à dire. De près, il n'était pas si laid. Avec une cigarette au bec et un col roulé noir, on l'aurait bien vu en train de lire des poèmes dans un des cafés littéraires de Greenwich Village.

— Vous désirez ?

— Jerry, je…

— Vous devez vous tromper d'adresse. Je ne m'appelle pas Jerry.

— Alors ça, c'est extraordinaire ! Vous êtes son sosie !

Cette fois, l'homme manifesta son agacement :

— Désolé, dit-il en faisant mine de refermer la porte. Je n'ai pas de temps à perdre.

— Vous en êtes sûr, Jerry ?

— Je viens de vous dire que…

— Vous connaissez Kathy Culver ?

L'attaque était soudaine et porta ses fruits.

— Qu'est-ce que c'est que cette histoire ?

— Je pense que vous le savez.

— Mais qui êtes-vous ?

— Mon nom est Myron Bolitar.

— Et ça devrait me dire quelque chose ?

— Oui, si vous êtes un fan de basket… Enfin, non. Mais j'aimerais vous poser quelques questions.

— Je n'ai rien à dire.

Myron lui tendit le magazine.

— Vous en êtes sûr, Jerry ?

Le type écarquilla les yeux, ce qui eut le plus étrange effet sur ce visage émacié.

— Vous devez me confondre avec quelqu'un d'autre, monsieur. Au revoir.

Et il claqua la porte. Myron haussa les épaules et regagna sa voiture.

— Alors ? demanda Jessica.

— Je crois que ma visite l'a secoué. Attendons de voir quels fruits vont tomber de l'arbre…

Le kiosque à journaux ! Win se payait une petite crise de nostalgie. L'expression évoquait pour lui l'époque où toutes les rues, tous les carrefours de toutes les petites villes se ressemblaient. L'époque où les gens s'inventaient des histoires d'extraterrestres pour échapper à l'ennui de l'Amérique profonde. Le kiosque était le point de ralliement de la vie communautaire. On y trouvait des barres chocolatées, des quotidiens, des cartes postales – et des revues de cul. Les adolescents boutonneux pouvaient s'acheter un Mars et se rincer l'œil en douce. Aujourd'hui, la pornographie était devenue une spécialité du pays. D'un genre qui faisait passer *Penthouse* pour une publication pour jeunes filles.

Win s'approcha du vendeur.

— Excusez-moi…

— Oui ?

— Pourriez-vous me dire si vous avez les derniers numéros d'*Orgasmes*, *Nuits d'extase*, *Libido*, *Chattes en chaleur*, *Pénétration* et *Nibards ?*

Une dame d'un certain âge en resta pantoise et lui lança un regard scandalisé. Win lui sourit.

— Laissez-moi deviner, dit-il. Vous étiez la playmate du mois en… juin 1926 ?

Elle se détourna avec une grimace de dégoût.

— Regardez par là-bas, dit le vendeur. Entre les bandes dessinées et les vidéos Disney.

— Merci.

Win trouva tous les magazines, sauf *Nibards*. Il essaya trois autres kiosques, toujours sans succès. Finalement, il trouva son bonheur dans un sex-shop de la 42e Rue. Ça s'appelait Au Palais du Roi David et c'était ouvert vingt-quatre heures sur vingt-quatre. Pratique ! Win ne s'était jamais considéré comme un type coincé, mais les articles et photos en vente dans cette officine lui prouvèrent qu'il avait encore beaucoup à apprendre sur les choses de la vie.

Il était près de midi lorsqu'il sortit du « Palais ». Matinée fructueuse et instructive. Avec un total de huit magazines sous le bras, il héla un taxi. Installé sur le siège arrière, il en feuilleta quelques-uns.

— Ouais, c'est tout bon, dit-il à voix haute.

Le chauffeur lui jeta un coup d'œil dans le rétroviseur, haussa les épaules puis se reconcentra sur la circulation, plutôt dense à cette heure.

De retour à son bureau, Win examina les revues avec attention et les compara. Gagné ! Il avait vu juste.

Cinq minutes plus tard, il fourra les revues dans un tiroir et appela Esperanza.

— Soyez gentille, ma grande. Dites à Myron de venir me voir dès qu'il revient.

9

— J'ai un aveu à te faire, dit Jessica.

Ils sortaient du parking Kinney, sur la 52e. Après la concentration de gaz d'échappement et d'urine, ils eurent l'impression d'inhaler une bouffée d'air frais en débarquant sur le trottoir. Ils s'engagèrent dans la Cinquième Avenue. Des gens faisaient la queue pour la visite guidée du Rockefeller Center. Un Jamaïcain n'arrêtait pas d'éternuer bruyamment et chaque fois ses dreadlocks battaient l'air comme des serpents furieux. Derrière lui, une dame politiquement correcte manifestait son mécontentement en pinçant les lèvres. Mais la plupart des gens attendaient sagement. Des touristes japonais, l'air réjoui, prenaient des photos.

— Je t'écoute, dit Myron.

Ils marchaient côte à côte, Jessica regardant droit devant elle.

— Tu sais, Kathy et moi, on ne se parlait pratiquement plus.

Pour Myron, c'était un scoop.

— Depuis longtemps ?

— Environ trois ans.

— Que s'est-il passé ?

Elle secoua la tête, continua d'éviter son regard.

— Je ne sais pas au juste. Elle avait changé. Ou peut-être qu'elle a tout simplement grandi et que je ne l'ai pas compris. On s'est éloignées l'une de l'autre, sans trop savoir pourquoi. À la fin, on était comme deux étrangères. On aurait dit qu'elle ne supportait pas d'être dans la même pièce que moi.

— Ça a dû être dur pour toi.

— Bon, n'en parlons plus. Mais l'important, c'est que Kathy m'a appelée la veille de sa disparition. Première fois qu'elle me contactait depuis des mois.

— Que voulait-elle ?

— Je ne sais pas. J'étais sur le point de sortir. Je l'ai envoyée sur les roses.

Ils n'échangèrent plus un mot jusqu'à la fin du trajet. Quand ils sortirent de l'ascenseur, Esperanza attendait Myron de pied ferme.

— Win veut vous voir de toute urgence, annonça-t-elle, tout en lui tendant un Fax et en lançant un regard meurtrier à Jessica.

— Des nouvelles d'Otto Burke ou de Larry Hanson ?

— Non. Mais Win veut vous voir…

— Ça va, je ne suis pas sourd. Dites-lui que j'arrive dans cinq minutes.

Il guida Jessica vers son bureau et referma la porte derrière eux. Puis il lut le Fax. Jessica, assise dans le fauteuil en face de lui, avait tout naturellement croisé les jambes. Myron s'interdit d'admirer ce spectacle sublime qui lui rappelait tant de souvenirs. Il s'efforça aussi de ne pas évoquer la douceur de sa peau, la fermeté des muscles… En vain, il faut bien l'avouer.

— Qu'est-ce que ça dit ? demanda-t-elle.

— Notre ami de Glen Rock s'appelle Gary Grady.

— J'ai déjà entendu ce nom. Mais où ?

— Il a été marié pendant sept ans, à une certaine Allison. Pas d'enfants. Hypothèque de cent dix mille dollars sur la maison – il paie ses mensualités régulièrement. Rien d'autre pour l'instant.

Il posa le Fax sur son bureau.

— Je pense qu'il va falloir qu'on attaque sur plusieurs fronts.

— C'est-à-dire ?

— Il faut remonter la piste. À partir du soir où ta sœur a disparu. Il faut tout reprendre, de A jusqu'à Z. Et c'est vrai aussi pour la mort de ton père. Je ne dis pas que les flics n'ont pas fait correctement leur boulot, mais maintenant nous avons de nouveaux indices dont ils ne disposaient pas.

— Le magazine.

— Exact.

— Et qu'est-ce que je peux faire pour t'aider ?

— Commence par voir où elle en était au moment de sa disparition. Interroge ses amis, ses copines, les cheerleaders, enfin tout le monde.

— D'accord.

— Et puis tâche d'obtenir son dossier universitaire. Je veux savoir à quels cours elle assistait, ses activités extra-scolaires, etc.

À cet instant, Esperanza ouvrit la porte (sans frapper, comme d'habitude).

— Votre futur gagne-pain vous demande, sur la deux.

Myron jeta un coup d'œil à sa montre. À cette heure-ci, Christian aurait dû être en pleine séance d'entraînement. Il décrocha.

— Christian ?

— Monsieur Bolitar, je ne comprends pas ce qui se passe.

Myron l'entendait à peine, on aurait dit que le garçon l'appelait depuis l'intérieur d'une soufflerie.

— Où es-tu ?

— Une cabine, près du stade des Titans.

— Et qu'est-ce qui t'arrive ?

— Ils ne veulent pas me laisser entrer.

Tandis que Jessica restait au bureau pour passer quelques coups de fil, Myron sortit en courant.

Dans la 57e Rue, la circulation était étonnamment fluide. Il appela Otto Burke puis Larry Hanson – sans succès, ce qui ne l'étonna guère. Ensuite il composa un numéro à Washington. Un numéro sur liste rouge, que peu de gens connaissaient.

— Salut, P.T.

— Myron, mais c'est pas vrai ! Qu'est-ce que tu me veux encore ?

— J'ai besoin que tu me rendes un service.

— Super. J'étais justement en train de me dire « Tiens, ça fait longtemps que Myron Bolitar ne m'a pas appelé pour me demander un service. Est-ce qu'il bouderait, par hasard ? »

P.T. travaillait pour le FBI. Au Bureau (comme disent les intimes), un patron chasse l'autre. Mais P.T. semblait inamovible. Les journalistes ne le connaissaient pas mais tous les présidents depuis Nixon avaient son numéro enregistré sur leur ligne privée.

— L'affaire Kathy Culver, dit Myron. À ton avis, qui pourrait me briefer ?

— Le shérif local. Son nom m'échappe mais c'est un type très bien.

— Tu pourrais m'obtenir un rendez-vous ?

— Pourquoi pas ? Satisfaire tes caprices donne un sens à ma vie !

— Je te revaudrai ça.

— Te fatigue pas, mon grand. Depuis le temps que tu me dis ça, l'ardoise est bien trop lourde pour toi… Je te rappelle dès que possible.

Ça roulait toujours aussi bien. Myron traversa le Washington Bridge et arriva en vue des Meadowlands en un temps record. Le complexe sportif des Meadowlands était construit sur d'anciens marécages situés non loin du

New Jersey Turnpike. D'ouest en est, on y trouvait la piste d'athlétisme, le stade des Titans et l'arène Brendan Byrne, ainsi baptisée en l'honneur de l'ex-gouverneur, aussi apprécié des étudiants qu'un chaperon lors du bal de fin d'année. À l'époque, ils avaient manifesté avec autant d'ardeur que les sans-culottes de la Révolution française. En vain. De nos jours, quel est le poids d'une révolution face à l'ego d'un politicien ?

— Bon sang ! s'écria Myron.

La voiture de Christian était à peine visible, prise d'assaut par une nuée de journalistes agglutinés autour d'elle comme des mouches sur un étron. Myron avait prévu la chose. Il avait recommandé à Christian de bloquer les portières et de ne surtout pas dire un mot. Passer son chemin eût été stupide ; Myron se gara donc non loin de là. Aussitôt, les reporters abandonnèrent Christian pour se ruer vers lui.

— Que se passe-t-il, Myron ?

— Vous pouvez nous dire pourquoi Christian n'est pas à l'entraînement ?

— Et où en êtes-vous, avec son contrat ?

Les questions fusaient et Myron y répondit par un « *No comment* » qui excita encore davantage cette bande de vautours. Il se fraya un passage à travers un océan de micros, d'appareils photo et de caméras, jouant des coudes pour atteindre la voiture de Christian. Il réussit à monter à bord et à refermer la portière sans une égratignure.

— Démarre, fiston, et fissa !

Christian ne se le fit pas dire deux fois. Frustrés, les journalistes se dispersèrent à regret.

— Je suis désolé, monsieur Bolitar.

— Que s'est-il passé ?

— Le gardien ne m'a pas laissé entrer. Il a dit qu'il avait des ordres.

— Le fils de pute ! marmonna Myron.

Otto Burke et ses coups en traître ! Il aurait dû s'attendre à un truc foireux. Mais de là à carrément exclure le gamin… C'était pousser un peu loin le bouchon, même pour Otto. Il était sur le point de signer, Myron l'aurait juré. Il s'intéressait à Christian, le voulait, et prêt pour la saison. Alors quoi ? Il y avait anguille sous roche.

— T'as un portable ? demanda Myron.

— Non, monsieur. Désolé.

— Aucune importance. Fais demi-tour et gare-toi près de la porte C.

— Qu'est-ce que vous comptez faire ?

— Tais-toi et fais comme moi, répondit-il tandis qu'ils sortaient de la voiture.

Quand ils se pointèrent devant le gardien, celui-ci tenta de les arrêter :

— Hé ! Cette zone est interdite au public ! Arrêtez !

— Ou je tire, conclut Myron en poussant Christian devant lui.

Ils marchèrent jusqu'à la pelouse. Les athlètes s'entraînaient comme des malades. Il s'agissait des sélections, une affaire sérieuse s'il en est. La plupart de ces garçons étaient conscients de jouer leur avenir. Champions dès le lycée, champions à l'université, ils avaient l'habitude d'être adulés et ne comptaient pas baisser les bras. Beaucoup d'entre eux devraient déclarer forfait mais, pour l'instant, tous étaient animés d'une volonté farouche. La rage de gagner, d'écraser l'adversaire, quitte à en mourir.

Quel métier ! se dit Myron.

Les entraîneurs couraient dans tous les sens, s'époumonant dans leurs sifflets. Les attaquants déboulaient, les défenseurs faisaient front, les buteurs visaient au plus juste…

Soudain, quelques joueurs aperçurent Christian Steele.

L'entraînement en fut quelque peu perturbé. Il y eut comme un temps mort. Myron décida d'ignorer l'incident : il avait repéré sa cible.

Au beau milieu des tribunes, Otto Burke siégeait, tel César au Colisée. Sourire aux lèvres, bras étendus sur les dossiers qui l'entouraient. À côté de lui, Larry Hanson et quelques autres pontes. Les membres du Sénat, en quelque sorte. De temps à autre, Otto se penchait en arrière et gratifiait sa cour d'un commentaire qui provoquait l'hilarité générale.

— Myron, très cher, dit Otto avec un geste de ses mains minuscules. Venez donc vous joindre à nous !

— Tu m'attends ici, dit Myron à Christian. Surtout tu ne bouges pas.

Il grimpa les marches vers la tribune. La cour d'Otto Burke, suivant Larry Hanson comme un troupeau de moutons, se leva et suivit son berger vers la sortie.

Myron les salua au passage.

— Bon vent, Panurge !

Personne n'osa sourire.

— Asseyez-vous, Myron, dit Otto. Il faut qu'on parle.

— J'aurais bien voulu, mais vous n'avez répondu à aucun de mes messages.

— Parce que vous m'avez appelé ? Mon Dieu, ma secrétaire est nulle ! Faudra que je voie ça avec elle.

Myron poussa un profond soupir.

— Et si on arrêtait les politesses ? Pourquoi avez-vous exclu Christian ?

— C'est très simple, en vérité. Christian n'a toujours pas signé. Or les Titans n'ont pas de temps à perdre avec un petit connard qui ne croit pas en eux. Vous voyez, là-bas, ce garçon qui se donne à fond ? Neil Decker, de Cincinnati. Superbe quarterback.

— Oui, je sais. Peut envoyer la balle plus vite que

ma grand-mère, les doigts dans le nez. Et sans se blesser, à ce qu'il m'a dit.

Otto gloussa.

— Vous êtes trop drôle, Myron.

— Ravi que ça vous plaise. Mais j'aimerais bien savoir où on va.

— D'accord. On parle franco, Myron.

— Allons-y.

— Parfait. On veut renégocier le contrat de votre client, dit Otto Burke. À la baisse.

— Je vois.

— À mon avis, votre poulain est surévalué.

— Je vois.

— Vous n'avez pas l'air surpris, Myron.

— Pas vraiment. Qu'avez-vous encore inventé, cette fois ?

— Qu'est-ce que vous insinuez ?

— Eh bien, souvenons-nous. Benny Keleher. Vous l'avez invité chez vous, vous l'avez fait boire et puis vous l'avez renvoyé chez lui et l'avez fait arrêter pour conduite en état d'ivresse.

Otto prit un air très choqué.

— Mais je n'avais rien à voir là-dedans !

— Étonnant, tout de même, qu'il ait signé dès le lendemain. Et puis il y a eu Eddie Smith. Vous vous souvenez des photos prises par un privé commandité par vos soins ? Vous vous rappellez l'avoir menacé de les envoyer à sa femme ?

— Ce ne sont que des mensonges…

— Si vous voulez. Alors jouons cartes sur table. Qu'est-ce qui justifie ce soudain désintérêt ?

Otto s'adossa à son fauteuil et prit une cigarette dans un étui en or sur lequel était gravé l'emblème des Titans.

— Un truc que j'ai vu dans un magazine un peu… spécial. Ça m'a désolé.

Il n'avait pas l'air désolé du tout : il jubilait.

— Un autre coup bas, dit Myron. Félicitations.

— Pardon ?

— C'est donc vous qui êtes derrière cette magouille. J'aurais dû m'en douter.

— Ah, vous étiez au courant ?

— Comment avez-vous obtenu la photo ?

— Quelle photo ?

— Celle de l'annonce.

— Je n'ai rien à voir avec cette publicité.

— Ben voyons ! Et vous allez sans doute me dire que vous êtes abonné à *Nibards*…

— Je vous assure, je n'y suis pour rien.

— Alors comment se fait-il que vous soyez tombé sur ce torchon ?

— Quelqu'un me l'a fait parvenir.

— Qui ?

— Je n'ai pas le droit de révéler mes sources.

— Comme c'est pratique !

— Je n'aime pas beaucoup ce ton sarcastique, Myron. Et laissez-moi vous dire autre chose : c'est vous qui n'avez pas été correct dans cette affaire. Si vous étiez au courant pour le magazine, vous étiez tenu de m'en parler. C'est une question d'éthique.

Myron leva les yeux au ciel.

— Vous venez de prononcer le mot « éthique » et la foudre ne vous est pas tombée sur la tête ! Dieu vieillit, comme nous tous.

Le sourire d'Otto se crispa légèrement mais ne disparut pas.

— Que ça vous plaise ou non, ce magazine existe, Myron, et on doit régler le problème. J'ai une proposition à vous faire.

— Je suis tout ouïe.

— Vous acceptez notre dernière offre, diminuée d'un

tiers. Sinon, la photo de Mlle Culver sera diffusée dans toute la presse. Réfléchissez. Je vous donne trois jours.

Otto suivit des yeux une passe de Neil Decker. Le ballon s'envola avec l'aisance d'un canard avec une aile cassée et vint s'écraser à une bonne dizaine de mètres de son destinataire. Otto fronça les sourcils, caressa le petit bouc ridicule qui lui ornait le menton.

— Non, disons plutôt deux jours.

10

Harrison Gordon, le doyen de l'université, s'assura que la porte de son bureau était fermée à clé. À double tour, en fait. On n'est jamais trop prudent...

Il retourna s'asseoir dans son fauteuil qu'il fit pivoter pour se retrouver face à la fenêtre. De là, il avait une vue plongeante sur l'université de Reston dans toute sa splendeur. Une marqueterie de parcelles de gazon bien taillé et d'augustes bâtiments en briques rouges auxquels il ne manquait qu'un manteau de lierre. En été, la plupart des étudiants désertaient ces hauts lieux de la connaissance, mais le campus demeurait fort animé : stages de foot ou de tennis, promenades bucoliques pour les gens du coin, sans oublier les hippies sur le retour qui venaient ici en pèlerinage comme les musulmans vont à La Mecque.

Harrison Gordon, en vérité, ne voyait pas cette faune hétéroclite. Il n'avait pas orienté son fauteuil face à la fenêtre pour admirer le spectacle, mais plutôt pour éviter de poser les yeux sur la... la chose posée sur son bureau. Il aurait voulu la détruire et l'effacer de sa mémoire. Mais il en était incapable. Malgré lui, il revenait toujours à cette page, l'une des dernières du magazine.

Brûle ça, pauvre fou. Si jamais quelqu'un tombait dessus…

Que se passerait-il ? Il préférait ne pas y penser.

De nouveau il fit pivoter son fauteuil et se retrouva devant sa table de travail. À droite du magazine, il y avait le dossier de l'étudiante Culver, Katherine. Il déglutit péniblement. D'une main tremblante, il feuilleta les bulletins scolaires, les lettres de recommandation…

Le buzz de l'intercom le fit sursauter.

— Monsieur le doyen ?

— Oui, qu'y a-t-il ?

Il avait presque hurlé dans l'appareil. Son cœur battait à tout rompre.

— J'ai ici quelqu'un qui désire vous voir. Cette personne n'a pas rendez-vous mais j'ai pensé que vous souhaiteriez peut-être la recevoir.

Edith, sa secrétaire, ne le dérangeait jamais pour rien. Cette fois, sa voix était bizarre. Comme s'il s'agissait d'une chose confidentielle.

— Et puis-je savoir le nom de cette personne ?

— Jessica Culver. La sœur de Kathy.

Pris de panique, il plaqua une main sur ses lèvres, de peur de se trahir.

— Monsieur le doyen ? Vous êtes toujours là ?

Il n'avait pas le choix. Il devait la voir et découvrir ce qu'elle voulait. Sinon, ça paraîtrait suspect.

Il ouvrit le dernier tiroir de son bureau, y fourra le dossier de Kathy et le magazine, puis le ferma à clé. Ensuite, il alla déverrouiller sa porte.

— Faites entrer Mlle Culver, dit-il.

Jessica était encore plus belle que sa jeune sœur, ce qui n'était pas peu dire. Il se demanda un instant quelle attitude adopter et se décida pour une discrète compassion professionnelle. Il lui serra la main, sans trop insister.

— Mademoiselle Culver, je suis sincèrement désolé

que nous devions faire connaissance en de si tristes circonstances. Soyez assurée que nous sommes de tout cœur avec vous et votre famille.

— Merci d'accepter de me recevoir sans rendez-vous, dit-elle.

Il balaya l'entrée en matière d'un geste de la main, du genre « C'est la moindre des choses ».

— Je vous en prie, asseyez-vous. Puis-je vous offrir quelque chose à boire ? Un café ? Un soda ?

— Non, merci.

Il regagna son fauteuil et croisa les mains sur son bureau.

— Maintenant, dites-moi, en quoi puis-je vous aider ?

— J'ai besoin du dossier de ma sœur, dit Jessica.

Harrison serra les poings malgré lui mais parvint à garder un visage impavide.

— Son dossier universitaire ?

— Oui.

— Puis-je vous demander pour quelle raison ?

— J'enquête sur sa disparition.

— Je vois.

À sa grande surprise, sa voix était restée calme.

— Mais je crois savoir que la police a déjà examiné ce dossier, poursuivit-il. Ils ont d'ailleurs des copies de tout ce qui y figure.

— Oui, je sais. Mais j'aimerais vérifier par moi-même.

— Je vois, répéta-t-il.

Il resta silencieux un moment. Mal à l'aise, Jessica changea de position sur son siège.

— Il y a un problème ?

— Non, non, bien sûr que non. Enfin, peut-être. J'ai bien peur qu'il ne me soit impossible de vous confier ce dossier.

— Mais pourquoi ?

— Ce que je veux dire, c'est que je ne suis pas sûr

que vous ayez légalement accès à ce genre de document. Les parents, certes. Mais la fratrie… Il faut que j'en avise l'avocat de notre université.

— J'ai tout mon temps, dit Jessica.

— Euh… parfait. Voulez-vous avoir la gentillesse de patienter dans l'autre pièce ?

Elle se leva, se dirigea vers la porte. Puis, soudain, elle s'arrêta et fit volte-face.

— Vous connaissiez ma sœur, n'est-ce pas ?

— En effet. C'était une jeune fille charmante.

— Elle travaillait pour vous.

— Oui, elle s'occupait du classement, répondait au téléphone, ce genre de petites choses. Elle était très consciencieuse. Elle nous manque beaucoup.

— Avez-vous l'impression qu'elle allait bien ?

— Que voulez-vous dire ?

— Juste avant sa disparition, avez-vous remarqué un changement quelconque dans son comportement ?

Gordon Harrison sentit des gouttes de sueur lui couler sur le front mais résista à l'envie de les essuyer.

— Non, je ne vois pas. Pourquoi cette question ?

— Pour rien. Je vous attends à côté.

— Oui, c'est cela.

Harrison inspira profondément. Et maintenant, que faire ? Il faudrait bien qu'il lui donne le dossier, sinon ça semblerait suspect. D'un autre côté, il était hors de question de le sortir de son tiroir pour le remettre à Jessica. Pas de panique. Il n'avait qu'à attendre quelques minutes et prétendre qu'il était allé le prendre personnellement aux archives.

Mais que cherchait-elle ? Avait-il omis un détail ?

Non, sûrement pas. Il avait passé cette dernière année à prier, à espérer que tout le monde oublierait cette histoire. Mais il aurait dû se méfier davantage. Ces choses-là resurgissent toujours, tôt ou tard.

Kathy Culver n'était pas morte et enterrée. Tel un fantôme, elle était revenue pour le hanter. Et sa voix criait vengeance.

Quand Myron revint à son bureau, Esperanza lui sauta dessus :

— Win n'a pas arrêté de buzzer. Il veut vous voir, et tout de suite !

— J'y vais.

— Myron…

— Oui ?

— Elle est de retour ? demanda-t-elle, ses grands yeux noirs emplis d'inquiétude. Jessica, je veux dire.

— Non. Seulement en visite.

Elle ne parut pas convaincue. Myron préféra ne pas épiloguer : lui-même ne savait plus très bien qu'en penser.

Il grimpa l'escalier quatre à quatre. Win avait ses bureaux deux étages au-dessus mais ç'aurait pu aussi bien être sur une autre planète. Dès que Myron poussa la grande porte en acier dépoli, il eut l'impression de pénétrer dans une ruche. Le brouhaha ambiant était assourdissant. Au moins deux cents postes de travail occupaient l'immense surface, chacun équipé de deux ou trois écrans. Aucune cloison. Tous les golden boys travaillaient côte à côte et tous semblaient sortis du même moule : chemise blanche, cravate et bretelles, veston posé sur le dossier de leur siège à roulettes. Une armée de clones rivés à leur téléphone, la plupart couvrant le combiné pour vociférer Dieu sait quoi à l'un de leurs collègues. Côté parité, c'était raté : les femmes se comptaient sur les doigts d'une main. Bienvenue à Lock-Horne Investissements.

Win régnait sur six étages tout aussi « paysagers », du quatorzième au dix-neuvième. En fait, Myron l'avait parfois soupçonné de n'en posséder qu'un et d'avoir trafiqué l'ascenseur pour qu'il s'arrête systématiquement au quatorzième, histoire d'impressionner ses clients et ses concurrents. Ce qui, bien sûr, n'était pas le cas.

À la périphérie de chaque étage, des bureaux individuels abritaient les chefs, qui bénéficiaient ainsi de larges baies par lesquelles le soleil entrait à flots, tandis que la piétaille, reléguée au centre, dépérissait sous les néons.

Win s'était attribué un bureau d'angle, avec vue panoramique sur la 47e et Park Avenue. C'était mieux qu'une carte de visite sur laquelle il aurait fait imprimer le montant de ses revenus annuels – après impôts. La décoration était du genre victorien, style fort prisé chez les Américains en mal d'ancêtres respectables. Murs lambrissés de chêne foncé, moquette vert wagon, fauteuils à oreillettes. Sur les murs, des gravures d'époque représentant des scènes de chasse à courre. Comme si Win avait déjà vu un renard de sa vie !

Quand Myron entra, Win était assis derrière son immense bureau en acajou, qui devait bien peser l'équivalent de trois bétonnières chargées jusqu'à la gueule. Il leva les yeux d'un listing fraîchement sorti d'une imprimante, le genre de truc interminable avec des petits trous sur les bords et des lettres vert clair sur fond blanc. Le bureau en était couvert. Le vert des caractères et des chiffres formait un harmonieux camaïeu avec la moquette, nota Myron.

— Alors, comment s'est passé ton rendez-vous avec notre ami Jerry le téléphornicateur ?

— Le quoi ?

Win sourit, plutôt content de lui.

— Pas mauvais, non ? Ça m'a pris la matinée. Fornicateur par téléphone…

— Félicitations, dit Myron. Je vois que tu as pas mal de temps à perdre.

Il lui fit le compte rendu de sa rencontre avec Gary « Jerry » Grady. Win joignit le bout de ses dix doigts pointés vers le plafond. Ensuite, Myron lui raconta son entrevue avec Otto Burke. Win se pencha en avant et posa ses mains à plat sur son bureau.

— Otto Burke n'est qu'un escroc minable. Il serait peut-être temps que j'aille lui rendre une petite visite d'ordre privé…

— Non, pas maintenant, s'il te plaît.

— Tu en es sûr ?

— Oui. Promets-le-moi, Win. N'y va pas.

— Bon, d'accord, concéda Win, visiblement déçu.

— À part ça, pourquoi voulais-tu me voir ? demanda Myron.

Le visage de Win s'éclaira.

— Jette un coup d'œil.

Il balança sur le sol ses feuillets informatiques, révélant une pile de revues. Celle du dessus s'appelait *ClimaXX*. En sous-titre : « Double X, pour deux fois plus de plaisir ». Le b-a ba du marketing. Win exhiba tous les magazines, les étalant en éventail comme un joueur professionnel.

— Il y en a six, dit-il.

Myron les examina.

— *ClimaXX, Orgasmes, Chattes en folie*, etc. Et, bien sûr, *Nibards*. Tous publiés par Nickler, je suppose ?

— T'as tout compris, mon pote.

— Question d'expérience. Et ça nous fait une belle jambe !

— Regarde les pages que j'ai marquées.

Myron commença par *ClimaXX*. Sur la page de couverture figurait une créature avec des seins hypertrophiés qu'elle semblait sur le point de sucer elle-même. On n'est jamais mieux servi que par soi-même, se dit Myron.

Win avait marqué les pages avec des petits morceaux de parchemin, le genre qu'on met entre les feuillets d'éditions originales reliées cuir. En l'occurrence, c'était aussi approprié que de fumer une cigarette dans un club d'aérobic.

La page marquée n'était que trop familière. Myron en eut la nausée.

Osez le téléphone rose !
Choisissez la partenaire de vos rêves !

Trois rangées de quatre, toujours. Il alla directement vers celle du bas. Deuxième à partir de la droite. L'annonce était toujours la même : « 1-900-344-DÉSIR. 3$99 la minute. Facturation discrète. Visa et MasterCard acceptées. »

Mais la fille sur la photo n'était pas Kathy Culver.

Myron passa rapidement en revue le reste de la page. Rien de différent. La même jeune Asiatique était toujours en manque, la fille maso réclamait toujours sa fessée, l'ado aux petits tétons n'était toujours pas pubère…

— Cette page figure sur les six magazines, commenta Win. Mais la photo de Kathy n'apparaît que dans *Nibards*.

— Intéressant. Nickler doit faire des rabais aux annonceurs s'ils achètent de l'espace dans plusieurs publications. Du genre « six pour le prix de trois »…

— Exactement. Je te parie que tu trouveras pile-poil les mêmes pages de pub dans chacune des revues qu'il publie.

— Mais quelqu'un a traficoté celle de *Nibards* et y a mis la photo de Kathy.

— Tu te souviens de ce qu'a dit Nickler ? reprit Win. D'après lui, *Nibards* se vend mal et il envisage d'arrêter les frais.

— Oui.

— Eh bien, je pense qu'il n'a pas menti sur ce point. Les autres torchons étaient en vente au kiosque du coin, mais j'ai dû faire toute la 42e Rue avant de dénicher ce foutu *Nibards*.

— Et pourtant, Otto Burke en a eu un exemplaire, conclut Myron. Ce qui veut dire…

— Je ne te le fais pas dire.

À cet instant, l'interphone buzza.

— Le graphologue, pour Myron, dit Esperanza. Je l'ai mis en attente.

Win appuya sur une touche et passa le combiné à Myron.

— Allô ?

— Salut, Myron, c'est Swindler. J'ai comparé tes deux échantillons.

Myron lui avait donné une lettre de Kathy et l'enveloppe dans laquelle Christian avait reçu le magazine.

— Alors ?

— C'est la même personne, ou alors il s'agit d'un faussaire génial.

— Tu en es sûr ?

— À cent pour cent.

— Merci, mon vieux. À charge de revanche.

— De rien.

Myron rendit le combiné à Win.

— Ça colle ? demanda ce dernier.

— Ouais.

Win se carra dans son fauteuil et sourit.

— Bingo !

11

Dans le couloir, Myron croisa Ricky Lane. Ils ne s'étaient pas vus depuis trois mois. Le jeune athlète avait forci. Cinq ou six kilos de muscles, toujours ça de gagné pour les Jets.

— Qu'est-ce que tu fais ici ? demanda Myron.

— Je suis les conseils de mon agent : j'ai rendez-vous avec Win.

— Ravi d'apprendre que tu écoutes les anciens !

— Toujours. Surtout quand ils sont sympas, dit Ricky avec un grand sourire. Au fait, j'ai entendu dire que Christian était sur la touche.

— Les nouvelles vont vite. Comment l'as-tu su ?

— Par le FAN.

WFAN, la station de radio new-yorkaise des fans de sport.

— Tu l'as vu récemment ? demanda Myron.

— Christian ? Ben… pas depuis mon dernier match de foot pour la fac. Y a un an et demi, à peu près.

— Je croyais que vous étiez amis… fit Myron, surpris.

Il avait toujours pensé que c'était Ricky qui avait recommandé à Christian de s'adresser à lui.

— On était dans la même équipe, mais on n'a jamais été vraiment potes.

— Tu ne l'aimes pas ?

Ricky haussa les épaules.

— Pas vraiment. Et j'étais pas le seul.

— Et les autres, c'était qui ?

— Les gars de l'équipe.

— Qu'est-ce que vous lui reprochiez ?

— Ce serait trop long à raconter.

— Essaie toujours, ça m'intéresse.

— Eh bien… comment dire ? Il était un peu trop parfait, voyez ?

— Égocentrique ? Prétentieux ?

Ricky réfléchit un instant.

— Non, c'est pas ça. En fait, je suppose qu'on était tous un peu jaloux. Putain, il était pas seulement bon, il était incroyable. J'ai jamais vu un type comme lui.

— Et alors ?

— Alors il s'attendait à ce que tout le monde soit aussi doué que lui.

— Et il était odieux quand vous n'étiez pas à la hauteur ?

Ricky hésita, secoua la tête.

— Non, c'est pas ça non plus.

— Tu pourrais être plus clair, Ricky ?

Ricky Lane contempla le ciel, baissa les yeux, regarda à droite, puis à gauche. Visiblement mal à l'aise, le garçon.

— C'est difficile à expliquer, dit-il enfin. Ça va vous paraître mesquin, mais… les gars trouvaient qu'il n'y en avait que pour lui. C'est vrai, quoi, on a remporté deux championnats nationaux, et le seul qu'on interviewait, c'était lui.

— J'ai entendu ces interviews. Et j'ai lu la presse. Il a toujours été OK, non ? Jamais il n'a cherché à ramener la couverture à lui.

— Ouais, le vrai gentleman. Sauf que tout son baratin sur « l'esprit d'équipe » lui a rapporté gros. Les mecs trouvaient qu'il se la jouait un peu trop pro. L'autopromo. Voyez ce que je veux dire ? Ils lui reprochaient d'être trop populaire.

— Toi aussi ?

— Je sais pas. Peut-être bien. En fait, il me branchait pas, point barre. On n'avait rien en commun, à part le foot. Lui c'est un p'tit Blanc du Midwest, bien propre sur lui. Moi j'suis un négro du ghetto. Ça va pas bien ensemble.

— Et c'est tout ?

— Bof… Oui, je suppose. Mais tout ça, c'est de l'histoire ancienne, *man*. Je sais même pas pourquoi je vous en parle. Christian, il était pas comme nous, et c'est tout. Pas plus mauvais qu'un autre, sans doute. Toujours très poli. Mais dans les vestiaires, c'est pas ça qui compte. Voyez ce que je veux dire ?

Myron voyait très bien. Il avait connu mieux que personne l'ambiance sexiste, machiste, anti-homo – en un mot, primaire – des coulisses du sport.

— Bon, faut que j'y aille, dit Ricky. Win va penser que je lui ai posé un lapin.

— Oui, bien sûr. À un de ces jours…

Tandis que Ricky s'éloignait, Myron eut une soudaine intuition.

— Hé, attends. Tu connaissais Kathy Culver ?

Ricky se figea sur place.

— Ouais. Enfin, pas plus que ça.

— Tu la connaissais, oui ou non ?

— C'était la cheerleader et elle sortait avec le quarterback de l'équipe. Mais elle et moi, on faisait pas partie du même monde. Pourquoi ?

— Était-elle populaire ? Ou bien est-ce que tout le monde la détestait, comme Christian ?

Ricky évita le regard de Myron.

— Écoutez, monsieur. Vous avez toujours été réglo avec moi, et j'ai toujours été réglo avec vous, pas vrai ?

— En effet.

— Alors on va en rester là. Kathy est morte, et elle est aussi bien là où elle est.

— Ce qui veut dire ?

— Rien du tout. J'ai pas envie de parler d'elle, d'accord ? Ça me fout les boules. Allez, à plusse…

Ricky partit en courant, comme s'il avait le diable aux trousses. Myron fut tenté de le suivre puis se ravisa. Ce garçon ne dirait rien de plus. Du moins pour l'instant.

12

Esperanza passa la tête dans l'entrebâillement de la porte.

— Excusez-moi, mais quelqu'un – ou quelque chose – désire vous voir.

Myron lui fit signe de se taire. Depuis son retour au bureau, il avait le casque téléphonique comme greffé sur les oreilles. Pire qu'une standardiste.

— Écoutez, démerdez-vous. Prenez-lui un billet de première classe s'il le faut. Bon, faut que je vous quitte, j'ai un autre appel, fit-il en se débarrassant de ses oreillettes. Oui, Esperanza. Quel est cet emmerdeur ?

— Un certain Aaron. Il n'a pas dit son nom de famille.

— Faites-le entrer.

Aaron n'avait pas besoin de se présenter, c'était une calamité ambulante qu'on ne risquait pas d'oublier.

Il n'avait pas changé, constata Myron. Toujours aussi gigantesque, toujours le même costard immaculé, sans un faux pli. Chemise noire largement échancrée, révélant une moquette bien fournie et bronzée à souhait. Pieds nus dans ses mocassins, comme Don Johnson dans *Deux flics à Miami*. Sans oublier les incontournables Ray-Ban, ni l'eau de toilette pour les hommes qui sont des hommes… Bref, un écran de pubs à lui tout seul.

— Salut, Myron, dit-il en souriant de toutes ses dents, façon Émail Diamant.

Ils se serrèrent la main. Sans trop serrer : Myron était courageux mais pas téméraire. Ce mec avait une poigne légendaire, on le disait capable de vous écraser une noix de coco entre le pouce et l'index.

— Asseyez-vous, je vous en prie.

Aaron s'exécuta sans se faire prier, posa son auguste

postérieur dans le fauteuil qui lui tendait les bras, envahit l'espace et ôta ses lunettes de soleil.

— Superbe, ce bureau. Réellement grandiose.

— Merci.

— Superbe adresse. Et superbe vue.

D'accord, le mot de passe c'était « superbe ».

— Vous êtes venu pour louer des locaux dans cet immeuble ?

— Ah, ah ! s'esclaffa Aaron. Non, cher ami. La promiscuité m'insupporte. Je tiens à ma liberté. « Toujours sur la brèche », voilà ma devise. Je ne me vois pas enchaîné à un bureau.

— Je suis impressionné, Aaron. Sincèrement.

— Hi, hi ! Cher Myron, je vois que vous n'avez pas changé.

Tu parles ! Ils ne s'étaient plus revus depuis le lycée. Myron avait fait sa scolarité à la Livingston High School, dans le New Jersey. Aaron, quant à lui, était inscrit à West Orange, l'école rivale. Ils s'affrontaient deux fois par an, et ces rencontres n'avaient rien d'amical.

À l'époque, le meilleur copain de Myron était un malabar prénommé Todd. Une vraie pâte, un grand couillon avec un cheveu sur la langue. Un remake *Des souris et des hommes*, avec Todd dans le rôle de Lenny et Myron dans celui de George.

Todd était un sacré lascar, fort comme un taureau. Jamais Myron ne l'avait vu perdre une bagarre. Sauf au cours de leur dernière année. Lors d'un match, Aaron avait mis Myron KO, Todd ne l'avait pas supporté et s'était jeté sur Aaron, lequel l'avait envoyé au tapis. Puis il s'était acharné sur sa victime, calmement, méthodiquement, tout en regardant Myron, encore groggy. Un véritable massacre. À la fin, le visage de Todd ressemblait à une pastèque qui se serait écrasée sur le trottoir après une chute de quinze étages. Todd resta quatre mois à l'hôpital. Sa mâchoire fracturée fut immobilisée pendant près d'un an.

— Hé ! dit Aaron en pointant le doigt sur l'une des affiches qui décoraient les murs. C'est Woody Allen et… sa copine. Tartemolle ou je ne sais qui…

— Diane Keaton.

— Oui, c'est ça. Diane Keaton.

Myron commençait à perdre patience.

— Bon, Aaron, si vous me disiez le but de votre visite ?

Soudainement, Aaron changea d'attitude. Son regard se durcit, il ne plaisantait plus.

— Vous avez raison, allons droit au but. Je crois que vous et moi avons tout intérêt à nous entendre.

— Je vous demande pardon ?

— Je suis mandaté par l'un de vos concurrents. J'ai cru comprendre que lui et vous aviez quelques petits problèmes. Or il se trouve que mon client souhaite régler cette affaire à l'amiable.

— J'ignorais que vous étiez avocat, Aaron.

Il sourit.

— Ne soyez pas sarcastique, Myron. En fait, le problème concerne un dénommé Chaz Landreaux, qui a récemment signé un contrat avec votre société, MB Sports.

— Joli nom, vous ne trouvez pas ?

— Je vous demande pardon ?

— MB Sports. Ça sonne bien, non ? M pour Myron, B pour Bolitar.

Le sourire d'Aaron s'accentua. Il devait avoir plus de trente-deux dents – et toutes d'un blanc éclatant.

— Comme je vous le disais, ce contrat pose un petit problème.

— Je vous écoute.

— Voyez-vous, il se trouve que le jeune Landreaux a également signé avec Roy O'Connor, le patron de l'agence Pro & Co. Or leur contrat est antérieur, ce qui rend le vôtre nul et non avenu.

— Et si nous laissions au tribunal le soin d'en décider ?

Aaron poussa un soupir à fendre la pierre, même la plus solide.

— Mon client pense qu'il serait de l'intérêt de chacune des parties d'éviter un procès.

— Tiens donc ! Alors, que suggère-t-il ?

— M. O'Connor est disposé à vous dédommager pour votre temps.

— C'est très généreux de sa part.

— En effet.

— Et si je refuse ?

— Nous espérons que nous n'en viendrons pas là.

— Mais si c'est le cas ?

Aaron se leva, posa les mains sur le bureau de Myron et se pencha.

— Dans ce cas, je me verrais contraint de vous faire disparaître.

— D'un coup de baguette magique ?

— D'un coup sur la trachée. Ou les cervicales.

— Oh, mon Dieu ! s'exclama Myron, mimant la frayeur.

Aaron émit un petit rire dénué d'humour.

— J'ai eu vent de votre démonstration de taekwondo dans le parking. Mais votre adversaire n'était qu'un gros tas de muscles sans cervelle. Ce n'est pas mon cas. J'ai été boxeur professionnel. Je suis ceinture noire de jiu-jitsu et grand maître en aïkido. J'ai envoyé plus d'un adversaire au cimetière.

— Voilà qui doit faire chic sur votre CV.

— Laissez-moi vous résumer la situation, Myron. Si vous nous mettez des bâtons dans les roues, je vous tue.

— Je tremble ! Maman, au secours !

Myron n'était pas aussi sûr de lui qu'il voulait le laisser

paraître, mais il savait que les types comme Aaron sont comme les chiens : ils ne vous mordent que s'ils reniflent la peur.

De nouveau, Aaron se mit à rire. Décidément, il riait beaucoup, aujourd'hui. Ou bien il trouvait tout cela très amusant, ou bien il avait inhalé du gaz hilarant. Il se dirigea vers la porte. Avant de sortir, il se retourna.

— Il n'y aura pas d'autre avertissement, dit-il. Landreaux honore son contrat avec Roy O'Connor, ou lui et vous irez nourrir les asticots.

Les métaphores alimentaires étaient à la mode, chez les truands ! D'abord on avait menacé de le recycler en bouillie pour les chats, et maintenant en festin pour les vers !

— Vous m'êtes sympathique, Myron, poursuivit Aaron. Je serais désolé qu'il vous arrive malheur. Mais, vous comprenez…

— Les affaires sont les affaires.

— Exactement.

Esperanza apparut sur le seuil. Aaron la déshabilla du regard, la gratifia de son sourire de prédateur puis enchaîna avec une œillade dévastatrice. Le tout en pure perte.

— Myron, vous avez un correspondant en attente sur la deux, dit-elle.

— Je vous conseille de l'écouter attentivement, ajouta Aaron. J'espère que vous saisirez la gravité de la situation. Et n'oubliez pas : les asticots…

— Braves petites bêtes. Je tâcherai de m'en souvenir.

Avant de partir, Aaron lança à Esperanza un dernier clin d'œil et lui souffla un baiser façon Marilyn, parfaitement ridicule.

— Charmant, commenta-t-elle.

— Qui est en ligne ?

— Chaz Landreaux.

Myron décrocha.

— Allô ?

— Ces enfoirés sont passés chez ma vieille ! hurla Chaz. Ils lui ont dit qu'ils allaient me couper les couilles et les lui envoyer par la poste ! Ils ont osé dire ça à ma propre mère, mec !

Myron serra les poings.

— Je m'en charge. T'inquiète, ils ne vont plus l'approcher.

Fini la rigolade, il était temps de passer à l'action. Et de parler de Roy O'Connor à Win.

Win sourit jusqu'aux oreilles, tel un gosse qui vient d'apprendre par la radio que l'école est fermée pour cause de blizzard.

— Roy O'Connor, dit-il d'un ton gourmand.

— Je ne veux pas de violence, dit Myron. Promets-le-moi.

Le regard de Win se fit rêveur. Il avait peut-être hoché la tête, mais Myron n'aurait pu le jurer.

13

Baumgart, sur Palisades Avenue. Autrefois, c'était leur restaurant favori.

Peter Chin vint les accueillir à l'entrée et ses yeux s'agrandirent de surprise quand il reconnut Jessica.

— Mademoiselle Culver ! Quel bonheur de vous revoir !

— C'est un plaisir pour moi aussi, Peter.

— Vous êtes plus resplendissante que jamais. Votre beauté illumine mon établissement.

— Bonsoir, Peter, dit Myron.

— Oui, bonsoir, répondit le restaurateur, par pur réflexe professionnel.

Il n'avait d'yeux que pour Jessica. Si un crocodile lui avait arraché la jambe à cet instant précis, il ne s'en serait même pas aperçu.

— Vous avez besoin de quelques-unes de mes spécialités, ajouta-t-il. Vous êtes toujours la plus belle, mais un petit kilo de plus ne vous ferait pas de mal…

— Il n'existe aucun restaurant tel que le vôtre à Washington.

— C'est drôle, dit Myron. Moi, je trouve qu'elle a tendance à s'empâter.

— T'es un homme mort, lui souffla Jessica.

Baumgart était une véritable institution à Englewood, New Jersey. Pendant un demi-siècle, ce fut un salon de thé tenu par une famille juive. L'endroit était réputé pour ses crèmes glacées et ses viennoiseries. Quand Peter Chin le racheta, il y avait huit ans de cela, il eut l'intelligence d'en conserver le côté traditionnel, tout en y ajoutant sa touche personnelle : la meilleure cuisine chinoise à des lieues à la ronde. L'amalgame fit merveille. On venait chez lui pour son canard laqué à la pékinoise suivi de son gâteau au fromage blanc. Quand Myron et Jessica vivaient ensemble, ils venaient dîner chez lui au moins une fois par semaine.

Myron était resté un habitué. Il y entraînait souvent Win ou Esperanza. Parfois, il venait seul. Mais jamais il n'y avait invité une de ses conquêtes. Pour lui, l'endroit était sacré.

Peter les guida vers une table à l'écart, surmontée d'un tableau moderne. Ç'aurait pu être un portrait de Cher ou de Barbara Bush, au choix. Ou un croisement entre les deux. Très ésotérique.

Myron et Jessica s'assirent l'un en face de l'autre, en silence. L'endroit était chargé de trop de souvenirs lourds à porter. Ils avaient sans doute surestimé leurs forces. En fait, ils étaient sonnés, l'un et l'autre.

— Ça m'a manqué, dit-elle.

— Oui. À moi aussi.

Elle tendit la main en travers de la table et la posa sur la sienne.

— Tu m'as manqué.

Elle avait rougi, comme autrefois, à l'époque où lui seul comptait pour elle. Myron en eut le cœur serré, un étau lui broyait la poitine, l'empêchant de respirer. Le reste du monde disparut. Il n'y avait plus qu'eux deux, face à face.

— Je ne sais pas trop quoi dire.

— Quoi ? Myron Bolitar à court de mots ?

Peter vint prendre leur commande. Enfin, façon de parler. Sans préambule, il décréta :

— Pour commencer, nos magrets fumés et la tourte de pigeonneaux aux pignons. Ensuite, deux crabes à la Maryland et le homard sauce crevettes façon Baumgart.

— Et pour le dessert, on a le droit de choisir ? demanda Myron.

— Non. Pour vous, Myron, ce sera la tarte aux noix de pécan. Et pour Mlle Culver…

Il marqua une pause, tel un présentateur de jeu télévisé qui veut ménager le suspense. Jessica sourit, le regard impatient.

— Ne me dites pas que…

— Si. Pudding à la banane et tuiles à la vanille. Il n'en restait qu'une part, mais je l'ai réservée pour vous.

— Peter, vous êtes un ange.

— Je fais de mon mieux. Vous n'avez pas apporté de vin ?

Baumgart n'avait pas de licence pour les boissons alcoolisées.

— Nous avons oublié, dit Jessica.

Son sourire fascinait Myron, lui faisant perdre tous ses moyens.

— J'envoie quelqu'un de l'autre côté de la rue vous chercher une bouteille, dit Peter. Chardonnay Kendall-Jackson ?

— Quelle mémoire ! commenta-t-elle.

— Seulement pour les choses importantes, répondit Peter en s'inclinant devant elle avec cérémonie.

Toujours souriante, elle reporta son attention sur Myron. Il se sentait intimidé, vulnérable et merveilleusement heureux.

— Je suis désolée, dit-elle. Je ne voulais pas... J'ai commis tant d'erreurs dans ma vie. Je suis stupide. Je me débrouille toujours pour détruire ce que j'aime.

— Non. Tu es parfaite.

Soudain grave, la main sur le cœur, elle récita d'un ton dramatique :

— « Ôte les volets de tes yeux et vois-moi telle que je suis. »

— Dulcinée à Don Quichotte, dans *L'Homme de la Manche*. Mais c'était « Ôte les nuages », pas les volets.

— Très impressionnant.

— Je n'ai pas de mérite : Win n'arrête pas de passer la cassette dans la voiture.

Autrefois, le concours de citations était l'un de leurs jeux favoris.

Elle se mit à déplacer son verre d'eau, formant de petits cercles humides sur la table. Elle finit par dessiner sans y penser le logo des jeux Olympiques.

— Je ne sais pas trop ce que j'essaie de te dire. Je ne sais pas ce que j'espère de cette soirée.

Elle redressa la tête et le regarda droit dans les yeux.

— C'est vrai, je suis venue te trouver parce que je pensais que tu pouvais m'aider. Mais ce n'était pas la seule raison.

— Je sais. Et ça me terrifie.

— Et maintenant, que fait-on ?

— As-tu récupéré le dossier de ta sœur ?

— Oui.

— Tu l'as examiné ?

— Pas encore.

— Alors qu'est-ce qu'on attend ?

Elle acquiesça, sortit de son sac une enveloppe grand format en papier kraft. C'est le moment que choisit le serveur pour leur apporter les entrées.

— J'aimerais mieux que ce soit toi qui l'ouvres, dit-elle.

— D'accord, mais garde-moi quelques magrets ! Et un peu de tourte.

— Je ne te promets rien…

Il commença à feuilleter les documents. Sur la première page, figurait le résumé des résultats de Kathy au lycée. Bonne élève jusqu'en première. En terminale, ça se gâtait.

— Ses notes ont chuté la dernière année, dit Myron. Et pas qu'un peu.

— On a tous connu ça, lui fit remarquer Jessica. Désir d'indépendance, rébellion.

— Possible.

Mais, en général, les bons élèves se contentent de devenir « moyens » lorsqu'ils traversent cette fameuse crise d'identité. Or, durant le dernier semestre, Kathy avait carrément viré cancre. Bizarre. D'un autre côté, Jessica avait peut-être raison. Qui sait ce qui se passe dans la tête des ados ?

— Et si tu me disais ce que tu as découvert aujourd'hui, lui suggéra Jessica entre deux bouchées.

Même quand elle parlait la bouche pleine, elle était belle à croquer. Myron lui fit part des conclusions de Win, à propos des six magazines.

— Et qu'est-ce que ça veut dire ? C'est important, que sa photo n'apparaisse que dans l'un d'eux ?

— Je n'en suis pas sûr.

— Mais tu as une petite idée ?

Évidemment, mais il était trop tôt pour lui révéler quoi que ce soit.

— Pas encore.

— As-tu eu des nouvelles de ton amie à la Compagnie du téléphone ?

— Oui. Après notre départ, Gary Grady a passé deux coups de fil. L'un à Fred Nickler, l'éditeur porno. Et l'autre à New York, mais quand nous avons appelé ce numéro, il n'y avait personne.

— Et le graphologue ?

Autant lui dire la vérité.

— C'est bien l'écriture de Kathy. Ou alors nous avons affaire à un faussaire de génie.

Elle se figea, une lamelle de magret coincée entre deux baguettes, à mi-chemin entre son assiette et ses lèvres.

— Mon Dieu ! Alors elle est en vie ?

— Ne t'emballe pas. Elle aurait très bien pu écrire cette enveloppe avant sa mort. Ou bien, comme je te le disais, il peut s'agir d'un faussaire.

— C'est tiré par les cheveux, non ?

— Pas si sûr. Si elle est vivante, où est-elle ? Et pourquoi cette mise en scène ?

— Peut-être qu'elle a été kidnappée. Peut-être qu'on l'a forcée…

— À adresser une enveloppe à son ex ? Dans le genre « tiré par les cheveux », tu te défends plutôt bien…

— Tu as une autre explication ?

— Pas encore, mais j'y travaille.

Il reprit le dossier de Kathy et se remit à le feuilleter.

— Otto Burke, ça te dit quelque chose ?

— Le propriétaire des Titans ?

— Exact. Lui aussi était au courant, pour le magazine.

Myron lui fit un bref résumé de sa visite au stade.

— Alors tu penses que ce type est derrière tout ça ?

— Il a un mobile : récupérer Christian au prix le plus bas. Il a les moyens : il est plein aux as. Et ça expliquerait pourquoi Christian a reçu ce magazine.

— Une sorte de message ?

— Oui.

— Mais comment ce Burke aurait-il pu imiter l'écriture de ma petite sœur ?

— Ce ne sont pas les faussaires de talent qui manquent. Il suffit d'y mettre le prix.

— Mais il faut un exemplaire original. Où l'aurait-il trouvé ?

— Ça ne doit pas être très difficile, à mon avis.

Son regard dériva, se perdit au loin.

— Alors, selon toi, c'est du bidon ? Rien qu'une sinistre magouille pour quelques dollars de plus ?

— C'est possible. Mais je ne le pense pas.

— Pourquoi ?

— Il y a quelque chose qui cloche. Pourquoi Burke s'emmerderait à ce point ? Il aurait pu me faire du chantage s'il avait eu la photo. Il n'avait pas besoin de la faire publier dans un magazine.

Elle s'accrocha à cet espoir comme à une bouée de sauvetage.

— Oui, tu as raison.

— À partir de là, la question est : comment Otto Burke s'est-il procuré un exemplaire du magazine ?

— Peut-être qu'un de ses employés est tombé dessus, dans un kiosque ?

— J'en doute. *Nibards* est en perte de vitesse, pas facile à trouver, et tu peux faire confiance à Win. Je ne vois pas l'un des membres de l'équipe des Titans prendre la peine de dénicher cette revue, l'éplucher de

A à Z pour trouver, vers les dernières pages, la photo de Kathy. Non, je n'y crois pas.

Jessica claqua des doigts.

— Alors quelqu'un le lui a envoyé par la poste, comme à Christian !

— Bingo ! Ce torchon a pu être expédié à une douzaine de personnes.

— Mais à qui ? Et pourquoi ?

— J'y travaille.

Myron réussit à avaler un lambeau de magret de canard avant que Jessica ait englouti l'ensemble du plat. Délicieux. Puis il se replongea dans l'étude du dossier scolaire de Kathy. Durant son premier semestre à l'université de Reston, ses notes furent tout aussi catastrophiques. Lors du second semestre, cependant, sa moyenne remonta.

— Tu peux m'expliquer un tel changement ? demanda Myron.

— Aucune idée. Elle s'est adaptée, j'imagine. S'est inscrite au club de théâtre, est devenue pom-pom girl, a commencé à sortir avec Christian. Pour elle, ce fut un choc culturel. Ça arrive à tous les jeunes étudiants, la première année.

— Oui, sans doute.

— Tu n'as pas l'air convaincu.

Il haussa les épaules. Myron Bolitar, Mister Sceptique…

Le dossier de Kathy contenait plein d'autres choses intéressantes. Notamment, des lettres de recommandation. Son conseiller, au lycée, la qualifiait d'« étonnament douée ». Son prof d'histoire la disait « très douée ». « L'avoir dans ma classe fut un réel plaisir », ajoutait-il.

— Rien que des compliments, dit Myron.

Il lut le dossier jusqu'à la dernière ligne.

— Tiens… Oh, oh !

— Tu as trouvé quelque chose ?

Il tendit la lettre à Jessica. Le professeur d'anglais de Kathy, au lycée de Richewood, s'appelait M. Grady.

— Alias Jerry, dit Myron.

14

Myron fut réveillé en sursaut par la sonnerie du téléphone. Il avait rêvé de Jessica et tenta de se remémorer les détails, mais seules quelques vagues impressions subsistaient dans son cerveau embrumé. Son radio-réveil indiquait sept heures. Qui avait le culot de l'appeler chez lui à cette heure indue ? Il avait son idée quant à l'identité du malotru.

— Allô ?

— Bonjour, Myron. J'espère que je ne vous dérange pas.

Myron reconnut immédiatement la voix mais décida de s'amuser un peu.

— Qui est à l'appareil ?

— Roy O'Connor.

— *Le* Roy O'Connor ?

— Euh, je suppose. L'agent.

— Le superagent spécial, précisa Myron. Qu'est-ce qui me vaut l'honneur, Roy ?

— Est-ce qu'on pourrait se voir ? Ce matin, de préférence.

Myron crut discerner un léger tremblement dans la voix de son interlocuteur.

— Bien sûr, Roy. À mon bureau ?

— Euh… non.

— Alors le vôtre ?

— Euh… non.

— Ça vous amuse de jouer aux devinettes ?

— Vous connaissez le Reilly's Pub sur la 14e ?

— Oui.

— Je serai dans le box au fond à droite. Treize heures. On déjeunera. Enfin, si ça vous convient.

— Super, Roy. Dois-je mettre une cravate ?

— Euh… non.

Myron raccrocha et sourit. Win avait encore sévi ! L'une de ses petites visites nocturnes, à l'improviste… Ça marchait à tous les coups.

Il se leva. Au-dessus, il entendit sa mère qui s'affairait dans la cuisine tandis que son père regardait la télévision dans le salon. Comme tous les matins chez les Bolitar. La porte de communication entre les deux niveaux s'ouvrit.

— Myron, tu es réveillé ? cria sa mère.

Myron ! Il avait envie de maudire ses parents chaque fois qu'ils prononçaient son prénom. Il avait fini par trouver une explication à leur choix : il était né avec le nombre correct de doigts et d'orteils, n'avait ni bec de lièvre ni pied-bot, ses oreilles n'étaient pas décollées… Alors, pour compenser cette chance insolente et conjurer le sort, ses parents l'avaient appelé Myron.

— Oui, j'arrive, répondit-il.

— Papa est allé chercher des beignets tout frais. Ils sont sur la table !

— Merci !

Il passa une main sur son menton râpeux et se frotta les yeux. Il trouva son père avachi sur le canapé, en survêtement, en train de s'enfiler un beignet dégoulinant de confiture. Comme tous les matins, Bolitar senior regardait une cassette d'aérobic. L'art de se maintenir en forme par mimétisme…

— Salut, Myron. Y a des beignets tout frais.

— Merci, P'pa.

Ni l'un ni l'autre de ses géniteurs n'était dur d'oreille, mais aucun des deux n'écoutait ce que disait l'autre.

Myron entra dans la cuisine. Sa mère allait bientôt fêter ses soixante ans mais paraissait beaucoup plus jeune. On lui en aurait donné... disons, quarante-cinq. Du moins physiquement. Parce que, psychologiquement, elle avait à peine seize printemps.

— Tu es rentré tard, hier soir, dit-elle.

Myron émit un grognement peu compromettant.

— À quelle heure, Myron ?

— Très tard. Il était presque dix heures.

(Myron Bolitar, le roi de la nuit !)

— Et tu étais avec qui ?

(Mama Bolitar, la reine des questions subtiles !)

— Avec personne.

— Tu as passé la nuit dehors tout seul ?

Myron balaya la pièce des yeux.

— Où as-tu caché le projecteur et le détecteur de mensonges ?

— Très bien, Myron. Si tu ne veux pas te confier à ta propre mère...

— Non, Maman, je n'en ai pas envie.

— Très bien. C'était une jeune fille, n'est-ce pas ?

— Maman !

— D'accord. Je n'ai rien dit...

Myron alla jusqu'au téléphone et composa le numéro de Win. Au bout de la huitième sonnerie, il allait raccrocher quand une voix lointaine marmonna un faible « Allô ? ».

— Win ?

— Non, c'est le pape.

— Tu vas bien ?

— Allô ?

— Win ?

— Ouais.

— Pourquoi t'as mis si longtemps à répondre ? Allô, Win ?

— Qui est à l'appareil ?

— Myron.

— Myron Bolitar ?

— Non, Myron Rockefeller.

— J'ai un problème, dit Win.

— Quoi ?

— Y a un abruti qui m'appelle à sept heures du mat' et qui prétend être mon meilleur ami.

— Désolé, j'ai oublié qu'il était si tôt.

Win n'était pas franchement du matin. À l'époque où ils étaient colocataires, à la fac, il n'émergeait jamais avant midi, même quand il avait cours le matin. En fait, c'était le dormeur le plus opiniâtre que Myron eût jamais connu. Ça le changeait de ses parents, qui se réveillaient au moindre pet émis par un habitant de l'hémisphère Nord. Avant que Myron ne s'installe au sous-sol, le même scénario se répétait toutes les nuits. Vers les trois heures du matin, Myron se levait pour aller aux toilettes. Il passait devant la chambre de ses parents sur la pointe des pieds mais, immanquablement, son père sursautait comme si on lui avait glissé un glaçon dans le pyjama.

« Hein ? Hé ! Qu'est-ce qui se passe ? criait-il.

— C'est seulement moi, P'pa.

— C'est toi, Myron ?

— Oui, P'pa.

— Tout va bien, fiston ?

— Oui, P'pa, tout va bien.

— Qu'est-ce que tu fais debout ? Tu es malade ?

— J'allais juste faire un petit pipi. De ce côté-là, je me débrouille tout seul depuis mes quatre ans, P'pa. »

Durant leur deuxième année de cohabitation à l'université, Win et Myron créchaient dans la plus petite piaule du campus, équipée de lits superposés. Win trouvait que les ressorts « couinaient » légèrement, Myron prétendait qu'ils hurlaient comme les freins d'une locomotive quand un passager vient de tirer la sonnette d'alarme. Un matin, alors que tous deux dormaient du sommeil du juste, une balle de base-ball avait pulvérisé leur fenêtre pour atterrir sur le plancher. Le lanceur et ses équipiers avaient fait irruption dans la piaule pour voir si leurs deux potes avaient survécu au passage du météorite. Myron, quant à lui, s'était précipité à la fenêtre pour hurler des obscénités à tous les vents. Bref, c'était le souk. Pendant ce temps, Win dormait à poings fermés, sous une couverture de verre pilé.

Le lendemain soir, Myron le héla, du fond de sa couchette. (Il avait celle du dessous.)

« Win ?

— Mouais ?

— Comment tu fais pour roupiller comme un bébé ? »

Myron n'eut jamais la réponse : Win était déjà dans les bras de Morphée.

Une dizaine d'années plus tard, rien n'avait changé, apparemment.

— Qu'est-ce que tu veux ? marmonna Win à l'autre bout du fil.

— Comment ça s'est passé, hier soir ?

— O'Connor ne t'a pas encore appelé ?

— Si.

— Donc j'imagine que tu ne me réveilles pas dès l'aube pour mettre en cause mon efficacité ?

— Kathy Culver n'a obtenu qu'un seul « A » quand elle était en terminale au lycée de Ridgewood. Et devine de la part de quel prof ? Gary Grady.

— Je vois. Enseignement et téléphone rose. C'est ce qu'on appelle la diversification, ou je me trompe ?

— Si on allait le voir ce matin ?

— Au lycée ?

— Bien sûr. On pourrait se faire passer pour des parents d'élèves un peu inquiets, non ?

— Oui, c'est ça. Toi et moi, inquiets pour le même môme !

— Et alors ? On ferait d'une pierre deux coups. On verrait comment ça se passe pour les parents gays…

Win ne put s'empêcher de rire.

— D'accord. Ça risque d'être intéressant.

15

À neuf heures trente, ils étaient en planque devant le lycée de Ridgewood.

— C'est bien gentil, tout ça, mais comment on va le choper ?

C'était une belle matinée de juin, le genre où les élèves et les profs regardent par la fenêtre et rêvent aux vacances toutes proches. Tout baignait dans une bienfaisante torpeur mêlée d'impatience.

Myron se souvenait de ces jours atroces, quand rien n'allait assez vite à son goût et quand, malgré tout, il pressentait la nostalgie des jours enfuis.

— Il faut déclencher l'alarme incendie, dit-il.

— Pardon ?

— Ils vont tous sortir, et on pourra plus facilement l'intercepter.

— T'es l'idiot le plus génial que je connaisse, dit Win.

— En plus, j'ai toujours rêvé de déclencher une alarme incendie. Juste pour le fun.

— Oui, et pour finir en taule…

Ils pénétrèrent dans l'établissement sans la moindre difficulté. Pas d'appariteurs musclés pour leur barrer le passage. De toute évidence, on n'était pas dans un lycée du centre-ville. Le poste incendie se trouvait près de l'entrée.

— Allez les enfants, dit Myron, on y va. Mais surtout ne faites pas ça chez vous !

Il tira sur la manette et les sirènes se mirent à hululer. Ce fut un raz de marée, tous les gamins se précipitèrent à l'extérieur. Myron n'était pas mécontent du résultat. Il avait tellement rêvé d'une telle révolution, quand il était môme. Puis il se gendarma. C'était ridicule, infantile.

Win tenait la porte ouverte et jouait les pompiers bénévoles :

— Pas de panique, on se calme, tout le monde en file indienne !

On aurait dit qu'il avait fait ça toute sa vie. En fait, il avait raté sa vocation, se dit Myron.

Soudain, il aperçut Grady.

— Bingo !

— Où ? Mais dis-moi où !

— Juste au carrefour. À gauche. Tu vois le dandy, là-bas ?

Gary Grady arborait une veste couleur mandarine et un pantalon à rayures mi-pistache, mi-wagon anglais. À côté de lui, Jean-Paul Gaultier faisait figure de bonnet de nuit.

— Salut, Jerry, fit Myron.

Gary tourna brusquement la tête.

— Désolé, vous faites erreur. Je ne m'appelle pas Jerry. Je…

— Oui, vous me l'avez déjà dit. C'est votre pseudo, quand vous travaillez avec Fred Nickler ? Votre vrai nom, c'est Gary Grady.

Les élèves les plus proches s'arrêtèrent, intrigués.

— Circulez ! aboya Grady.

— Ah, il y a toujours des profs qui se prennent pour des flics, soupira Myron.

— C'est lamentable, commenta Win.

Le visage étroit de Grady sembla s'allonger davantage. Il se rapprocha pour que personne ne puisse les entendre.

— Nous pourrions poursuivre cette conversation un peu plus tard, murmura-t-il.

— Je ne pense pas, Gary.

— Je dois reprendre mon cours.

— Ne vous inquiétez pas. L'exercice d'évacuation va durer encore un moment. Les mômes en profiteront pour s'égailler dans les couloirs et le temps qu'ils réintègrent les salles de classe, nous en aurons fini.

— Je refuse de discuter avec vous.

— Dans ce cas, nous avons une autre solution, dit Myron en sortant de sa poche un exemplaire de *Nibards*. Je suggère que nous allions trouver le proviseur pour lui montrer ceci et lui fournir quelques explications…

— Je ne vois pas de quoi vous voulez parler, dit Grady.

— Je vous ai suivi.

— Quoi ?

— Hier matin, vous êtes allé à Hoboken, où vous avez collecté le courrier dans une boîte postale qui sert d'adresse à des annonceurs porno. Ensuite, vous êtes rentré chez vous, où je vous ai rendu une petite visite. Alors vous avez paniqué et avez appelé Fred Nickler, l'éditeur de ce torchon et de quelques autres…

— Un jeu d'enfants, commenta Win.

— Maintenant, nous pouvons discuter de vos activités annexes avec vous ou avec le chef de cet établissement. À vous de choisir.

Grady jeta un coup d'œil à sa montre.

— Vous avez deux minutes.

— Voilà qui est mieux, dit Myron. Si nous allions dans les toilettes réservées aux professeurs ? Je suppose que vous avez la clé.

— Oui.

Quand il était au lycée, Myron s'était toujours demandé à quoi ressemblait cet endroit interdit aux élèves. Il fut déçu : pas de lavabos en marbre, pas de robinets dorés. Rien que du classique.

— OK, dit Grady, que voulez-vous ?

— Parlez-nous de cette annonce.

Gary Grady avala péniblement sa salive et sa pomme d'Adam monta et redescendit comme un yoyo.

— Je n'ai rien à voir là-dedans.

Myron et Win échangèrent un regard entendu.

— Je peux lui enfoncer la tête dans la cuvette d'un des WC ? demanda Win.

— Si vous essayez de me faire peur, ça ne marche pas, dit Grady d'un ton de défi.

Win insista, avec la voix implorante d'un enfant qui réclame un autre tour de manège :

— Juste un petit coup ?

— Pas encore.

Myron reporta son attention sur Grady.

— Ce n'est pas après vous que j'en ai : vous n'êtes qu'un pauvre type. Ce qui m'intéresse, c'est le lien qu'il y a entre vous et Kathy Culver.

Des gouttes de sueur perlèrent sur le front de Grady.

— C'était l'une de mes élèves.

— Je sais. Mais comment sa photo est-elle arrivée dans *Nibards* ? Dans votre pub.

— Je n'en ai aucune idée. Je l'ai vue pour la première fois hier.

— Mais c'est bien vous qui avez fait paraître cette annonce ?

L'autre hésita, haussa plusieurs fois les épaules, le regard fuyant.

— Oui, c'est vrai, dit-il enfin. Je place des annonces

dans les revues de M. Nickler. Ce n'est pas illégal. Mais la photo de Kathy, ce n'est pas moi.

— Alors qui ?

— Je l'ignore.

— Mais vous admettez être le patron d'un réseau de téléphone rose ?

— Oui. Ça ne fait de mal à personne. Et vous connaissez le salaire d'un professeur de lycée ?

— Ça vous rapporte combien, ce petit business ?

— Au début, dans les vingt mille dollars par mois.

Myron crut avoir mal entendu.

— Vingt mille par mois pour vendre du sexe à distance ?

— Dans les années 80, oui. Mais ensuite le gouvernement s'en est mêlé et a réglementé l'utilisation des lignes. À l'heure actuelle, c'est tout juste si je me fais huit mille par mois.

— Salauds de bureaucrates ! ironisa Myron. Mais tout cela ne me dit pas comment Kathy Culver est entrée dans le circuit.

— Que voulez-vous dire ?

— Bon sang, Gary, une photo d'elle nue comme un ver est parue ce mois-ci dans l'une de vos annonces ! Faut que je vous le traduise en quelle langue ?

— Je vous l'ai déjà dit : je n'y suis pour rien.

— Alors c'est une simple coïncidence ? Le fait qu'elle ait été votre élève, etc.

— Oui.

— Juste un petit plongeon dans la cuvette, intervint Win. S'il te plaît, Myron, fais-moi plaisir !

Myron secoua la tête et poursuivit :

— Vous lui avez écrit une lettre de recommandation fort élogieuse pour son inscription à l'université, n'est-ce pas ?

— Kathy était une élève brillante.

— Et quoi d'autre ?

— Si vous insinuez que mes relations avec elle allaient au-delà des rapports amicaux entre un professeur et une élève…

— Comment avez-vous deviné ?

— Je ne m'abaisserai pas à vous répondre. Et maintenant, messieurs, vous m'excuserez, mais je dois mettre un terme à cette intéressante discussion. Le devoir m'appelle.

Gary Grady avait adopté le ton docte inhérent à sa profession. Parfois les enseignants ont tendance à oublier que l'école de la vie n'a rien à voir avec une salle de classe.

— OK pour le plongeon, dit Myron à Win.

— Avec plaisir. Merci, Myron, je te revaudrai ça.

Gary devait dépasser Win de cinq bons centimètres. Malgré tout, il se dressa sur la pointe des pieds et le toisa avec toute l'arrogance dont il était capable.

— Vous ne me faites pas peur.

— C'est là où tu te goures, ma poule.

Myron eut l'impression de voir un film de Bruce Lee en accéléré : Win saisit le poignet de Grady, le tordit bizarrement et son adversaire se retrouva au tapis en moins d'une seconde. En l'occurrence, le tapis était fait de carreaux de faïence. Une prise imparable. Ensuite, Win posa gentiment un genou sur le coude de Gary. Sans trop insister. Juste de quoi le paralyser et montrer qui était le maître.

— Merde ! dit Win.

— Quoi ? s'inquiéta Myron.

— Ben justement, y en a pas. Toutes les cuvettes sont propres. C'est frustrant, non ?

— Alors, Gary, rien à dire, avant le shampooing façon Harpic ?

Il était blême.

— Promettez-moi de ne rien dire à personne, balbutia-t-il.

— Si vous nous dites la vérité.

— Oui, je vous le jure. Mais je veux votre parole. Personne ne doit l'apprendre. Ni le proviseur, ni qui que ce soit.

— D'accord.

Myron fit un signe à Win qui relâcha son prisonnier. Gary se caressa le poignet comme s'il s'agissait d'un chiot martyrisé.

— Kathy et moi avons eu une liaison.

— Quand ?

— Elle était en terminale. Ça n'a duré que quelques mois. Je ne l'ai pas revue depuis, je vous le jure.

— Et vous n'avez rien d'autre à nous dire ?

— Non. Je ne sais rien de plus. Ce n'est pas moi qui ai publié sa photo.

— Si tu nous racontes des craques, Gary…

— Non, je vous le jure, sur la tête de ma mère.

— OK, dit Myron. Vous pouvez disposer, professeur.

Grady ne se le fit pas dire deux fois. Il détala sans même prendre le temps de vérifier l'ordonnance de sa coiffure dans le miroir.

— Quel salopard ! fulmina Myron. Ce mec est une ordure patentée. Il séduit des adolescentes, dirige une affaire de cul par téléphone…

— Et s'habille comme l'as de pique, conclut Win. Alors, qu'est-ce qu'on fait ?

— On termine l'enquête. Ensuite on le dénonce auprès de ses pairs. On fait en sorte qu'il soit exclu du corps enseignant.

— Mais tu viens de lui jurer de ne rien révéler…

Myron haussa les épaules.

— Ah bon, j'ai dit ça, moi ? T'auras mal entendu, faut croire.

16

Jessica remercia Myron et raccrocha. Dans un état second, elle regagna la cuisine et s'effondra sur une chaise. Sa mère et Edward, son jeune frère, levèrent la tête, soudain inquiets.

— Ma chérie, tu es blanche comme un linge, dit Carol Culver.

— Non, tout va bien.

— Qui était-ce, au téléphone ?

— Myron.

Un ange passa.

— On parlait de Kathy, dit Jessica.

— Et alors ? demanda Edward avec une indécente indolence.

Edward avait toujours refusé qu'on l'appelle Ed, ou Eddie, ou Ted. Un an après avoir décroché son diplôme d'ingénieur informaticien, il était à la tête d'une petite boîte de software qui marchait très bien et créait des systèmes pour de prestigieuses multinationales. Edward refusait de porter autre chose que des jeans, même au bureau. Il affectionnait aussi les T-shirts à slogans, du genre *Je me les roule, ça vous gêne ?* De sa vie il n'avait porté de cravate. Il n'en possédait d'ailleurs aucune. Il était d'une beauté insolente, avec des cils longs et recourbés que lui enviaient toutes les femmes. Provocateur et ambigu, il brisait tous les cœurs, mâles ou femelles.

Jessica respira à fond. Il fallait qu'elle vide son sac, dans tous les sens du terme. Elle l'ouvrit, justement, et balança sur la table un exemplaire de *Nibards*.

— Voilà. À vous de juger.

Incompréhension et dégoût, de la part de sa mère. Edward demeura stoïque.

— C'est quoi, ce bazar ?

Jessica ouvrit le magazine à la page idoine et pointa l'index sur la photo de Kathy.

Ils ne percutèrent pas tout de suite. C'était comme si leurs cerveaux refusaient d'admettre l'évidence. Puis, soudain, Carol poussa un cri. Un hurlement de bête blessée à mort. Edward, lui, demeura impassible. Seul son regard bizarrement figé trahit son trouble.

Jessica ne leur laissa pas le temps de se ressaisir.

— Ce n'est pas tout, dit-elle.

Sa mère leva vers elle des yeux éplorés, hallucinés.

— C'est arrivé dans une enveloppe, et l'adresse était écrite de la main de Kathy.

Edward inspira puis expira, tel un athlète en bout de course. Carol, elle, sentit ses genoux fléchir et se laissa tomber sur une chaise. Les larmes aux yeux, elle fit le signe de croix.

— Tu veux dire que… Elle est en vie ?

— Je ne sais pas.

— Mais il y a un espoir ? renchérit Edward.

— Moi, je n'ai jamais perdu espoir, dit Jessica.

Ça jeta un froid et chacun se tut.

— Mais j'ai besoin que vous me disiez tout ce que vous savez sur Kathy, poursuivit Jessica. Pourquoi avait-elle changé, les derniers temps ?

— Que veux-tu dire ? demanda Edward, agressif comme toujours.

— Kathy couchait avec son prof d'anglais, en terminale.

Le silence se fit, plus lourd qu'une chape de plomb.

— Son prof, un malade du nom de Gary Brady, est passé aux aveux.

— Non ! hurla la mère de Kathy. Mon bébé ! Ce n'est pas possible ! Seigneur Dieu…

Elle dodelinait de la tête, se berçait d'avant en

arrière, et la petite croix en or qu'elle portait autour du cou se balançait au rythme de ses lamentations.

Edward se leva.

— Ça suffit, Jess.

— Non, ça ne suffit pas.

Il attrapa sa veste sur le dossier d'une chaise et tourna les talons.

— Attends, Edward. Où vas-tu ?

— Je me tire. *Ciao !*

— Mais il faut qu'on parle !

— Ah oui, et de quoi ?

— Edward !

Il se précipita vers la porte de service et la claqua derrière lui. Jessica se retourna vers sa mère qui sanglotait toujours, avec autant de discrétion qu'un chœur de vierges dans une tragédie grecque. Ecœurée par le spectacle, elle quitta la cuisine.

Quand Myron arriva au Reilly's Pub, Roy O'Connor était déjà là et suçait un glaçon devant son verre vide.

— Salut, Roy.

O'Connor ne prit pas la peine de se lever et lui fit signe de s'asseoir en face de lui. Il portait à chaque main des bagues en or pratiquement incrustées dans la chair rose pâle de ses doigts boudinés et manucurés. Il devait avoir entre quarante-cinq et cinquante-cinq ans – difficile de préciser. Il tentait de masquer une calvitie en bonne voie en rabattant les cheveux de sa tempe gauche sur le sommet du crâne, ce qui fait qu'il avait la raie à peine au-dessus de l'oreille.

— Charmant endroit, dit Myron. Un box à l'écart, lumières tamisées, musique d'ambiance… Si je ne vous connaissais pas…

— Écoutez, Bolitar, inutile de faire votre numéro de comique avec moi. Il faut qu'on parle.

— Je vous écoute.

Une serveuse vint vers eux.

— Que désirez-vous boire ?

— La même chose, dit Roy en désignant son verre.

— Et pour vous, monsieur ?

— Un bloody mary.

— Quel sens de l'à-propos ! marmonna Roy.

— Je vous demande pardon ?

— Non, rien. Votre gorille est venu me voir hier soir.

— Les vôtres m'ont fait l'honneur d'une visite de courtoisie dans mon parking, il n'y a pas longtemps.

— Je n'y étais pour rien.

Myron lui lança son regard façon « À d'autres ! », à la fois sceptique et goguenard. La serveuse revint avec leurs consommations. Roy se jeta sur son Martini comme sur un antidote. Myron sirota son bloody mary en gentleman.

— Écoutez, Myron, reprit O'Connor. La situation est très simple. Landreaux a signé avec moi. Je lui ai versé une confortable avance, puis des mensualités, rubis sur l'ongle. J'ai respecté ma part du contrat.

— Ce contrat était illégal.

— Tout le monde fonctionne comme ça, dans ce métier.

— Je ne veux pas le savoir. Où voulez-vous en venir, Roy ?

— Vous me connaissez, je…

— Vous êtes un escroc, ça, je le sais.

— D'accord, il m'est arrivé d'intimider les gamins. Mais ce n'est jamais allé plus loin. Je n'ai jamais touché à un seul de leurs cheveux.

— Oui, et moi je suis Jean-Paul II.

— Je vous le jure. Ça se saurait, parmi les athlètes. Et ce serait la fin de ma carrière.

— Quel dommage !

— Bolitar, vous ne me facilitez pas la tâche.

— Ce n'était pas mon intention.

O'Connor saisit son verre, le vida d'un trait et fit signe à la serveuse de lui en apporter un autre.

— Je suis dans une impasse, dit-il enfin.

— Vous pouvez préciser ?

— Dettes de jeu. Du sérieux. Je suis pris à la gorge.

— Vos créditeurs ont mis la main sur votre affaire ?

— Ils ont la majorité, avoua Roy. Votre… votre ami, hier soir…

Enregistré par un sismographe, le tremblement de sa voix aurait affiché 8 sur l'échelle de Richter à la seule évocation de Win.

— Votre ami… Je serais d'accord pour faire ce qu'il dit, mais ça ne dépend plus de moi, hélas.

Myron prit une autre gorgée de son jus de tomate allongé de vodka, tout en espérant qu'il ne se dessinait pas une moustache sanguinolente et parfaitement ridicule.

— Mon ami ne sera pas ravi d'apprendre cette nouvelle, dit-il en passant discrètement sa langue sur sa lèvre supérieure.

— Vous devez lui dire que ce n'est pas ma faute.

— Ah bon ? Et c'est la faute à qui ? Vous avez des noms ?

Roy s'adossa à son fauteuil et secoua la tête.

— Honnêtement, je n'en sais rien. Mais je peux vous dire que ces types-là ne plaisantent pas. Ils ne connaissent rien au business, il s'en foutent. Ce sont des tueurs. Et cette fois, ils ont l'intention de faire un exemple.

— Lequel exemple s'appelle Landreaux ?

— Oui. Et vous aussi. Ils veulent lui faire peur. Mais vous, ils veulent vous tuer. Il y a un contrat sur votre tête.

Myron avala une autre gorgée de son cocktail, calmement.

— Vous n'avez pas l'air très inquiet, s'étonna Roy.

— Quand la mort me regarde en face, je lui ris au nez, dit Myron. Enfin, disons plutôt que je ricane.

— Mon Dieu, vous êtes fou à lier !

— Non, pas totalement. Disons que si elle m'attaque de front, je la prends par-derrière.

— Bolitar, vous n'êtes pas drôle.

— Je sais. Je vous suggère de les envoyer sur les roses.

— Mais vous n'avez pas écouté un mot de ce que je viens de vous dire ? Je n'ai aucun pouvoir sur eux.

— S'il devait m'arriver malheur, mon « ami » en serait très triste. Et je crains qu'il ne vous en tienne pour responsable.

Roy O'Connor ravala sa salive.

— Je vous l'ai dit, je suis pieds et poings liés. Vous devez me croire.

— Dans ce cas, dites-moi qui tire les ficelles.

— Je ne peux pas.

Myron haussa les épaules.

— Alors nous serons enterrés côte à côte. Une fin triste et romantique.

— Ils me tueront si je dis quoi que ce soit.

— Et que pensez-vous que mon « ami » fera de vous ? Il vous décernera une médaille, peut-être ?

Roy fut secoué d'un frisson, de la base du crâne jusqu'au bout des orteils. Choc thermique, peut-être : de nouveau il croquait un glaçon, face à un fond de verre désespérément vide et tiède.

— Où est passée cette greluche ? Je lui ai bien commandé un autre verre, non ?

— Qui tire les ficelles, Roy ?

— Bon, je ne vous ai rien dit, d'accord ?

— Promis, juré.

— Vous ne leur direz pas ?

— Sur la tête de ma mère.

Roy fit glisser le glaçon de sa joue droite à sa joue gauche.

— Ache.

— Herman Ache ?

Myron n'en croyait pas ses oreilles.

— Herman Ache est derrière tout ça ?

— Pas lui mais son frère cadet, Frank. Les psys ne savent plus trop quoi faire de lui.

Frank Ache. Pourquoi pas ? Herman Ache, ténor de la Mafia new-yorkaise, était à l'origine d'un nombre incalculable de crimes qui toujours s'étaient soldés par des non-lieux, faute de preuves. Oui, on pouvait très bien imaginer Aaron travaillant pour Frank. Le clone de son frère aîné. Le sous-chef, en quelque sorte.

Tout cela ne sentait pas très bon. Myron fut à deux doigts de laisser tomber toute l'affaire, mais sa légendaire conscience professionnelle l'emporta.

— Vous n'avez rien d'autre à me dire, Roy ?

— Non. Je ne veux pas qu'il y ait des morts, c'est tout.

— Super, Roy. Vous êtes un mec super.

O'Connor se leva.

— Mais je croyais qu'on déjeunait ensemble ? dit Myron.

— Bon appétit, et mettez-le sur ma note.

— Mais sans vous ce ne sera pas la même chose !

— Je n'en doute pas une seconde ! lança Roy O'Connor.

Je vais me faire une raison, se dit Myron en consultant le menu.

17

À qui téléphoner, maintenant ?

Inutile de se poser la question. À Nancy Serat, la meilleure amie de Kathy, sa colocataire à la fac.

Jessica était assise devant le bureau de son père. Elle avait éteint les lampes, baissé les volets. Pourtant, le soleil s'infiltrait encore dans ce sanctuaire, dessinant des ombres qui ressemblaient à des fantômes.

Adam Culver avait tout fait pour préserver ses proches du métier macabre qu'il exerçait. Le résultat était... mitigé. Papier peint jaune vif, voilages voletant au gré du vent, fauteuils et canapés tapissés de soieries à motifs fleuris, guéridons en acajou avec dessus en marbre blanc... L'ensemble se voulait léger et optimiste mais faisait plutôt surchargé, accablant de mauvais goût.

Jessica chercha son agenda dans son sac. Nancy avait envoyé une carte postale à la famille Culver, quelques semaines auparavant. Elle avait obtenu une bourse et comptait s'inscrire à la fac. Jessica composa le numéro.

Au bout de la troisième sonnerie, elle tomba sur l'annonce du répondeur et raccrocha. Elle s'apprêtait à fouiller dans les tiroirs quand une voix l'interpella.

— Jessica !

Elle leva la tête et se retrouva face à sa mère. Debout sur le seuil, elle faisait peine à voir. Son teint blafard, ses yeux cernés et ses joues creusées évoquaient un masque mortuaire. Elle tenait à peine debout.

— Que fais-tu ici ? demanda-t-elle. Tu as trouvé quelque chose ?

— Pas encore.

Carol s'assit, resta silencieuse un instant, les yeux dans le vague.

— C'était une enfant délicieuse, dit-elle enfin en tripotant les grains de son chapelet. Si joyeuse. Toi et Edward, vous étiez assez boudeurs. Mais Kathy avait toujours le sourire. Tu t'en souviens, n'est-ce pas, Jessica ?

— Oui, Maman. Je m'en souviens.

— Ton père disait qu'elle était née pour être cheerleader. Rien ne pouvait entamer sa bonne humeur. À part moi, ajouta-t-elle, amère.

— Kathy t'aimait beaucoup, Maman.

Carol poussa un profond soupir qui sembla l'épuiser.

— Je me rends compte que j'ai sans doute été trop sévère avec vous, les filles.

Jessica ne répondit pas.

— C'est juste que je ne voulais pas que ta sœur ou toi…

— Qu'est-ce que tu craignais ?

Carol secoua la tête. Ses doigts égrenaient nerveusement les perles de son chapelet. Enfin elle dit :

— Tu as raison, Jessica. Kathy avait changé.

— Quand ?

— Au cours de sa dernière année, au lycée.

— Que s'est-il passé ?

Les yeux de Carol s'embuèrent.

— Son sourire. Du jour au lendemain, son merveilleux sourire s'est envolé.

— Tu n'as pas cherché à savoir pourquoi ?

Carol sécha ses larmes du revers de la main, mais sa lèvre inférieure tremblait, on la sentait prête à éclater en sanglots. Jessica aurait voulu avoir un élan vers sa mère mais elle en était incapable. Elle la regardait souffrir comme elle eût regardé un mauvais mélo à la télévision.

— Je ne veux pas te faire de la peine, Maman. Je veux seulement retrouver Kathy.

— Je sais, ma chérie.

— Je pense que son changement d'attitude est directement lié à sa disparition. Tout comme la mort de Papa.

— Ton père a été tué par un délinquant.

— Je n'en crois pas un mot. Je suis sûre que tout cela a un rapport – Kathy, Papa…

— Mais… comment ?

— Je n'en sais rien encore. Myron m'aide à enquêter.

À cet instant, quelqu'un sonna à la porte.

— Ce doit être Oncle Paul, dit Carol en se dirigeant vers le hall.

— Maman ?

Elle s'arrêta, mais ne se retourna pas pour regarder sa fille.

— Maman, que me caches-tu ? Qu'as-tu peur de me dire ?

On sonna de nouveau.

— Je ferais bien d'aller ouvrir, dit Carol en s'éloignant à la hâte.

— Ainsi, Frank Ache a l'intention de te tuer, commenta Win.

— Apparemment.

— C'est d'un mauvais goût !

— Je trouve aussi. Si seulement il se donnait la peine de mieux me connaître… Je suis sûr qu'il changerait d'avis.

Myron et Win étaient assis sur les gradins du stade des Titans, au premier rang. Dans un élan de générosité, Otto Burke avait accepté que Christian reprenne l'entraînement. (En vérité, les piètres performances du quaterback Neil Decker n'étaient pas étrangères à cette décision.)

La séance du matin avait surtout consisté en courses de fond et en sprints. L'entraînement de l'après-midi, cependant, se révélait beaucoup plus intéressant. Les joueurs tenaient une forme assez rare si tôt dans la saison. Ils étaient déchaînés.

— Frank Ache est un vilain garçon, conclut Win.

— Il aime martyriser les animaux.

— Pardon ?

— L'un de mes amis l'a connu quand ils étaient gosses. Le passe-temps favori de Frank, c'était de pourchasser les chats et les chiens et de leur fracasser le crâne à coups de batte de base-ball.

— Je parie que ça impressionnait les filles !

— L'histoire ne le dit pas.

— Donc, poursuivit Win, j'en déduis que tu vas avoir besoin de mes talents cachés.

— Pendant quelques jours, en tout cas.

— Je m'en réjouis d'avance. Et je suppose que tu as un plan ?

— J'y travaille. Fébrilement.

Christian entra sur le terrain à petites foulées, avec la grâce propre aux vrais champions.

— À fond la caisse ! hurla le coach.

Myron fit la grimace.

— Je n'aime pas ça.

— Quoi ?

— Ça va saigner.

Christian donna quelques consignes codées à ses coéquipiers, lança le cri de guerre, récupéra le ballon, feinta la passe et, le ballon toujours en main, tenta une percée.

— Merde ! s'écria Myron.

Tommy Lawrence, un des gros de l'escouade défensive des Titans, chargea comme un taureau furieux. Christian le vit trop tard. Le casque de Tommy vint s'écraser sur le sternum de Christian, le plaquant au sol. Le genre de coup qui fait mal mais ne provoque pas de dégâts irréversibles. Deux autres défenseurs s'empilèrent sur les deux protagonistes.

Christian se releva, grimaçant, les mains sur la poitrine. Personne ne fit un geste pour l'aider.

Furieux, Myron bondit sur ses pieds.

— Assieds-toi, lui intima Win.

Otto Burke venait vers eux, entouré de sa cour.

— Allons, allons, dit-il, tout sourire. J'ai viré quelques vétérans très populaires pour l'avoir. Alors, évidemment, il y a quelques mécontents… Il faut les comprendre, ces garçons.

— Assieds-toi, répéta Win.

Myron hésita mais finit par obtempérer.

Christian rejoignit les autres joueurs en boitillant. Il annonça le jeu suivant. Il lança les consignes chiffrées, puis le cri de guerre. Ballon en main, gardant un œil sur les défenseurs, il sortit en reculant de la mêlée, cherchant l'ouverture. Cette fois encore, Tommy Lawrence déboula de la gauche, sans personne pour le contrer. Christian pila net. Tommy fit un bond spectaculaire, bras en avant, pour un plaquage meurtrier. Au tout dernier moment, Christian esquiva. Un tout petit déplacement, à peine visible. Tommy le manqua de peu et s'étala dans l'herbe. Christian en profita pour expédier la balle jusque dans l'en-but, exactement entre les mains d'un de ses receveurs.

Plus heureux qu'un roi, Myron se tourna vers Otto.

— Eh bien ?

— Eh bien quoi ?

— On ne peut pas gagner à tous les coups !

Otto ne se départit pas de son sourire. Était-il plaqué sur son visage pour l'éternité ? Comme les gamins qui s'amusent à loucher et que leur Maman met en garde : « Arrête, sinon tu resteras comme ça toute ta vie » ?

Otto, toujours souriant, hocha la tête et tourna les talons, suivi de sa petite troupe docile, des petits canards derrière la Maman cane.

— Tu sais, j'ai réfléchis, dit Myron à Win.

— Allons bon !

— À propos de Gary Grady.

— Oui ?

— Il a une liaison avec une de ses élèves. Laquelle s'évanouit dans la nature environ un an plus tard. Le temps passe et soudain une photo de la gamine est publiée dans une revue X dans laquelle il a des intérêts financiers…

— Où veux-tu en venir ?

— C'est dingue.

— T'as trouvé ça tout seul ?

— Réfléchis trois secondes, mon grand. Grady reconnaît avoir eu une liaison avec Kathy, d'accord ? Donc, la dernière chose qu'il souhaite…

— C'est que ça se sache.

— Et pourtant la photo paraît dans son annonce…

— Conclusion : quelqu'un veut le piéger. Mais qui ?

— Je pencherais pour Fred Nickler, dit Myron.

— Hum… C'est vrai, il nous a indiqué la boîte postale de Grady sans se faire prier.

— Et il peut changer les photos dans ses magazines.

— Alors, qu'est-ce qu'on fait ?

— Je suggère que tu te penches sur le cas Fred Nickler. Tu pourrais avoir une autre petite conversation avec lui. J'ai bien dit « conversation », hein ?

Sur le terrain, Christian et Tommy Lawrence poursuivaient leur duel personnel. Pour la troisième fois, Tommy fonça sur Christian sans rencontrer le moindre bloqueur sur sa route. En fait, les joueurs des deux camps semblaient apprécier le spectacle et se gardaient bien d'intervenir.

— C'est pas vrai ! fulmina Myron. Non mais je rêve !

Voyant Lawrence fondre sur lui, Christian lança le ballon vers son bloqueur gauche qui, les bras croisés, se la coulait douce. Christian savait viser, indéniablement. Le destinataire émit un son du genre oomph et se plia en deux, les mains sur l'entrejambe.

— Aïe ! dit Win.

Myron faillit applaudir mais maîtrisa son enthousiasme.

Le gars, bien sûr, portait une coquille. Dérisoire protection contre un projectile qui vous atteint à cette vitesse et à cet endroit-là. Il se recroquevilla en position fœtale, les mains en coupe sur ses bijoux de famille. Tous les hommes présents sympathisèrent – mentalement.

Très fair play, Christian alla jusqu'à sa victime, un gros et grand bébé de cent cinquante kilos, et lui tendit la main. Lequel accepta son aide puis claudiqua vers les vestiaires.

— Y a pas à dire, ce petit Christian a des couilles, conclut Myron.

— Ouais, acquiesça Win. L'autre en avait aussi. Enfin, y a pas si longtemps.

18

Myron venait juste de se garer sur le parking du campus lorsque le téléphone de la voiture sonna.

— Écoute, mon grand, dit P.T. J'ai bossé pour toi. Mon pote s'appelle Jake Courter. C'est le shérif local.

— Jake ! Et pourquoi pas Mister Hyde ?

— Non, je plaisante pas. Il a bossé à la Crime à Philadelphie, Boston, New York. C'est un pro, je t'assure. Je t'ai organisé un rencard pour aujourd'hui, quinze heures.

Myron jeta un coup d'œil à sa montre.

— D'accord. Et merci, P.T. T'es le meilleur.

— Dis-moi, Myron, je peux te poser une question ?

— Vas-y.

— Qu'est-ce qui t'intéresse, dans cette affaire ?

— C'est une longue histoire.

— La frangine, hein ? Ce joli petit lot que tu te tapais autrefois. T'es encore accro, pas vrai ?

— P.T., tu es un vrai poète.

— Faudra que tu me racontes ça, un de ces jours. Je veux tous les détails.

— Promis.

Myron se dirigea vers le bâtiment des sports. Le hall était plutôt vétuste. Trois rangées de photos encadrées décoraient les murs – des équipes d'athlétisme –, certaines datant du siècle dernier. Il frappa à une porte dont la partie supérieure était en verre cathédrale, façon bureau de privé dans les films des années 50. Le mot FOOTBALL y était inscrit en lettres noires, au pochoir.

— Ouais ?

La voix, rauque, faisait penser au brame du cerf au fond des bois. Myron passa la tête dans l'entrebâillement de la porte.

— Vous êtes occupé, coach ?

Danny Clarke, le légendaire entraîneur de foot de Reston, leva à peine les yeux de son écran.

— Qui êtes-vous ?

— Très bien, merci, et vous ? Mais vous avez raison, laissons tomber les mondanités.

— C'est censé être drôle ?

— Non, simplement poli.

— Je vous ai posé une question. Je peux savoir qui vous êtes ?

— Mon nom est Myron Bolitar.

— Ça devrait me dire quelque chose ?

Il faisait chaud, c'était les vacances, et Danny Clarke, en costume-cravate, étudiait des vidéos de champions en herbe dans un bureau non climatisé. Si la chaleur l'incommodait, il cachait bien son jeu. Rien de débraillé chez lui. Tout en travaillant, il décortiquait et grignotait des cacahuètes, mais son bureau était nickel, pas la moindre cosse n'y traînait.

— Je suis agent sportif, dit Myron.

— Foutez-moi le camp. Vous voyez pas que je suis occupé ?

Il reporta son attention sur son écran, façon on ne peut plus explicite de congédier Myron.

— J'ai des choses à vous dire.
— Dehors, tocard ! Et tout de suite.
— Je voulais juste…
— Écoute, minable, je ne traite pas avec la racaille. Je dirige un programme clean avec des joueurs clean. Avec moi, les pots-de-vin, ça ne marche pas. Si t'es venu ici avec une grosse enveloppe, tu peux te la mettre où je pense.
Myron applaudit.
— Waouh ! Belle prestation. Je suis impressionné.
Danny Clarke n'était pas habitué à ce qu'on discute ses ordres. Il lorgna Myron, intrigué, presque amusé.
— Dehors ! répéta-t-il, mais cette fois d'un ton moins agressif.
Puis il revint à son écran télé, sur lequel un jeune quarterback venait de réussir un magnifique lancer.
Myron décida de flatter le coach dans le sens du poil :
— Ce gosse se débrouille bien, dit-il.
— Eh bien, c'est une bonne chose que vous soyez l'un de ces parasites à la con plutôt que sélectionneur. Le môme ne vaut pas un clou. Et maintenant, si vous alliez vous aérer les bronches ?
— Je veux vous parler de Christian Steele.
Danny Clarke haussa un sourcil.
— À quel titre ?
— Je suis son agent.
— Ah, maintenant ça me revient. Excellent ex-basketteur. Sale blessure au genou.
— Pour vous servir.
— Comment va Christian ?
Myron décida de ne pas trop se mouiller :
— J'ai cru comprendre qu'il avait eu quelques petits problèmes avec des coéquipiers…
— Et alors ? Vous êtes aussi sa baby-sitter ?
— Quel était le problème ?

— Je ne vois pas en quoi ça vous regarde.
— Disons que l'aspect psychologique m'intéresse.
Danny Clarke hésita.
— Il y avait un tas de trucs qui clochaient, dit-il enfin. Mais à mon avis, le principal problème, c'était Horty.
— Horty ? s'étonna Myron de son air le plus ingénu.
— Junior Horton. Un défenseur. Bonne vitesse, bon gabarit, du talent. Et pas con.
— Quel rapport avec Christian ?
— Ils ne pouvaient pas se blairer.
— Pourquoi ?
Danny Clarke réfléchit un instant.
— Je ne sais plus trop. Une histoire de fille. Celle qui a disparu, en fait.
— Kathy Culver ?
— Oui, c'est ça.
— Que s'est-il passé ?
Danny Clarke éjecta la cassette qu'il venait de visionner, tapa quelques notes sur son clavier puis en inséra une autre dans le lecteur.
— Je crois me souvenir qu'elle sortait avec Horty avant de rencontrer Christian. Enfin, un truc dans ce genre. Des histoires d'ados, quoi.
— Et alors ?
— Horty était le ver dans le fruit. J'ai fini par découvrir qu'il fournissait de la dope à mes joueurs. Cocaïne et je ne sais quelles saloperies. Alors je l'ai viré. Par la suite, j'ai appris que pendant trois ans, il leur avait vendu des stéroïdes.
« Par la suite » ? Et mon cul, c'est du poulet ! pensa Myron. Mais pour une fois, il sut fermer sa grande gueule.
— Je ne vois toujours pas le rapport avec Christian.
— Vous savez ce que c'est : la rumeur a couru que c'était lui qui avait fait virer Horty de l'équipe. Horty a jeté de l'huile sur le feu, leur a fait croire que Christian

les avait tous dénoncés pour usage de stéroïdes, et tout le bazar.

— C'était vrai ?

— Non. Un jour, deux de mes meilleurs joueurs se sont pointés sur le terrain tellement défoncés qu'ils voyaient à peine leurs pieds. C'est là que j'ai décidé de prendre des mesures. Christian n'y était pour rien. Mais c'était la star, le chouchou des entraîneurs. Alors il était jalousé, évidemment.

— Leur avez-vous dit la vérité ?

— Vous croyez que ça aurait changé quelque chose ? Ils auraient pensé que je le couvrais, et ça aurait été encore pis pour lui. Tant que ça n'affectait pas leur jeu – ce qui n'était pas le cas –, mieux valait les laisser se débrouiller entre eux.

— Vous êtes un authentique philosophe, dit Myron. Un humaniste, oserais-je dire.

Danny Clarke lui lança son célèbre regard d'intimidation. Du genre « Ferme-la, p'tit gars, tu n'y connais rien ».

— Vous êtes à côté de la plaque, Bolitar.

— Comme d'hab, c'est l'histoire de ma vie.

— Je prends soin de mes garçons.

— Ça saute aux yeux. Vous gardez Horty tant qu'il vous les gave de produits dangereux qui font d'eux des supermen. Mais quand ça commence à sentir mauvais, vous vous transformez en Père-la-Vertu…

— Je n'ai pas à écouter ce genre de conneries ! explosa le coach. Surtout de la part d'un vampire de votre espèce. Foutez-moi le camp, et c'est un ordre !

— Si on se faisait une toile, un de ces jours ? Ou un McDo ? C'est moi qui invite.

— Du balai ! Allez, ouste !

Myron capitula en tirant sa révérence, fort élégamment. On ne peut pas plaire à tout le monde…

Il avait du temps à tuer avant son rendez-vous avec le shérif Jake. Il décida de s'offrir une petite balade. Le campus ressemblait à une ville fantôme, ou à un décor de la Warner en attente de figurants. Des bâtiments sans vie, inutiles et tristes. Quelque part, quelqu'un écoutait Elvis Costello, sur une chaîne stéréo au son épouvantable. Deux filles apparurent au coin de l'allée. Typiques spécimens – le short en jean coupé à mi-fesses, la couture dans la raie, le haut sans bretelles. Elles promenaient un minuscule clébard, une espèce de petit rat avec tout plein de poils dans les yeux. Myron leur sourit. Aucune d'elles ne défaillit. Ni ne se déshabilla. Étonnant. Le petit chien, cependant, montra les dents. Il avait dû lire Stephen King et se prenait pour un saint-bernard enragé.

Myron avait pratiquement regagné sa voiture lorsqu'il aperçut la pancarte :

BUREAU DE POSTE DU CAMPUS

Il s'arrêta, jeta un coup d'œil alentour. Personne. Ça valait le coup de tenter sa chance.

À l'intérieur, c'était peint tout en vert clair. Rien de très original, on aurait dit les toilettes du lycée. Un long couloir tapissé de boîtes postales. Une vague musique provenait d'un endroit lointain. Seules les basses résonnaient, répétitives et monotones.

Myron s'approcha du guichet tenu par un ado qui semblait s'ennuyer grave. La musique, c'était lui. Il avait, greffés sur les oreilles, les écouteurs d'une sous-marque de baladeur, du genre qui vous court-circuite les tympans et vous découpe le cerveau en tranches. Santiags sur le bureau, batte reposant à ses côtés tel un sombrero à l'heure de la sieste. Sur ses genoux, le dernier Philip Roth.

— Excellent bouquin, dit Myron.

Aucune réaction.

— Bravo ! Très bon choix ! hurla Myron.

L'adolescent s'aperçut enfin qu'il avait un client et ôta ses écouteurs. Un rouquin au teint pâle, affublé d'une coiffure rasta.

— Pardon ?

— Je disais, c'est un bon bouquin.

— Vous l'avez lu ?

— De A jusqu'à Z.

Le garçon se leva. Il était long comme un jour sans pain.

— Toi, je parie que tu joues au basket, dit Myron.

— Ouais, un peu. Je débute.

— Je m'appelle Myron Bolitar.

Le môme ne broncha pas. Ni spasmes, ni syncope.

— Ah, bon ?

— Duke. L'université. J'étais leur champion.

— Ah, bon ?

— Cache ta joie, sinon je te file pas d'autographe.

— Euh… Excusez-moi, monsieur. C'était quand ?

— Il y a dix ans.

— Ah, bon, dit l'ado, soulagé.

Myron se livra à un rapide calcul mental. Ce gosse devait avoir sept ou huit ans quand lui-même faisait la une. Soudain, il se sentit très vieux.

— De mon temps, on jouait avec des grosses pierres, le ballon avait pas encore été inventé.

— Je vous demande pardon ?

— Laisse béton. Je peux te poser deux ou trois questions ?

— Pour sûr.

— Ce job à la poste, ça te prend beaucoup de temps ?

— L'été, cinq jours par semaine, de neuf à dix-sept heures.

— Et c'est toujours aussi cool ?

— À cette époque de l'année, oui. Y a plus d'étudiants, pas tellement de courrier.

— Tu t'occupes du tri ?

— Évidemment.

— Et des plis à délivrer ?

— Pardon ?

— Le courrier du campus.

— Ouais. Y a une boîte spéciale.

— Elle sert beaucoup ?

— Pratiquement pas. Trois, quatre lettres par jour.

— Tu connais Christian Steele ?

— Évidemment. Tout le monde le connaît.

— Il a reçu une grosse enveloppe en papier kraft, récemmment. Il n'y avait pas de cachet de la poste, alors ça devait venir d'ici.

— Oui, je m'en souviens. Et alors ? Qu'est-ce que vous voulez savoir ?

— As-tu vu l'expéditeur ?

— Non, mais je me rappelle que j'ai eu deux lettres comme ça, ce jour-là.

— Deux ? Tu as bien dit deux ?

— Ben, voui. Deux grosses enveloppes. Du même expéditeur.

— Te souviens-tu à qui était adressée l'autre enveloppe ? Réfléchis, c'est important.

— Pas besoin de réfléchir. C'est le doyen, Harrison Gordon, qui l'a reçue.

19

Nancy Serat posa sa valise et alla écouter les messages sur son répondeur. Elle avait passé le week-end au Mexique, dernière escapade avant de réintégrer le campus.

Le premier message émanait de sa mère.

« Ma chérie, je ne veux pas te déranger pendant tes vacances mais j'ai une mauvaise nouvelle à t'annoncer. Le père de Kathy Culver est décédé hier. Il a été poignardé dans la rue. J'ai pensé que tu préférerais que je te tienne au courant. Appelle-nous dès ton retour. Ton père et moi voulons t'inviter pour ton anniversaire. »

Les genoux tremblants, Nancy se laissa tomber sur la chaise la plus proche. Elle entendit à peine les deux messages suivants – l'un de l'assistante de son dentiste qui lui rappelait un détartrage prévu pour le vendredi suivant et l'autre d'une amie qui l'invitait à une fête.

Adam Culver était mort. Elle refusait d'y croire. Crime crapuleux, avait dit sa mère. Simple coïncidence ? Non, ce n'était pas possible. Est-ce que par hasard, ça avait un rapport avec sa visite ce matin-là ? Le père de Kathy était venu la voir le jour même de sa mort.

La bande du répondeur se déroulait toujours et la voix enregistrée la ramena à la réalité. « Salut, Nancy, c'est Jessica Culver, la sœur de Kathy. Appelle-moi dès que possible. Il faut qu'on se parle. Je suis chez ma mère, au 555 1477. Rappelle-moi, c'est important. Merci d'avance. »

Nancy sentit un frisson glacé lui parcourir l'échine. Elle écouta le reste des messages puis s'effondra sur le canapé, comme paralysée. Elle tenta de rassembler ses idées. Kathy était morte – ou c'est du moins ce que tout le monde supposait. Et maintenant son père avait été assassiné, quelques heures après lui avoir parlé, à elle, Nancy.

Qu'en déduire ?

Elle demeura immobile, oppressée. Puis elle saisit le téléphone et appela Jessica.

Le bureau du doyen étant fermé, Myron avait décidé d'aller lui rendre visite à son domicile. Une villa de style victorien, couverte de lierre, à l'ouest du campus. Il sonna et une fort jolie femme vint lui ouvrir.

— Oui ? dit-elle, avec un sourire engageant. Puis-je vous aider ?

Elle portait un tailleur en lin blanc cassé, de bonne coupe. Elle n'était plus très jeune mais possédait cette élégance, cette grâce et cette beauté propres à intimider Myron. Face à une telle lady, il aurait ôté son chapeau – sauf qu'il n'en portait pas.

— Bonjour, balbutia-t-il. Je cherche le doyen Gordon. Mon nom est Myron Bolitar et je…

— Le joueur de basket ? Je vous avais reconnu.

Elle avait la grâce, la beauté, le sex-appeal, et en plus elle s'y connaissait en basket !

— Je vous ai vu à la finale de la NCAA. J'étais l'une de vos fans.

— Euh… Merci !

— Quand vous avez été blessé, j'ai eu mal, moi aussi. J'en ai pleuré.

Cette femme était incroyable. Intelligente, sensible, et dotée de jambes fuselées à souhait. Un sacré petit lot, comme aurait dit P.T.

— Je suis très touché, vraiment.

— Ravie de vous connaître, Myron.

Dans sa bouche, son prénom ridicule cessait de l'être.

— Je présume que vous êtes l'épouse de notre honoré doyen, se risqua-t-il. Notre charmante « doyennesse » ?

— Oui, je suis Madelaine Gordon. Et non, mon mari n'est pas là pour l'instant.

— L'attendez-vous d'ici peu ?

Elle sourit, comme si la question était codée. Puis elle lui lança un regard qui le fit rougir.

— Non, dit-elle, après trois secondes lourdes de sous-entendus. Je ne l'attends pas avant… trois ou quatre heures.

— Eh bien… je ne vais pas vous déranger plus longtemps.

— Vous ne me dérangez pas.

— Je reviendrai à un moment plus opportun, dit-il.

Madelaine pencha la tête de côté, telle une petite fille innocente. (Madelaine… Il aimait bien ce prénom.)

— Je m'en réjouis d'avance, dit-elle.

— J'ai été ravi de faire votre connaissance.

— Moi de même, minauda-t-elle. Au revoir, Myron.

Elle referma la porte lentement, comme à regret. Il resta un instant debout sur le seuil, respira à fond. Whaouh, quelle femme !

Il regagna sa voiture, jeta un coup d'œil à sa montre. Il était temps d'aller voir Jake le shérif.

Jake Courter était seul dans le poste de police, qui ressemblait à l'épicerie-bureau du tabac-point presse de Trifoullis-les-Oies. Sauf que Jake était noir. Et il n'y avait pas de Noirs dans ces patelins-là. Ni de Juifs, ni de Latinos, ni d'Asiatiques. Pas la moindre minorité ethnique.

Jake devait avoir dans les cinquante-cinq ans. Il avait tombé la veste et dénoué sa cravate. Son estomac débordait au-dessus de sa ceinture, comme une sorte d'extension étrangère à sa personne. Sur son bureau, des dossiers côtoyaient un reste de sandwich et un trognon de pomme. Jake poussa un soupir fatigué et s'essuya le front avec un mouchoir aussi grand qu'un torchon.

— J'ai reçu un coup de fil, dit-il en guise de présentations. Je suis censé vous aider.

Jake recula son fauteuil et posa les pieds (taille 45) sur son bureau.

— Vous avez joué au basket contre mon fils. Gerard Courter. L'équipe du Michigan.

— Ah oui, je me souviens de lui. Sacré défenseur !

Jake hocha la tête avec fierté.

— L'a jamais été foutu de marquer un panier, mais pour ce qui était de la défense, les attaquants pouvaient toujours se brosser. Une vraie muraille à lui tout seul.

— Doublé d'un bulldozer, ajouta Myron.

— Ouais. Il est dans la police, à présent. À New York. Très bien noté. Excellent flic.

— Comme son père.

— Merci.

— Donnez-lui le bonjour de ma part, dit Myron. Ou plutôt, balancez-lui un bon coup de coude dans les côtes : je lui en dois plus d'un !

Jake rit de bon cœur.

— C'est Gerard tout craché ! La finesse n'a jamais été son point fort !

Il se moucha dans son torchon et reprit :

— Mais je suppose que vous n'êtes pas venu uniquement pour parler basket ?

— En effet.

— Alors si vous me disiez ce qui vous amène, Myron.

— L'affaire Kathy Culver. J'ai repris l'enquête, à titre officieux. Subrepticement, je dirais.

— « Subrepticement » ? répéta Jake. Quel mot barbare, Myron !

— Oui, je sais. J'écoute des cassettes de perfectionnement linguistique, à mes heures perdues.

— Vous m'en direz tant !

De nouveau, il se moucha dans son torchon. Trompettes de la renommée ou de Jericho, le moins qu'on puisse dire, c'est que ce n'était pas discret.

— Mais où est votre intérêt dans cette histoire ? À part le fait, bien sûr, que vous représentez Christian Steele et que vous sortiez avec la sœur de Kathy ?

— Ça ne vous suffit pas, comme motivation ?

Jake planta ses dents dans le reste de son sandwich puis sourit.

— Ah, l'amour, toujours l'amour !

— Non, vous vous méprenez. C'est Christian. Je suis son agent et il compte sur moi.

Jake ne répondit pas. Vieille technique, que Myron avait pratiquée plus d'une fois. Silence absolu, et le suspect finit par craquer. Myron ne mordit pas à l'hameçon.

Au bout d'une minute, montre en main, Jake capitula :

— Bon, allons droit au but. Christian Steele signe avec vous. Et un jour, vous échangez des confidences. Christian vous met le marché en mains : « Écoute, Myron, depuis le temps que tu me lèches le cul, je sais bien que c'est pas pour mes beaux yeux. Pourquoi tu serais pas honnête, pour une fois ? Tout ce qui t'intéresse, c'est mon ex-copine. Celle qui a disparu il y a un an et demi, et que personne n'a retrouvée, ni les flics ni le FBI. » C'est comme ça que ça s'est passé, n'est-ce pas, Myron ?

— Christian ne parle pas comme ça. C'est un jeune homme bien élevé.

— Bon, d'accord. On va se la jouer autrement. Donnant, donnant.

— Je serais plutôt pour mais je ne peux pas, dit Myron. Du moins pas encore.

— Et pourquoi non ?

— Ça pourrait faire du mal à un tas de gens. Et puis je peux me tromper.

Jake fit la grimace.

— Ça veut dire quoi ?

— Je n'ai pas le droit d'en parler.

— Mon œil !

— Je vous assure, Jake. Je n'ai pas le droit de révéler ce genre d'information.

— Laissez-moi vous dire une chose, Bolitar. La gloire ne m'intéresse pas. Je suis comme mon fils au basket : un cheval de labour. Je n'ai pas besoin d'articles dans les journaux pour faire progresser ma carrière. J'ai cinquante-trois ans et mon bâton de maréchal, comme on dit. Mais au risque de vous paraître vieux jeu, je crois en la justice. J'aime que la vérité l'emporte. Ça fait dix-huit mois que la disparition de Kathy Culver m'obsède. Je connais le dossier par cœur. Et je ne sais toujours pas ce qui s'est passé ce soir-là.

— Mais vous avez bien une idée ?

Jake saisit un crayon et en tapota le bout muni d'une gomme sur son bureau.

— La réponse la plus objective ? Il s'agit d'une fugue.

— Sur quels critères vous basez-vous ? demanda Myron.

— À vous de deviner, dit Jake avec un sourire.

— P.T. m'avait assuré que vous m'aideriez.

Jake haussa les épaules et avala une autre bouchée de ce qui restait de son sandwich.

— Parlez-moi de la sœur de Kathy. Vous deux étiez très amoureux, à ce qu'on dit.

— Maintenant, nous sommes amis.

Jake émit un petit sifflement.

— Je l'ai vue à la télé, dit-il. Ça ne doit pas être facile de rester platonique avec une femme comme elle !

— Jake, vous raisonnez comme un vieux macho.

Ils ne dirent plus un mot pendant un moment, chacun observant l'autre. Puis Jake demanda :

— Que voulez-vous savoir ?

— Tout. Depuis le début.

Jake croisa les bras, poussa un long soupir.

— Le service de sécurité du campus a reçu un appel de Nancy Serat. Kathy et elle partageaient une chambre dans le pavillon Psi Omega où ne logeaient que les membres de la sororité – toutes de jolies blondes aux dents bien blanches, fabriquées dans le même moule, voyez ce que je veux dire ?

Myron nota que Jake n'avait ouvert aucun dossier et parlait de mémoire.

— Nancy Serat a dit à l'agent de la sécurité que Kathy n'avait pas pointé le bout de son nez depuis trois jours.

— Pourquoi avoir attendu si longtemps pour le signaler ?

— Apparemment, Kathy dormait souvent chez votre client – vous savez, le garçon bien élevé qui ne dit pas de gros mots… Quoi qu'il en soit, Christian et Nancy ont fini par discuter, tout à fait par hasard. Chacun des deux croyait que Kathy était chez l'autre. C'est là qu'ils se sont inquiétés et ont décidé d'alerter la sécurité.

« Les gars nous ont contactés mais au début, personne n'a pris l'affaire très au sérieux. S'il fallait déclencher une révolution chaque fois qu'une étudiante découche… Et puis l'un des agents du campus a découvert la petite culotte de Kathy dans une poubelle. Vous connaissez la suite. L'histoire s'est répandue comme une traînée de poudre.

— J'ai lu dans la presse qu'il y avait du sang sur ce slip.

— Les médias ont beaucoup exagéré, comme toujours. Il y avait une trace de sang séché, effectivement. Probablement du sang menstruel. Nous l'avons analysé. B négatif, le groupe de Kathy. Mais il y avait aussi du sperme. Suffisamment pour une recherche d'ADN.

— Aviez-vous des suspects ?

— Un seul. Votre poulain, Christian Steele.

— Pourquoi lui ?

— Solution de facilité. C'était son petit ami. Elle allait chez lui quand elle a disparu. Mais les tests d'ADN l'ont mis hors de cause.

Jake ouvrit un petit réfrigérateur situé derrière lui.

— Un Coca ?

— Non, merci.

Il attrapa une canette et tira sur la languette.

— Je sais ce que vous avez dû lire dans les journaux, poursuivit-il. Kathy est invitée à une fête d'étudiants. Elle boit un verre ou deux – rien de déraisonnable –, part vers vingt-deux heures pour retrouver Christian. Et plus personne ne la revoit. Fin de l'histoire. Du moins officiellement.

Myron se pencha en avant, bouillant d'impatience. Ménageant le suspense, Jake but une gorgée de Coca puis s'essuya la bouche avec son avant-bras avant de reprendre :

— D'après plusieurs de ses amies de Psi Omega, Kathy était bizarre. Préoccupée. Nous savons aussi qu'elle a reçu un coup de fil quelques minutes avant de partir. Elle a dit à Nancy Serat que l'appel venait de Christian et qu'elle devait le rejoindre. Christian, lui, a toujours nié lui avoir téléphoné ce soir-là. Comme il s'agit du réseau interne du campus, nous n'avons aucun moyen de vérifier. Mais Nancy dit que Kathy avait l'air tendue, pas du tout comme si elle bavardait avec son petit ami.

« Ensuite, Kathy a raccroché et est retournée au rez-de-chaussée avec Nancy pour la photo de groupe, désormais tristement célèbre…

Jake ouvrit un tiroir de son bureau et tendit le cliché à Myron. Comme tout le monde, il l'avait vu des centaines de fois. Avec une espèce de fascination morbide, tous les médias du pays avaient publié cette photo de douze jeunes filles souriant à l'objectif, insouciantes et heureuses de vivre. Au premier rang, deuxième à partir de la gauche, Kathy portait un pull bleu, une jupe ni trop étroite ni trop courte et un collier de perles. Très petite fille modèle.

— Bon, dit Jake. Juste après la photo, elle se tire. À notre connaissance, une seule personne l'a vue après ça.

— Qui ?

— Un des entraîneurs. Un certain Tony Gardola. Il l'a vue entrer dans le vestiaire des joueurs vers vingt-deux heures quinze. Tout à fait par hasard : il était revenu chercher un truc qu'il avait oublié dans son casier. Évidemment, il lui a demandé ce qu'elle faisait là, et elle a répondu qu'elle avait rendez-vous avec Christian. Bof, s'est dit Tony, les mômes de maintenant ! Une petite partie de jambes en l'air dans un endroit interdit… Il n'a pas cherché à en savoir plus long.

« C'est le seul témoignage précis et fiable que nous ayons à partir de vingt-deux heures. Par la suite, il semblerait qu'on l'ait aperçue du côté ouest du campus, vers vingt-trois heures. Quelqu'un a vu une jeune femme blonde en pull bleu. Mais il faisait trop sombre pour qu'il puisse l'identifier. En fait, il l'a remarquée parce qu'elle avait l'air drôlement pressée. Elle ne courait pas vraiment mais elle « tricotait des gambettes », selon l'expression du témoin.

— Côté ouest du campus, dit Myron. C'est vague.

Jake ouvrit un dossier et en sortit un plan qu'il étala devant Myron.

— Ici. Devant Miliken Hall.

— Et c'est quoi, Miliken Hall ?

— La fac de maths, bouclée dès neuf heures du soir. Mais notre témoin dit qu'elle a poursuivi son chemin vers l'ouest.

Myron étudia le plan. À l'ouest, il n'y avait que quatre bâtiments. *Logements privés des membres de la Faculté*, indiquait la légende. Myron se souvenait de l'endroit.

C'est là qu'habitait le doyen Gordon.

— Qu'y a-t-il ? demanda Jake.

— Non, rien.

— Foutaises, Bolitar. Vous me prenez pour un con ?

— Non, je vous assure. Je réfléchissais, c'est tout.

Les sourcils broussailleux de Jake se réunirent pour former une barre sur son front.

— Parfait. Si c'est ainsi que vous voulez jouer… Foutez-moi le camp ! J'ai encore un joker, et je le garde pour moi.

Myron ne fut pas surpris. Avec Jake Courter, il allait devoir donner un peu de mou. Pas de problème.

— Il me semble, dit-il lentement, que Kathy se dirigeait vers la résidence du doyen de l'université.

— Et alors ?

Myron ne répondit pas et Jake le fit à sa place :

— Elle travaillait pour lui.

— Exact.

— Quel rapport ?

— Oh, je suis sûr que ça n'a rien à voir, dit Myron. Mais si j'étais vous, j'irais lui poser deux ou trois questions. Au nom de la justice et de la vérité, voyez ce que je veux dire ?

— Est-ce que vous insinuez que…

— Je n'insinue rien. Je constate, simplement.

De nouveau, Jake étudia Myron. Ou plutôt le défia. Myron soutint son regard, sans se démonter. Une visite du shérif Jake Courter devrait déstabiliser le doyen. À coup sûr.

— Et ce fameux joker ?

Jake hésita.

— Kathy Culver a hérité une petite fortune de sa grand-mère, dit-il enfin.

— Oui, je sais. Vingt-cinq mille dollars. Les trois enfants ont eu la même somme. L'argent est bloqué chez le notaire.

— Pas tout à fait.

Jake se leva, remonta son pantalon.

— Vous voulez savoir pourquoi je pense qu'il s'agit d'une fugue ?

Myron se garda bien d'intervenir et attendit la suite.

— Le jour de sa disparition, Kathy Culver est allée à la banque. Elle a vidé son compte. A récupéré son héritage, jusqu'au moindre *cent*.

20

Myron reprit la route, direction New York. À la radio, George Michael se lamentait sur le fait qu'il ne pourrait plus jamais danser car « les pieds coupables n'ont aucun rythme » (Texto !). Profond, se dit Myron. Très profond.

Il appela Esperanza :

— Quoi de neuf ?

— Vous revenez au bureau directement ?

— Oui.

— Si j'étais vous, je ne traînerais pas.

— Pourquoi ?

— Vous avez une visite surprise.

— Qui ?

— Chaz Landreaux.

— Il est censé se planquer à Washington…

— Eh bien, il est ici. Et il n'a pas l'air en forme.

— Dites-lui de ne pas bouger. J'arrive.

— Je… euh… Je voudrais résilier notre contrat, annonça Chaz.

Il marchait de long en large dans le bureau comme un futur père dans la salle d'attente d'une maternité. Et il n'avait pas l'air en forme, en effet. Son sourire moqueur avait disparu, il se mordait nerveusement la lèvre, serrait et desserrait les poings.

— Si tu commençais par le commencement, suggéra Myron.

— Y a pas de commencement. J'veux me tirer, point barre. Vous allez me faire des ennuis ?

— Que s'est-il passé, Chaz ?

— Y s'est rien passé. J'ai changé d'avis, c'est tout. Je veux bosser avec Roy O'Connor. Pro & Co est une grosse boîte. Vous êtes sympa, Myron, mais vous avez pas leurs relations.

— Je vois.

Chaz continuait de faire les cent pas, cherchant ses mots. Enfin, il se décida :

— Bon, je peux récupérer mon contrat, alors ?

— Qu'ont-ils trouvé pour faire pression sur toi ?

— Je vois pas de quoi vous voulez parler. Faut que je vous le dise combien de fois ? Je veux plus de vous, OK ?

— Ce n'est pas si simple, dit Myron.

— Alors, vous allez me faire des ennuis ?

— Ils ne vont pas s'arrêter là, Chaz. Tu es dans la merde jusqu'au cou. Laisse-moi t'aider.

— M'aider ? Vous voulez m'aider ? Alors rendez-moi mon contrat. Et arrêtez votre cinoche. Vous vous foutez pas mal de moi. Tout ce qui vous intéresse, c'est de vous faire du blé sur mon dos.

— C'est vraiment ce que tu penses ?

— Tu piges pas, mec. Je veux plus de toi comme agent, je veux Pro & Co.

— Je t'ai reçu cinq sur cinq. Mais je te le répète, ce n'est pas si simple. Ces types te tiennent par les couilles. Tu crois qu'ils vont te laisser tranquille si tu fais ce qu'ils disent ? Ce n'est pas comme ça que ça marche. Ils ne te lâcheront jamais, Chaz. Ils vont te sucer jusqu'à la moelle et te jeter quand tu ne seras plus rentable.

— T'y connais que dalle, pauv' p'tit Blanc. Et c'est pas à moi que tu vas expliquer la vie…

Il s'approcha du bureau, sans toutefois oser regarder Myron en face.

— Je veux ce foutu contrat. Et tout de suite.

Myron décrocha le téléphone.

— Esperanza, apportez-moi le contrat de Chaz, s'il vous plaît. L'original.

Chaz ne dit rien.

— Tu ne sais pas dans quoi tu mets les pieds, reprit Myron.

— Foutaises ! Je sais ce que je fais.

— Laisse-moi t'aider, Chaz.

— Ah ouais ? ricana le jeune Noir. Et comment ?

— Je peux les contrer.

— Ben voyons ! Non merci, j'ai déjà donné.

— Que s'est-il passé ?

Autant parler à un mur…

Esperanza entra et tendit le contrat à Myron, qui le donna à Chaz. Ce dernier s'en empara comme si sa vie en dépendait et se précipita vers la porte.

— Désolé, mec, mais c'est le business…

— Tu ne peux pas les battre, Chaz. Pas tout seul. Ils vont te saigner à blanc.

— Ah oui ? Et on fait comment, pour saigner un Noir à blanc ? Je suis assez grand pour me défendre, merde !

— J'en doute.

— Écoutez, foutez-moi la paix, d'accord ? C'est plus vos oignons.

Sur ce, il sortit sans un regard en arrière. Après son départ, Win ouvrit la porte de communication entre la salle de conférences et le bureau de Myron.

— Intéressante conversation, dit-il. Un client de perdu !

— Ce n'est pas si simple, répliqua Myron.

— Au contraire, il vient de te larguer pour un autre

agent, c'est aussi simple que ça. Et comme il te l'a dit si éloquemment, c'est plus tes oignons.

— Chaz est mort de trouille.

— Tu as proposé de l'aider, il a refusé.

— Ce gamin risque sa vie, et celle de sa mère, de son petit frère…

— C'est un adulte capable de prendre ses propres décisions. Notamment de t'envoyer te faire voir.

— Tu sais ce qui l'attend, n'est-ce pas ?

— Nous vivons dans un monde libre, mon vieux. Si Landreaux a choisi de toucher son fric d'avance, ça le regarde.

— Tu pourrais le suivre ?

— Pardon ?

— Je veux savoir où Chaz fourre les pieds.

— Myron, tu cherches les emmerdes. Laisse tomber.

— Je ne peux pas, et tu le sais très bien.

Win réfléchit un moment.

— D'accord. Mais j'accepte uniquement parce que je crois que Landreaux peut nous rapporter gros. Tu peux jouer les héros si tu veux, en ce qui me concerne, il ne s'agit pas de sauver la veuve et l'orphelin. Je le fais pour le pognon, mon pote. Rien que pour le pognon.

— C'est bien ainsi que je l'entendais, dit Myron.

— Alors on est d'accord… Par ailleurs, je ne veux plus que tu te promènes sans ceci…

Win lui tendit un Smith & Wesson calibre 38 et un holster. Myron l'enfila. Il avait toujours détesté s'encombrer d'une arme à feu : il trouvait ça inconfortable. Mais, quelque part, c'était rassurant, et même exaltant. Ça vous donnait l'impression d'être invincible. (Et c'était précisément là le danger !)

— Sois prudent, dit Win. Ça commence à se savoir.

— Quoi donc ?

— Il y a un contrat sur ta tête, commenta Win d'un ton laconique. Trente mille dollars.

Myron fit la grimace.

— Trente mille ? Putain, je suis un ex-agent fédéral. Je devrais en valoir au moins soixante ou soixante-dix, minimum !

— Que veux-tu, les temps sont durs.

— Alors je suis un *has been* ?

— Apparemment, oui.

Myron ouvrit le barillet du revolver. Gagné : Win l'avait chargé avec des balles dum-dum.

— Ça va pas la tête ? Ces trucs-là sont interdits depuis 1899 !

Les dum-dum explosent dans la blessure et vous transforment un homme en chair à saucisse. Genre irrémédiable.

— Mon Dieu ! dit Win, une main sur le cœur. Mon Dieu, c'est affreux !

— Inhumain et inutile.

— Mais efficace.

— C'est hors de question.

— Comme tu voudras.

Win tendit à Myron une boîte de balles conventionnelles.

— Tiens, ma poule.

21

Jessica écouta le message sur son répondeur.

« Salut, Jessica, c'est Nancy Serat. Je viens d'apprendre, pour ton père. Je n'arrive pas à y croire. C'était un homme merveilleux. Je l'ai vu le matin de… enfin, ce matin-là. Nous avons parlé de Kathy. Il était si triste. Je n'ai pas su lui dire les mots qu'il fallait. Je n'arrive pas à y croire. Je… excuse-moi, je radote, ça me fait toujours ça quand je suis émue. Écoute, je serai absente jusqu'à dix heures ce soir. Tu peux passer me voir après, ou bien me téléphoner. Je t'embrasse. »

Jessica se repassa le message plusieurs fois.

Ainsi, Nancy avait vu son père le jour même de sa mort. Pure coïncidence ? Non, sûrement pas.

Myron appela sa mère pour la prévenir qu'il ne reviendrait pas au sein du giron familial avant quelques jours.

— Quoi ?

— Je vais m'installer chez Win.

— En ville ?

— Évidemment.

— À New York ?

— Non, M'man. À Bagdad.

— Garde tes plaisanteries stupides pour tes amis, Myron. Tu parles à ta mère, ne l'oublie pas. Et pourquoi veux-tu habiter en ville ?

C'est simple, M'man. Un gangster cherche à me trouer la peau et je ne veux pas vous mettre en danger, Papa et toi.

— Euh… Va falloir que je travaille tard, ces jours-ci. Ce sera plus pratique d'être sur place.

— Tu es certain que tu ne me caches rien, Myron ?

— Bien sûr que non, M'man.

— Sois prudent, mon fils. Ne sors pas tout seul dans les rues le soir.

Esperanza ouvrit la porte et claironna, suffisamment fort pour que Mama Bolitar l'entende :

— Un appel urgent sur la trois, Myron !

— Écoute, M'man, faut que je te quitte. Je te rappellerai. Bisous.

Il raccrocha et leva les yeux vers Esperanza.

— Sauvé par le gong ! Merci beaucoup !

— De rien.

— Au fait, il y a vraiment quelqu'un sur la trois ?

— Timmy Simpson, une fois de plus. J'ai essayé de savoir quel était le problème mais il ne veut parler qu'à vous.

Timmy Simpson… Nouvelle recrue chez les Red Sox, future star et déjà roi des emmerdeurs.

— Salut, Timmy.

— Hé, Myron, ça fait deux heures que j'attends que vous me rappeliez !

— Désolé, je viens juste de revenir au bureau. Alors, qu'est-ce qui ne va pas ?

— Je suis à Toronto, au Hilton. Et il n'y a même pas d'eau chaude dans cet hôtel à la con !

Myron attendit la suite – qui ne vint pas.

— Timmy, ai-je bien entendu ? Tu me téléphones du Canada pour me dire que…

— Ouais, c'est dingue, non ? Je vais pour prendre ma douche. J'attends trois minutes, et puis cinq. De l'eau glacée, Myron. Alors j'appelle la réception. La connasse ne sait pas quoi me dire. J'exige de parler au directeur et cet enfoiré m'annonce qu'ils ont un problème de plomberie. Je lui demande quand il compte régler le problème et il me dit qu'il n'en sait rien. Non mais, franchement ! On est où, là ? Dans une caravane, dans un camp de réfugiés ? Je rêve, ou quoi ?

Non, c'est moi qui rêve, se dit Myron.

— Timmy, qu'est-ce qui se passe, exactement ?

— Bon Dieu, Myron, je suis pro, oui ou non ? Et me voilà coincé dans un trou à rats, sans eau chaude ! Je veux dire, y a pas un truc dans mon contrat, sur les conditions de vie ?

— Une clause à propos de l'eau chaude ?

— Rien à battre. Je veux dire, c'est inadmissible. J'ai besoin d'une douche, avant un match. Une douche *chaude*. C'est trop demander, peut-être ? Je veux dire, qu'est-ce que je fais, moi, maintenant ?

Fourre-toi la tête dans la cuvette des toilettes et tire la chasse, songea Myron en se massant les tempes.

— Je vais voir ce que je peux faire, Timmy.

— Faut parler avec le directeur de l'hôtel. Et le faire virer.

— En ce qui me concerne, dit Myron, tu as raison : par rapport à la faim dans le monde et aux orphelins d'Europe de l'Est, ton problème est crucial. Mais si l'eau chaude ne revient pas très vite, je te conseille de changer d'hôtel. Nous enverrons la note aux Red Sox.

— Super ! Merci, Myron.

Clic.

Myron resta songeur devant le téléphone. Le petit con lui avait raccroché au nez. Il s'adossa à son fauteuil et passa en revue les trois principaux problèmes auxquels il devait faire face dans l'immédiat : la défection de Chaz Landreaux, l'éventuelle réapparition de Kathy Culver et les problèmes de plomberie du Hilton de Toronto. Il décida que ce dernier point pouvait attendre : on ne peut pas tout faire à la fois.

Problème numéro un : Chaz, qui avait signé un pacte avec le diable, alias Frank Ache. Une seule solution : Herman, le Big Brother.

Myron composa un numéro qu'il connaissait encore par cœur. Quelqu'un décrocha dès la première sonnerie.

— La Taverne de Clancy, bonjour !

— Bonjour, je m'appelle Myron Bolitar. Je voudrais parler à Herman.

— Ne quittez pas.

Au bout de cinq longues minutes, il eut sa réponse :

— Demain, quatorze heures.

Clic. Inutile de discuter : quand Herman Ache acceptait

de vous recevoir, vous étiez libre, à n'importe quelle heure du jour ou de la nuit.

Problème numéro deux : Kathy Culver. *Nibards* avait été posté du campus. Non seulement à Christian Steele mais aussi au doyen Gordon. Pourquoi ? Kathy travaillait pour cet homme. Y avait-il plus que du classement entre eux deux ? Et la jolie femme du doyen ? Était-elle au courant ? Non, je divague, se dit Myron.

Le seul indice sérieux, c'était la photo publiée dans ce magazine. Gary Grady prétendait n'y être pour rien. Possible. D'un autre côté, peut-être qu'il mentait. En tout cas, on en revenait toujours à ce bon vieux Fred Nickler.

Myron consulta son agenda et composa le numéro.

— Bonjour, en quoi puis-je vous aider ?

— J'aimerais parler à M. Fred Nickler.

— De la part de qui ?

— Myron Bolitar.

— Ne quittez pas.

Myron patienta, tout en écoutant les *Quatre Saisons* de Vivaldi. Quand vint l'automne, il reconnut la voix de Fred Nickler au bout du fil :

— Allô ?

— Bonjour, monsieur Nickler. C'est Myron Bolitar.

— Oui, Myron. Que puis-je pour vous ?

— J'aimerais prendre rendez-vous pour vous poser deux ou trois autres questions à propos de votre annonce dans *Nibards*.

— Je crains que ce ne soit pas possible pour l'instant. Je suis très occupé, voyez-vous. Rappelez-moi donc demain, et je verrai ce que je peux faire.

Silence.

— Myron ? Vous êtes toujours là ?

— Savez-vous qui a pris cette photo, monsieur Nickler ?

— Bien sûr que non.

— Votre copain Jerry nie également savoir qui l'a prise. Il y a forcément quelqu'un derrière tout ça, et ce n'est pas le Saint-Esprit.

— Myron, je vous en prie. Vous n'êtes pas né de la dernière pluie. Qu'espériez-vous de sa part ?

— Il jure qu'il n'a rien à voir avec la publication de cette photo.

— C'est impossible. C'était lui, l'annonceur. C'est forcément lui qui nous a apporté le négatif.

— Donc, vous en avez une copie ?

Silence. Puis :

— Oui, je dois l'avoir quelque part.

— Vous avez intérêt à la trouver très vite, sinon c'est moi qui vais la chercher.

— Écoutez, monsieur Bolitar, je ne voudrais pas être impoli, mais je suis très occupé. De toute façon, cette photo, vous l'avez déjà vue. Qu'est-ce que ça va vous apporter de plus ?

— Elle n'est parue que dans *Nibards*.

— Je vous demande pardon ?

— Cette photo, elle n'est publiée dans aucun de vos autres magazines.

— Et alors ? Je ne comprends pas.

— La même annonce dans six de vos revues. La même page, les mêmes photos. Sauf dans *Nibards*. Là, quelqu'un a fait une petite modif. A changé la photo, dans la rangée du bas. Dans cette revue X, et pas dans une autre. Pourquoi, à votre avis ?

Fred Nickler toussota, pour gagner du temps.

— Je n'en sais rien, Myron, je vous le jure. Mais je vous propose un truc : je mène ma petite enquête et je vous tiens au courant. Mais maintenant faut que je vous laisse, j'ai tout plein d'appels. À bientôt, promis.

Clic. Décidément, se dit Myron, tout le monde lui

raccrochait au nez, ces derniers temps. En tout cas, Fred Nickler commençait à paniquer…

Nickler composa le numéro d'une main tremblante.

— Poste de police, je vous écoute, dit une voix féminine.

Fred s'éclaircit la voix.

— Je voudrais parler à Paul Duncan, s'il vous plaît.

22

Vingt et une heures.

Myron appela Jessica et lui raconta ce qu'il avait découvert à propos du doyen.

— Tu penses réellement que Kathy couchait avec lui ? demanda-t-elle.

— Je n'en sais rien. Mais après avoir vu sa femme, j'en doute.

— Elle est belle ?

— Superbe. Et fan de basket, ce qui ne gâte rien. Il paraît qu'elle a pleuré quand j'ai été blessé.

— Je vois. La femme idéale. Tu l'as enfin trouvée.

— Il me semble déceler une pointe de jalousie dans ta voix.

— Tu peux toujours rêver, dit Jessica. Par ailleurs, je te signale qu'un homme marié à une jolie femme peut aussi avoir un penchant pour les petites étudiantes. Quoi qu'il en soit, moi aussi j'ai découvert quelque chose d'intéressant, aujourd'hui. Le jour de sa mort, mon père a rendu visite à Nancy Serat, la compagne de chambre de Kathy.

— Pour quelle raison ?

— Je ne sais pas encore. Nancy a laissé un message sur mon répondeur. Je dois aller la voir dans une heure.

— Parfait. Appelle-moi s'il y a du nouveau.

— Où puis-je te joindre ?

— Le soir je danse avec les Chippendale. Mon nom de scène, c'est Rambo.

— Modeste, avec ça !

Silence gêné. Ce fut Jessica qui le rompit :

— Pourquoi ne passerais-tu pas, en fin de soirée ? demanda-t-elle d'un ton faussement dégagé.

Le cœur de Myron se mit à cogner dans sa poitrine.

— Ça risque de faire tard.

— Aucune importance. Je ne dors pas beaucoup, ces temps-ci. Tu n'auras qu'à lancer des petits cailloux sur la fenêtre de ma chambre, Rambo !

Et elle raccrocha. Myron resta assis pendant cinq bonnes minutes, immobile, songeant à Jessica. Ils avaient commencé à se voir environ un mois avant la fin définitive de sa carrière de sportif. Elle était restée près de lui, elle l'avait réconforté, elle l'avait aimé. Il l'avait repoussée, en bon macho, sous le prétexte de la protéger. Mais elle avait tenu bon. Pendant quelque temps, du moins.

Esperanza ouvrit la porte sans frapper et s'arrêta sur le seuil, l'œil sévère.

— Ça suffit !

— Quoi donc ?

— Cette mine d'amoureux transi.

— Je vous demande pardon ?

— J'ai honte pour vous, Myron.

— Je vous remercie, ça fait toujours plaisir à entendre.

— Vous savez ce que je pense ? Tout ce qui vous intéresse, c'est de récupérer cette Jessica. Sa sœur Kathy n'est qu'un prétexte.

— C'est moi qui ai honte pour vous, Esperanza.

— J'étais là, je vous rappelle, quand elle vous a quitté.

— Hé, je suis un grand garçon, je n'ai pas besoin d'une baby-sitter !

— J'ai déjà entendu ça quelque part.

— Quoi ?

— Vous me faites penser à Chaz Landreaux. Vous lui avez dit qu'il était « dans la merde jusqu'au cou », c'est bien ça ? À mon avis, vous n'avez rien à lui envier.

La peau cuivrée d'Esperanza évoquait à Myron de chaudes nuits en Andalousie, des plages de sable blanc éclairées par la lune. Il y avait eu entre eux quelques moments de tentation mais tous deux y avaient renoncé, depuis longtemps. À part Win, Esperanza était la personne la plus proche de lui. Il savait qu'elle s'inquiétait en toute sincérité. Il décida d'éluder la question.

— À part ça, pourrais-je savoir pourquoi vous avez fait irruption dans mon bureau sans y être invitée ?

— J'ai découvert quelque chose.

— Ah, oui ?

Elle jeta un œil sur son bloc sténo. (Elle se baladait toujours avec et on se demandait pourquoi ; elle n'avait jamais été foutue de prendre une ligne en sténo.)

— J'ai finalement trouvé l'autre numéro que Gary Grady a appelé après votre départ. C'est le studio d'un photographe. Écoutez ça : Global Globes. Sur la Dixième Avenue, près du tunnel.

— Quartier *hot*.

— Brûlant, vous voulez dire. La planète Porno.

— Faut de tout pour faire un monde, dit Myron en jetant un coup d'œil à sa montre. Des nouvelles de Win ?

— Pas encore.

— Laissez l'adresse du studio sur sa boîte vocale. Peut-être qu'il finira assez tôt pour m'y rejoindre.

— Vous y allez maintenant ?

— Oui.

— Ça vous ennuie si je vous accompagne ?

— Vous n'avez pas cours ?

Esperanza était inscrite à l'université de New York en

troisième année de droit. Une licence rien qu'avec des cours du soir, courageux de sa part.

— Non. Et j'ai fini tous mes devoirs, *Daddy*. Je le jure.

— Fermez-la et amenez-vous, sale gosse !

23

Putainville.

Il y en avait pour tous les goûts. Des Blanches, des Noires, des Asiatiques, des Latino-Américaines – les Nations unies de la prostitution. La plupart très jeunes, perchées sur des talons trop hauts, comme des gamines déguisées – ce qu'elles étaient, au fond. Efflanquées, les bras couverts de traces de piqûres, les joues creuses et les yeux cernés, les cheveux ternes, couleur paille.

— Ils ne se rendent pas compte qu'ils font l'amour avec la mort ? marmonna Myron.

Esperanza réfléchit un instant.

— Je ne la connaissais pas, celle-là.

— Fantine, dans *Les Misérables*. Pas le roman, la comédie musicale.

— Je n'ai pas les moyens d'aller voir les spectacles de Broadway. Mon patron est radin.

— Mais beau gosse.

Myron observait une blonde en short moulant qui négociait avec un beauf au volant d'une Ford familiale. Il connaissait son histoire : il avait souvent vu des gamines comme elle descendre d'un Greyhound qui venait de Virginie ou du Middle West. Elle s'était enfuie de chez ses parents – pour échapper à l'inceste, ou tout simplement parce qu'elle s'ennuyait et rêvait de la grande ville. Elle avait mis pied à terre d'un air conquérant, sans un *cent* en poche mais la tête pleine d'illusions. Les macs la guettaient, tels des vautours. Le moment venu, ils fondaient sur leur proie. Ils la prenaient sous leur aile, lui faisaient visiter la Grosse Pomme, lui procuraient une chambre avec chaîne stéréo et télé grand écran, salle de bains avec Jacuzzi. Ils promettaient de la présenter à des photographes de mode. Puis ils lui apprenaient à faire la fête. De *vraies* fêtes, rien à voir avec les séances de pelotage sur une banquette arrière avec un jeune boutonneux qui empestait la bière. Ils l'emmenaient dans des soirées chic et l'initiaient au truc suprême, la poudre blanche qui vous fait voir la vie en rose.

Mais bientôt, c'était une autre chanson. La carrière de top-model tant espérée tombait à l'eau, et elle devait passer à la caisse. En outre, les « fêtes » avaient cessé d'être un luxe pour devenir un besoin. La poudre était devenue sa raison d'être. Elle avait commencé avec une petite ligne de temps en temps mais dorénavant elle avait les bras troués de piqûres qui ne devaient rien aux moustiques.

Ensuite, tout allait très vite. Ayant touché le fond, elle n'avait plus la force – ni le désir – de remonter à la surface. Alors elle atterrissait dans ce quartier.

Ils se garèrent et descendirent de voiture en silence. Myron était au bord de la nausée. Les prostituées n'avaient jamais été sa tasse de thé mais il savait que Win avait eu recours à leurs services en maintes occasions. Il trouvait ça pratique. Son établissement favori s'appelait Noble House, un bordel asiatique dans la 8e Rue. Dans les années 80, lui et quelques copains organisaient dans son appartement ce qu'ils appelaient des « nuits chinoises ». Un traiteur fournissait la bouffe et Noble House, les filles. En fait, Win n'aimait pas vraiment les femmes. Il ne leur faisait pas confiance. Les putes lui convenaient très bien : prêtes à l'emploi, à jeter après usage.

Myron pensait qu'il avait renoncé à ce genre de sport – trop dangereux, depuis l'apparition du sida –, mais il n'en était pas sûr. Ils n'en parlaient jamais.

— Charmant spectacle, dit-il.

Esperanza ne répondit pas.

Ils passèrent devant une espèce de night-club d'où s'échappait une musique assez forte pour fissurer les murs. Une jeune créature – sexe indéterminé, crête à l'iroquoise vert fluo – bouscula Myron. Le trottoir grouillait de torses tatoués, de nez et de tétons percés d'anneaux, de cuir clouté. De partout fusaient les « Hé, tu viens, baby ? ». L'ensemble se fondait en une masse à peine humaine, façon Cour des Miracles.

Au-dessus de la porte de l'établissement, une enseigne : FUCK CLUB. Comme logo, une main avec le majeur dressé. Inscrit à la craie sur l'ardoise, le programme du jour – ou plutôt de la nuit :

SOIRÉE HEAVY METAL

Ce soir, en exclusivité, vos groupes préférés :

F.Q.F.D. et THERMOMÈTRE

Myron jeta un coup d'œil par la porte ouverte. Les jeunes ne dansaient pas, ils sautaient sur place, bras le long du corps, secouant la tête dans tous les sens comme si leur cou ne pouvait la soutenir. Un ado retint son attention. Quinze ans à peine, regard égaré, longues mèches collées sur son visage en sueur. Myron se demanda lequel des deux groupes était sur scène. On aurait dit les braillements d'un cochon qu'on égorge.

— Le studio est juste à côté, intervint Esperanza.

Le bâtiment, en briques brunes, ressemblait à un entrepôt désaffecté. Accoudées aux fenêtres, telles des décorations de Noël défraîchies, des putes faisaient signe aux passants.

— C'est ici ? demanda Myron.

— Troisième étage.

Esperanza ne semblait pas impressionnée. Il est vrai qu'elle avait grandi dans un environnement pas tellement plus reluisant. Aucun signe d'émotion sur son visage. De toute manière, elle n'était pas du genre démonstratif. Elle piquait des colères assez fréquemment mais, depuis le temps qu'ils se connaissaient, jamais Myron ne l'avait vue pleurer.

Il s'approcha de l'entrée de l'immeuble. Une vieille pute obèse, boudinée dans une combinaison en acrylique, lui barra le chemin, seins en avant.

— Hé, mon mignon, une petite pipe ? Pour toi, ce sera seulement cinquante billets.

Myron s'efforça de cacher son dégoût.

— Non, merci, dit-il en baissant la tête comme un petit garçon pris en faute. Désolé.

La femme haussa les épaules et se mit à la recherche du prochain pigeon.

Pas faciles, les trois étages. L'escalier était jonché de corps inconscients, voire morts. Myron et Esperanza les enjambaient avec précaution, sans trop se poser de questions. Des échos de heavy metal se mêlaient à des bruits de verre cassé, à des cris, des jurons, des coups, et même aux pleurs d'un bébé. Symphonie de l'Enfer en rut majeur.

Au troisième étage, ils tombèrent sur un bureau entièrement vitré. Personne à l'intérieur, apparemment, mais les photos affichées sur les murs – sans compter les fouets et menottes accrochés çà et là – laissaient peu de place au doute : c'était la bonne adresse. Myron tourna la poignée. Ce n'était pas fermé à clé.

— Vous, vous ne bougez pas, dit-il à Esperanza.

— D'accord.

Il entra.

— Hello ? Il y a quelqu'un ?

Pas de réponse, mais un rythme de calypso lui parvint de la pièce à côté. Il ouvrit la porte et se retrouva dans le studio à proprement parler.

La première chose qui le frappa, ce fut le contraste par rapport à l'ambiance de la rue. L'endroit était nickel, très pro, avec l'un de ces immenses parapluies blancs qu'on voit dans les studios photo. Une demi-douzaine d'appareils reposaient sur des trépieds et le plafond était jalonné de spots avec des filtres de différentes couleurs.

Ce fut autre chose qui le cloua sur place. En l'occurrence, la femme nue qui chevauchait une moto de grosse cylindrée, au beau milieu de la pièce. À vrai dire, elle n'était pas totalement nue : elle portait des cuissardes de cuir noir. Tenue minimaliste qui ne sied pas à tout le monde mais lui allait comme une paire de gants. Plongée dans la lecture d'un tabloïd, elle n'avait pas vu Myron. Il s'approcha. Elle avait des obus à la place des seins et de fines cicatrices sous ses deux phénoménales protubérances.

Elle perçut soudain sa présence et sursauta.

— Bonjour, madame, dit Myron en lui dédiant son légendaire sourire de séducteur patenté.

Elle poussa un cri perçant, tenta de se couvrir la poitrine – pur réflexe, parfaitement inefficace vu la disproportion entre la taille de ses mains et celle de ses mamelles. Pudique, la donzelle. C'est tellement rare, de nos jours.

— Je m'appelle…

Nouveau hurlement, à vous bousiller les tympans. La dame avait du coffre. Un autre bruit, juste derrière lui, alerta Myron. Il fit volte-face et se retrouva face à un garçon à peine pubère. Torse nu, pas un poil sur ses futurs pectoraux, mais le sourire aux lèvres et un cran d'arrêt dans la main. Bruce Lee version junior. S'il avait claqué des doigts, on aurait pu se croire sur le tournage d'un remake de *West Side Story*.

Une porte s'ouvrit, d'où s'échappa un halo pourpre. Une femme apparut sur le seuil. Une rousse aux cheveux courts et bouclés, mais Myron n'aurait pu le jurer : peut-être n'était-ce que le reflet des infrarouges de la chambre noire.

— Vous n'avez aucun droit d'être ici, dit-elle à Myron. Hector pourrait vous tuer, comme un vulgaire cambrioleur.

— Je ne sais pas où vous avez obtenu votre licence de droit, dit calmement Myron, mais si Hector n'est pas sage, je lui confisque son canif.

Hector se mit à ricaner et à jongler avec son couteau, très sûr de lui.

— Impressionnant, admit Myron.

La nana topless courut se réfugier derrière le rideau d'une cabine dite d'essayage. La rouquine pénétra dans le studio, refermant derrière elle la porte de la chambre noire. Elle était effectivement rousse, ou plutôt auburn, avec une peau laiteuse. Dans les trente ans et, curieusement, plutôt classe.

— C'est vous, la patronne ? demanda Myron.

— Hector est très habile avec une lame, répondit-elle. Il est capable de découper le cœur d'un homme et de le lui présenter avant même qu'il soit mort.

— Un numéro qui doit faire sensation, quand vous avez des invités.

Hector se rapprocha. Myron ne broncha pas mais dégaina et pointa son Smith & Wesson sur le jeune garçon.

— J'aurais adoré vous faire une démonstration de mes talents en matière d'arts martiaux, mais je viens juste de prendre une douche et je n'ai pas envie de transpirer.

Hector écarquilla les yeux.

— Que ça te serve de leçon, petit. Par ici, la moitié des mecs sont armés. Si tu sors ton joujou ridicule, ils seront moins sympas que moi, ils n'hésiteront pas à te trouer la peau.

La rousse ne se démonta pas :

— Foutez-moi le camp !

— C'est vous la proprio ?

— Vous avez un mandat ?

— Bien sûr que non. Je ne suis pas flic.

Sacrément belle, se dit Myron. Une voix sensuelle, un peu éraillée. Des hanches rondes, des seins que l'on devinait exempts de silicone. Elle fit un geste vers Hector. Docile, le gamin referma son cran d'arrêt et s'apprêta à partir.

— Pas si vite, Hector ! Va dans la chambre noire. Je n'ai pas envie que tu revienne avec un flingue.

Hector se tourna vers sa patronne. Elle hocha la tête et il obéit.

— Ferme la porte, ordonna Myron.

Les mains sur les hanches, la rousse toisa Myron.

— Bon, satisfait ?

— C'est quasiment l'extase.

— Alors dégagez.

— Écoutez, je ne suis pas venu en ennemi, dit-il avec son sourire le plus craquant. Seulement pour le business. Je m'appelle Bernie Worley. Je travaille pour une revue qui va bientôt sortir et je cherche…

— Vous me prenez vraiment pour une conne, « Bernie » ?

Il n'eut pas l'occasion de répondre : soudain, il y eut des clameurs, à l'extérieur. Certes, le quartier était bruyant, mais là il se passait quelque chose de grave. Juste en bas, là où il avait laissé Esperanza. Toute seule, sans défense. Son cœur ne fit qu'un bond, il se rua dans l'escalier.

Sur le trottoir, il y avait un attroupement. Et, au milieu de tous ces gens, Esperanza, souriante. Il n'en crut pas ses yeux : elle signait des autographes.

— C'est Pocahontas ! cria quelqu'un.

— À moi, à moi ! dit un autre. Si vous pouviez écrire « Pour Manuel, avec tout mon amour » ?…

— Vous êtes la plus belle !

— J'ai adoré quand vous avez mis la pâtée à la reine Carimba !

— Et cette Highway Hannah, quelle sale teigne ! Quand elle vous a lancé du sable dans les yeux, j'aurais voulu la tuer !

Esperanza aperçut Myron, haussa les épaules avec fatalisme et poursuivit sa séance d'autographes. La rousse avait suivi Myron. Quand elle vit Esperanza, elle poussa une exclamation de surprise et de joie.

— Poca ?

Esperanza leva les yeux et lui fit écho :

— Lucy ?

Les deux femmes s'étreignirent et regagnèrent le studio. Perplexe, Myron leur emboîta le pas.

— Où étais-tu passée, ma belle ? demanda Lucy.

— J'ai vadrouillé, ici et là.

Elles s'embrassèrent. Sur la bouche. Un peu trop longtemps. Puis Esperanza se tourna vers Myron.

— Ne faites donc pas cette tête !

— Quelle tête ?

— Eh oui, je ne vous dis pas tout.

— C'est ce que je constate. Mais au moins, je sais maintenant pourquoi mon charme dévastateur n'a pas eu d'effet sur votre amie.

Elles rirent toutes les deux, en chœur et de bon cœur.

— Lucy, je te présente Myron Bolitar.

Lucy le détailla de la tête aux pieds.

— C'est ton mec ?

— Non. Juste un excellent ami. Et mon patron.

— Il ressemble à un type qui faisait un show dans un club en bas de la rue. Un truc assez trash : à un moment donné, il pissait dans la bouche ouverte des nanas.

— Ce n'était pas moi, protesta Myron. Déjà que j'ai du mal à utiliser les urinoirs…

Lucy reporta son attention sur Esperanza.

— Tu as l'air en forme, Poca.

— Merci.

— Alors comme ça, tu as laissé tomber la lutte ?

— Complètement.

— Mais tu t'entraînes toujours, n'est-ce pas ?

— Aussi souvent que possible.

— Ça se voit, dit Lucy avec un sourire appréciateur.

Myron s'éclaircit la gorge et tenta de placer un mot, en vain.

— Et toi, demandait Esperanza, tu photographies toujours les catcheuses ?

— Plus tellement. Je fais surtout du cul, à présent. Que veux-tu, faut bien gagner sa croûte…

Se souvenant soudain de la présence de Myron, Esperanza lui expliqua :

— Lucy faisait toutes nos photos de promo. Les affiches, tout ça.

— C'est ce que j'avais cru comprendre. Vos retrouvailles sont très touchantes, mais… n'oubliez pas pourquoi nous sommes ici. Pensez-vous que votre amie pourrait nous aider ?

— Que voulez-vous savoir ? demanda Lucy.

Myron lui tendit l'exemplaire de *Nibards* et lui montra la photo de Kathy.

— Tout ce que vous pourrez me dire à propos de cette annonce.

Lucy examina la photo puis se tourna vers Esperanza.

— Il est flic ?

— Non. Agent sportif.

— Ah, je préfère. Parce que ce cliché sent mauvais.

— Que voulez-vous dire ?

— La fille est topless.

— Et alors ?

— C'est illégal. Les seins nus sont interdits dans les pubs pour l'indicatif 900. Si le gouvernement tombe là-dessus, on est mal.

Myron sauta sur l'occasion :

— Qui ça, « on » ?

— J'ai des parts dans ces sociétés de téléphone rose. La plupart des lignes sont domiciliées dans cet immeuble.

— Mais c'est ridicule ! objecta Myron. Le topless serait illégal ? Et depuis quand ? Pratiquement toutes les filles sont à poil, dans ce magazine…

— Pas sur les pubs pour l'indicatif 900. Une loi a été votée il y a deux ou trois ans. Le 900 devait rester clean. Tenez, regardez…

Elle tourna la page et pointa le doigt sur une autre annonce.

— La fille a une attitude suggestive mais son déshabillé transparent cache artistiquement l'essentiel. Même chose pour la légende. *Confessions secrètes*. Vous avouerez qu'il n'y a pas de quoi fouetter une chatte. Par contre, jetez un œil aux annonces de l'indicatif 800. *Mets-la-moi profond*, des trucs comme ça. Un autre registre.

Myron se souvint de la conversation qu'il avait eue avec Violette, sur un serveur 900. Il avait été frappé par le fait qu'elle n'avait jamais rien dit d'obscène.

— Alors, le 900, c'est bidon ?

— Exactement. Ça sert à ferrer le client. L'accès à ces lignes est tellement facile. Pas besoin de donner son numéro de carte de crédit. La plupart du temps, les filles se contentent de parler de bains de minuit, de massages… Ça suffit pour les exciter, voyez ce que je veux dire ?

— Euh… je suppose.

— De toute façon, les types qui appellent ont déjà une telle trique qu'ils sont prêts à se payer le tuyau de l'aspirateur pour se soulager. Pour les filles, le but du jeu consiste à leur faire dire le premier mot salace, ce qui n'est pas difficile. Dès qu'ils tombent dans le panneau, on arrête les frais : « Désolée, baby, je ne peux pas parler de ces choses-là sur cette ligne. Mais si tu veux, tu peux me rappeler au 800, etc. Si tu as une carte de crédit, bien sûr. » Neuf fois sur dix, le pigeon rappelle dans la minute qui suit.

— Mais ils n'ont pas peur que ça fasse désordre, sur leurs relevés bancaires ? Vis-à-vis de leur femme, par exemple.

Lucy secoua la tête. Elle faisait ça avec grâce. Ce mélange de spontanéité et d'érotisme professionnel fascinait et agaçait Myron.

— Nos sociétés ont des noms respectables. Norwood Incorporate, Telemark… On n'est pas assez bêtes pour annoncer la couleur ! Vous voulez voir ?

— Voir quoi ?

— Comment ça fonctionne. Beaucoup de filles travaillent à domicile mais j'ai une équipe de six ou sept régulières qui bossent à l'étage au-dessus.

— Pourquoi pas ? dit Myron.

Lucy les emmena au quatrième. Une odeur indéfinissable et suffocante régnait dans la cage d'escalier. Bière, urine, marijuana, vomi et Dieu sait quoi encore. Lucy referma la porte prestement.

— Bienvenue au royaume du fantasme téléphonique, annonça-t-elle.

Myron en resta bouche bée. Il s'était attendu à une rangée de femmes laides, obèses, ou même vieilles. Mais là, franchement, il en resta sans voix.

Rien que des hommes. Écouteurs greffés sur les

oreilles, ils ne levèrent même pas les yeux, en bons travailleurs bien consciencieux.

— Des réseaux gay ? avança Myron, toujours aussi subtil.

— Non, dit Lucy, qui visiblement s'amusait de sa surprise. Nous recevons environ un appel gay sur cent.

— Mais… Ce sont des mecs !

Drôlement observateur, le Myron.

Tandis qu'il essayait de comprendre, l'un des téléphonistes les plus proches poursuivait sa conversation avec son client. Des biceps de routier, la voix à l'avenant.

— Oui, c'est ça, vas-y, continue. Ah, c'est bon ! Oui, moins vite, plus fort. Jusqu'au fond. Vas-y, ne t'arrête pas, je t'en supplie…

Lucy salua son employé d'un petit geste amical. Il leva les yeux au ciel, sourit d'un air complice et poursuivit :

— Oui, c'est ça, mon bel étalon. Aaaahhhh, je sens que je vais jouir…

Myron jeta un coup d'œil vers Esperanza et fut soulagé de constater qu'elle avait l'air aussi perplexe que lui.

— C'est quoi, ce bordel ? demanda-t-elle à Lucy.

— Faut vivre avec son temps. La main-d'œuvre masculine revient moins cher. La plupart des filles sont sur le trottoir. Alors j'embauche leurs frères, leurs cousins. Ils sont contents d'avoir un job.

— Mais la voix ?

— Pas de problème. On peut tout faire avec l'électronique.

Myron en était sur le cul.

— Et les clients sont au courant ?

Lucy se tourna vers Esperanza.

— Con comme la lune, ton copain. Mais joli garçon. Comme quoi on ne peut pas tout avoir…

Ouch ! Même venant d'une lesbienne, ça faisait mal. Surtout qu'elle n'avait pas totalement tort.

La pièce ressemblait à la salle de rédaction d'un grand journal ou au QG d'un courtier en bourse. Téléphones high-tech, des dizaines d'appareils, des écrans qui clignotaient sans cesse. Tout semblait fort bien organisé, chacun avait sa spécialité. « Femme au foyer en manque », « Dominatrice cherche esclave », « Je suce et j'avale », j'en passe et des meilleures. Chacun des employés disposait d'un ordinateur pour vérifier les cartes de crédit.

— Les lignes marquées d'un « C » doivent demeurer clean, expliqua Lucy. « C » comme Clean et Correct. Mais nous avons une centaine de personnes qui préfèrent travailler à domicile. Principalement des femmes.

— Femmes au foyer en manque ? intervint Myron.

— Parfois. Mais la plupart ne sont que de braves ménagères qui veulent mettre un peu de beurre dans les épinards. Enfin, bref, votre annonce m'inquiète. Jamais une fille nue n'aurait dû paraître sur le réseau 900.

Ils regagnèrent le studio, au troisième. Myron trébucha sur un ivrogne étalé sur les marches.

— ABC... C'est une société qui siège dans les étages supérieurs, n'est-ce pas ?

— Oui, je crois, dit Lucy.

— Et nous savons que Gary Grady vous a appelée hier soir. Pouvez-vous nous dire pourquoi ?

— Qui ça ?

— Gary Grady.

— Inconnu au bataillon.

— Et si je vous dis « Jerry » ?

Lucy éclata de rire.

— Jerry ? J'aurais parié que ce n'était pas son vrai nom. Il était toujours si bizarre, si secret.

— Que voulait-il ?

Elle pencha la tête de côté, comme si une idée venait de lui revenir.

— Oui, je comprends mieux, maintenant.

— Vous comprenez quoi ?

— Il voulait une photo que j'avais développée il y a longtemps.

— Celle-ci ? demanda Myron. Celle de Kathy Culver ?

— Oui. Elle faisait partie de son cheptel.

Myron et Esperanza échangèrent un rapide regard.

— Vous voulez dire qu'il y en avait d'autres ?

— Une bonne douzaine, je dirais. Ou peut-être un peu plus.

Myron sentit la rage lui monter à la gorge.

— Toutes mineures, bien sûr ?

— Comment voulez-vous que je le sache ?

— Vous n'avez même pas posé la question ?

— J'ai l'air d'être un flic ? Écoutez, monsieur, si vous êtes venu pour me harceler, je…

— Calme-toi, Lucy, intervint Esperanza. Ce n'est pas un flic, je te le jure. Tu peux lui faire confiance.

— Et mon cul, c'est du poulet ! Écoute, Poca, ce mec débarque chez moi avec un flingue, fout la trouille de sa vie à mon modèle, et tu voudrais que je lui fasse confiance ?

— On a besoin de toi, Lucy. *J'ai* besoin de ton aide.

— Je n'ai rien contre vous, renchérit Myron. Tout ce qui m'intéresse, c'est la jeune fille qui figure sur cette photo.

Lucy hésita.

— D'accord, mais on joue cartes sur table ?

— Pas de problème. Donc, c'est Jerry qui vous a présenté Kathy ?

— Oui. À l'époque j'avais un autre studio, pas très loin d'ici. Je travaillais avec lui, de temps en temps. Je lui faisais des photos pour des magazines porno, des films X. Enfin, le business, quoi. Dans l'ensemble, c'était pas trop moche, il voulait de la créativité. Le bizarre, dans tout ça, c'est qu'il ne publiait pas mes clichés, il se les gardait sous le coude. Parce que les filles étaient mineures, sans doute.

Myron serra les poings.

— Donc, Jerry est venu vous voir hier soir, à propos de la photo de Kathy ?

— Oui.

— Que voulait-il savoir ?

— Si j'en avais vendu d'autres copies, récemment.

— C'est le cas ?

Silence. Puis :

— Euh… Oui. Ça date de quelques mois.

— Qui les a achetées ?

— Vous croyez que je tiens un registre ?

— Je ne vous en demande pas tant. C'était un homme ou une femme ?

— Un homme.

— À quoi ressemblait-il ?

Lucy alluma une cigarette, aspira lentement la fumée, la rejeta par le nez.

— Je ne suis pas physionomiste.

— Tout ce que tu peux te rappeler nous sera utile, intervint Esperanza. Il était jeune ? Vieux ? C'est important.

Lucy inhala une autre bouffée puis se décida à parler :

— Plutôt vieux. Enfin, je veux dire, pas un ancêtre, mais plus tout jeune. Comment dire ? Il aurait pu être mon père. Et il savait ce qu'il faisait. (Elle s'interrompit et lança un regard meurtrier à Myron.) Pas comme vous, « Bernie Worley ». Quand j'y repense !

Myron ne se laissa pas démonter.

— « Il savait ce qu'il faisait. » Que voulez-vous dire ?

— Il m'a payé cash à une condition : que je lui remette les tirages et les négatifs. Tout de suite. Il voulait être sûr que je n'aurais pas le temps d'en faire des copies.

— Combien ?

— Soixante-cinq mille dollars en tout. Cinquante pour

les photos et les négatifs, dix pour le numéro de téléphone de Jerry. En prime, cinq si je fermais ma gueule.

— Vous pourriez reconnaître cet homme ? demanda Myron.

— Je ne sais pas. Peut-être. C'est un peu flou.

Des coups de pied résonnèrent, ébranlant la porte de la chambre noire.

— Ça vous embête si je délivre Hector ? demanda Lucy.

— Pas de problème. On allait partir, justement.

Il lui tendit sa carte.

— Si par hasard quelque chose vous revenait en mémoire... Appelez-moi.

— Comptez sur moi.

La carte à la main, elle se tourna vers Esperanza.

— *Ciao, Poca bella !* Tu m'appelles, hein ?

Esperanza hocha la tête. C'était oui, ou non ? Impossible à dire. Myron et elle restèrent silencieux durant tout le trajet du retour. Quand il se gara et qu'ils se retrouvèrent dans la touffeur de la rue et des nuits new-yorkaises, elle s'excusa :

— Désolée. Je ne voulais pas vous choquer.

— Pas de problème. Ça ne me regarde pas. J'ai été un peu surpris, c'est tout.

— Lucy est lesbienne cent pour cent. J'ai eu une histoire d'amour avec elle, autrefois. Je l'aime beaucoup. C'était il y a longtemps.

— Vous n'avez pas à vous justifier, dit-il.

Il jouait les bravaches mais il était content qu'elle se soit confiée à lui. Il n'avait aucun secret pour elle et il avait été blessé de découvrir que l'inverse n'était pas vrai.

Il avait les clés de la voiture à la main et s'apprêtait à ouvrir la portière lorsqu'il sentit le canon d'une arme sur sa tempe.

— On ne bouge pas, Myron.

Il reconnut la voix. Celle d'un des deux mecs qui l'avaient agressé dans le parking. Pas le gorille, mais celui au chapeau. Le type plongea la main dans la veste de Myron et en sortit le Smith & Wesson. Son copain avait déjà ceinturé Esperanza.

— S'il remue le petit doigt, tu butes la nana, dit Borsalino.

L'autre hocha la tête, réjoui d'avance.

— Et maintenant, dit le chef, *avanti !* Toi, Bolitar, tu fermes ta gueule et tu marches. D'accord ? On va se faire une petite promenade.

24

Jessica se gara devant le 118 Acre Street. Le cottage que Nancy Serat louait pour le semestre était situé à environ un kilomètre du campus. La rue était mal éclairée mais, même dans la semi-obscurité, la façade rose saumon était une insulte au bon goût. Une Honda Accord bleue ornée d'un sticker de l'université de Reston était stationnée dans l'allée au ciment fissuré.

Jessica sonna et entendit des pas précipités derrière la porte. Plusieurs secondes s'écoulèrent mais personne ne vint ouvrir. Elle sonna de nouveau. Aucun bruit, cette fois. Silence total.

— Nancy ? cria-t-elle. C'est Jessica Culver !

Elle réappuya sur la sonnette, avec insistance, tout en sachant que la maison était trop petite pour que Nancy ne l'ait pas entendue. Sauf si elle était sous la douche. En tout cas, elle était certainement chez elle : de la lumière filtrait à travers les stores, sa voiture était là, et il y avait eu ce bruit de pas.

Jessica posa la main sur la poignée de la porte. En temps normal, elle n'aurait jamais tenté de pénétrer chez quelqu'un qu'elle connaissait à peine (elle n'avait rencontré Nancy qu'une seule fois). Mais les circonstances étaient assez particulières. Elle tourna la poignée. En vain. La porte était fermée à clé.

Perplexe, elle resta cinq bonnes minutes sur le seuil, s'obstinant à sonner puis à frapper. Finalement, elle entreprit de faire le tour du cottage. Le parcours du combattant, à la lueur diffuse d'un lointain réverbère. Elle trébucha sur un tricycle abandonné, se prit les pieds dans les hautes herbes et les orties. À chaque fenêtre, elle tentait d'apercevoir l'intérieur entre les lames des stores vénitiens. Aucun signe de vie.

À l'arrière du bâtiment, les fenêtres n'étaient pas éclairées. Elle se dirigea à tâtons vers la plus proche, dont les stores n'étaient pas baissés. La cuisine. Un rai de lumière provenant du couloir traversait la pièce. Jessica distingua un sac à main et un trousseau de clés posés sur la table. Donc, Nancy était bien là.

Soudain, un bruissement la fit sursauter. Elle se retourna mais il faisait trop sombre pour qu'elle puisse apercevoir quoi que ce soit. Le cœur battant, elle se précipita vers la porte et se mit à frapper des deux poings.

— Nancy ! Nancy !

La panique déformait sa voix. Elle se ressaisit. Arrête, pauvre idiote. Ce n'était sûrement qu'un écureuil ou une bestiole quelconque. Bientôt tu vas avoir peur de ton ombre ! Elle inspira à fond deux ou trois fois et revint se poster derrière la fenêtre de la cuisine, le nez plaqué contre la vitre.

Soudain, le rai de lumière disparut, l'espace d'une seconde. Elle ne comprit pas tout de suite ce que cela signifiait. Et puis son cerveau se remit en marche : il y avait quelqu'un dans la pièce. Qui venait de se déplacer.

Elle franchit les deux mètres qui la séparaient de la porte et tourna la poignée, qui n'offrit aucune résistance.

N'entre pas, espèce de débile ! Appelle les flics !

Pour leur dire quoi ? « J'ai sonné, personne n'a répondu, alors j'ai regardé par les fenêtres et puis j'ai cru voir quelqu'un. » Drôlement convaincant ! En outre, elle avait oublié de prendre son portable et il faudrait qu'elle trouve une cabine téléphonique. D'ici là, tout serait terminé. Et elle aurait peut-être raté son unique chance de…

De quoi ? Elle ouvrit la porte. Elle s'était attendue à un horrible grincement mais non, les gonds étaient bien huilés. Elle pénétra dans la pièce sur la pointe des pieds.

— Kathy ?

Ça lui avait échappé. Pourtant elle savait que Kathy ne pouvait être là. C'eût été trop beau. Trop simple. Retrouver ici sa petite sœur au sourire si confiant.

La petite sœur que tu as laissée partir. La sœur à qui tu as raccroché au nez le soir où elle a disparu…

Jessica resta dans la cuisine, immobile, guettant le moindre bruit. À part le chant des criquets qui lui parvenait du jardin par la porte restée ouverte, rien. Pas de jet de douche, pas de plancher qui craque. Elle ouvrit le sac qui se trouvait sur la table. Elle y trouva un portefeuille qui contenait un permis de conduire et diverses cartes de crédit au nom de Nancy Serat. Puis, glissée dans l'un des volets en plastique, une photo de format réduit.

La photo de groupe prise lors de cette fameuse soirée entre filles. La dernière photo de Kathy.

Jessica laissa tomber le portefeuille comme s'il lui brûlait les mains. Puis elle se dirigea vers la porte intérieure, d'où venait le rai de lumière. Elle la poussa, lentement, les muscles bandés, la gorge sèche.

Ce qu'elle découvrit derrière la porte lui arracha un cri d'horreur.

Nancy était étendue sur le sol, bras le long du corps. Ses yeux sortaient presque des orbites, comme deux balles de golf, et semblaient fixer Jessica. Le visage était violacé. De sa bouche grande ouverte, figée en une atroce grimace de douleur, pendait une langue inerte, telle une répugnante limace. Un filet de salive encore humide lui maculait le menton.

Une ficelle – non, un fil électrique – lui enserrait le cou et avait pénétré les chairs, traçant un sillon rouge qui lui faisait comme un collier de rubis.

Jessica resta clouée sur place, incapable de détacher son regard de ce corps supplicié. Elle oblitéra le monde extérieur. Elle oublia les bruits de pas qu'elle avait entendus quand elle avait sonné, la première fois. Elle oublia l'ombre qui avait caché le rai de lumière pendant une seconde, dans la cuisine.

Pétrifiée, elle ne sentit pas venir le danger. Une douleur brève et aiguë lui transperça le crâne. Des éclairs éclatèrent devant ses yeux, et puis plus rien. Le trou noir.

25

Borsalino connaissait son métier.

— Toi, tu restes derrière, ordonna-t-il à son nouveau partenaire.

Lors de l'épisode du parking, l'homme au couvre-chef et le gorille avaient sous-estimé Myron. (Lequel n'était pas mécontent de constater que ledit gorille était, grâce à lui, soit hors d'état de nuire, soit remercié – ou les deux.) Mais Borsalino n'était pas du genre à commettre la même erreur deux fois de suite. Les yeux et le flingue rivés sur Myron, il avait l'intelligence de maintenir son acolyte à distance. Le nouveau partenaire, que Myron d'emblée baptisa le Moustachu (pour d'évidentes raisons), obéit et se tint à l'écart, sans pour autant lâcher Esperanza.

Myron fut tenté d'agir mais y renonça très vite : même s'il réussissait à neutraliser Borsalino et à lui prendre son pétard, le Moustachu aurait le choix entre deux morts : Esperanza ou lui.

Dans ces cas-là, Myron était plutôt partisan de la politique du *wait and see*. Tu te tiens à carreau et tu mates. Il savait parfaitement ce que ces deux-là avaient en tête. Ils n'étaient pas payés pour lui offrir des crèmes glacées ou lui apprendre la musique et la danse country. Non, cette fois, c'était du sérieux.

— Laissez-la partir, dit Myron. Elle n'a rien à voir dans tout ça.

— Ferme-la et avance, ducon !

— Vous n'avez pas besoin d'elle. Je vous suffis, comme otage.

— Ta gueule !

Le Moustachu prit la parole, pour la première fois :

— Elle est pas mal foutue. Bon, d'accord, j'aime mieux les blondes, mais…

Pressant le canon de son arme sur la tempe de la jeune femme, il lui lécha la joue. Littéralement. Comme une vache lèche son veau nouveau-né. Esperanza se raidit mais réussit à cacher sa répulsion.

— Ça te pose un problème, mec ? Attends de voir la suite…

Sachant que les mots ne serviraient à rien, Myron opta pour le mutisme. Ils avançaient au milieu de montagnes de détritus, dans une atmosphère pestilentielle. Borsalino marqua une pause, jaugea l'endroit.

— Impec, dit-il en enfonçant le canon de son flingue dans les côtes de Myron. Tu vas jusqu'au bout de cette allée. Droit devant.

Myron mit un pied devant l'autre, le plus lentement possible, tel le mutin condamné par le capitaine, et qui marche sur la planche érigée à la proue, avec pour seule issue le grand plongeon.

— Qu'est-ce qu'on fait de la meuf ? demanda le Moustachu.

Sans quitter Myron des yeux, Borsalino régla la question :

— Elle nous a vus, c'est un témoin.

— Mais on n'a pas été engagés pour en effacer deux, pleurnicha son collègue.

— Et alors ?

— Ben alors, on pourrait se garder la petite poulette. On se la fait d'abord, et après on verra.

Le Moustachu sourit, fier de lui. Borsalino resta de marbre. Il leva son arme, visa le dos de Myron. D'instinct, celui-ci fit volte-face. Cinq mètres les séparaient et Myron était acculé, dos au mur. La plus proche fenêtre se trouvait à dix mètres au-dessus du sol.

Borsalino tenait Myron en joue et faisait durer le plaisir.

Et d'un seul coup, boum, splash ! La tête du mec au chapeau éclata en mille morceaux, comme une pastèque tombée du troisième étage. Il gisait sur le sol et son couvre-chef vint atterrir sur lui, comme pour lui rendre un dernier hommage.

C'est ce que ça fait, une balle dum-dum.

Le Moustachu leva les mains en l'air.

— Je me rends ! J'ai rien fait, je me r…

La moustache explosa, partit dans les airs en même temps que quelques morceaux de cervelle. Myron ferma les yeux. Quand il les rouvrit, Esperanza le tenait dans ses bras et lui murmurait des mots doux.

C'est alors qu'il vit Win. Costard flanelle anthracite, cravate rouge, pas un cheveu de travers. Il avait encore le calibre 44 à la main. L'air très content de lui.

— Salut, dit-il.

— T'es là depuis longtemps ? demanda Myron.

Question stupide. Win était toujours là où on ne l'attendait pas. En sortant du studio de Lucy, Myron n'avait pas fait attention mais il aurait dû savoir que Win le filait.

— Depuis le début, mon grand. Mais je voulais te faire la surprise. Allez, on se tire, avant que les flics se pointent.

Esperenza tremblait des pieds à la tête, maintenant. Myron, de son côté, n'était pas au meilleur de sa forme. Seul Win ne semblait pas affecté par ce qui venait de se passer. Tandis qu'ils regagnaient la voiture, la même vieille pute aborda Win.

— Salut, beau gosse. Une petite pipe, ça te dirait ? Cinquante billets.

— Non, merci, madame. Je crois que j'aimerais autant décharger dans un sac poubelle.

— D'accord. Alors, quarante, ça te va ?

— C'est ça, dit Win, hilare. J'y penserai.

26

« À toutes les unités. 118 Acre Street. À toutes les unités. 118 Acre Street… »

Paul Duncan entendit l'appel dans sa voiture. Il n'était qu'à quelques pâtés de maisons de l'endroit, mais ce n'était pas son secteur. Loin de là. Il ne pouvait donc pas répondre, sous peine de susciter des questions embarrassantes. Par exemple : que faisait-il dans les parages ?

Le puzzle commençait à prendre forme. Fred Nickler, l'éditeur des magazines porno, l'avait appelé dans l'après-midi. Ce qu'il lui avait dit expliquait pas mal de choses. Paul comprenait maintenant l'étrange attitude de Jessica. Myron Bolitar avait dû la mettre au courant, pour la photo de Kathy. Mais comment Myron avait-il obtenu la revue ?

Ce n'était pas tellement ça qui était important, mais

le fait que dorénavant Bolitar était impliqué dans l'affaire. Il ne fallait surtout pas le sous-estimer. Jessica lui compliquait déjà suffisamment la vie. Maintenant qu'elle avait Myron de son côté – et probablement ce Win Lockwood, le pote psychotique de Bolitar –, ça devenait dangereux. Paul savait qu'à une époque ces deux-là avaient bossé ensemble pour les fédéraux. Il ne connaissait pas les détails – leur boulot était toujours top secret – mais leur réputation lui suffisait largement.

Une voiture de police le doubla sur les chapeaux de roues, sirène hurlante. Ils devaient se rendre au 118 Acre Street. Paul haussa le volume de sa radio ; il voulait entendre tout ce que disaient ses collègues.

Il songea à appeler Carol, mais à quoi bon ? Au téléphone, elle était restée vague, ne mentionnant que le message de Nancy à sa fille. Qu'avait découvert Jessica ? Et que savait Carol ?

Il vit dans son rétroviseur deux ambulances qui s'apprêtaient à le dépasser, à plein régime et gyrophare en action, elles aussi. Il faillit se ranger sur le bas-côté mais, plus que tout, il voulait s'éloigner de ce quartier, le plus vite possible.

Une fois de plus, Paul Duncan eut une pensée pour son ami Adam Culver. Assassiné. Avec tout ce qui s'était passé, il n'avait même pas eu le temps de le pleurer. Ça pouvait paraître étrange – Paul Duncan pleurant la mort d'Adam Culver. Surtout quand on savait quel était l'état d'esprit d'Adam durant les dernières heures de son existence.

Win et Myron déposèrent Esperanza devant l'appartement qu'elle partageait avec sa sœur et sa cousine dans Greenwich Village. Myron l'accompagna jusqu'à sa porte.

— Ça va aller ?

Elle était livide. Elle n'avait pas prononcé un mot depuis la fusillade.

— Win…

Elle s'interrompit, secoua la tête.

— Il nous a sauvé la vie, dit-elle enfin. Je suppose que c'est la seule chose qui compte.

— Oui.

— À demain matin.

De retour à la voiture, Myron appela Jessica. Elle n'était toujours pas rentrée, lui dit Carol Culver d'une voix ensommeillée. Ensuite ils s'arrêtèrent dans un restaurant de la Sixième Avenue ouvert vingt-quatre heures sur vingt-quatre. Un truc grec avec un menu aussi long qu'un roman de Tolstoï. Win était végétarien et commanda une salade et des frites. Myron se contenta d'un Coca *light*. Il avait encore l'estomac noué.

— Alors, quoi de neuf avec Chaz ? demanda-t-il.

Win mâchouillait une tranche de pain rassis qu'il avait piquée dans la corbeille en attendant ses feuilles de salade.

— Le sieur Landreaux a quitté nos distingués locaux pour filer directement au 466 de la Cinquième Avenue. Là, il a pris l'ascenseur jusqu'au huitième étage, dont le locataire se trouve être Roy O'Connor, alias l'agence Pro & Co. Quand il est entré dans l'ascenseur, il avait ton contrat dans son petit poing crispé. Quand il est redescendu, il avait les mains dans les poches de son jean (lequel était trop étroit pour contenir autre chose que ses paluches). Conclusion : Landreaux a remis ton précieux contrat à Roy.

— Ton pouvoir de déduction m'étonnera toujours.

Win sourit.

— Inutile de faire semblant, mon vieux. Je sais que pour l'instant Landreaux est le cadet de tes soucis et que tu es encore sous le choc. Mais toi et moi sommes différents. Ce que tu appelles une exécution, moi j'appelle ça une campagne de dératisation.

— Mais tu n'avais pas besoin de le tuer…

— Je *voulais* le tuer. Et je doute qu'il y ait beaucoup de gens pour porter le deuil…

C'était vrai, mais l'argument ne suffit pas à calmer les états d'âme de Myron. Il préféra changer de sujet et en revenir à quelque chose de plus strictement professionnel :

— Et ensuite, où est allé Chaz ?

Win abandonna son pain rassis au profit d'un cracker.

— Tout d'abord, je dois te préciser que Landreaux n'était pas seul quand il est sorti de l'immeuble. Il était escorté d'un colosse qui pourrait bien être ton ami Aaron. Costard en alpaga, lunettes de soleil alors qu'il faisait déjà nuit. La classe, quoi.

— Oui, ça ressemble à Aaron.

— Ils se sont séparés dans la rue. Aaron a grimpé dans une limousine grand format. Chaz Landreaux a continué à pied, jusqu'à l'hôtel Omni.

— Lequel ?

— Celui qui se trouve près de Carnegie Hall. Sa mère l'attendait dans le hall. Scène touchante. Ils sont tombés dans les bras l'un de l'autre. En larmes, tous les deux.

— Hum… dit Myron.

La serveuse arriva avec leur commande, posa sur la table la salade, les frites et le Coca et repartit sans un mot.

— Et après ?

— Ils sont montés. Ils se sont fait livrer un plateau par le service d'étage.

Myron réfléchit à voix haute :

— Qu'est-ce que la mère de Chaz est venue faire ici ? Ça fait une trotte, depuis Philadelphie.

— À mon avis – si je puis me permettre –, ils avaient l'air paniqués tous les deux. J'en déduis que Frank

Ache tient Chaz par les burnes. Une histoire de famille, si tu vois ce que je veux dire.

— Kidnapping ?

— Plutôt logique, non ? Frank vient de t'envoyer deux tueurs qui ne rigolaient pas. Alors je ne vois pas en quoi l'idée d'enlever un petit négro du ghetto le gênerait.

Ils restèrent silencieux un instant.

— On est en train de mettre les pieds dans un truc qui ne sent pas la rose, dit Myron.

— De la merde, oui ! Et on est dedans jusqu'au cou.

Chaz avait l'esprit de famille et la sienne était nombreuse. Si Frank voulait faire pression sur lui, il n'avait que l'embarras du choix.

— Bon, on verra ça demain, conclut Myron. J'ai rendez-vous avec Herman Ache à quatorze heures. À l'endroit habituel.

— Je suppose que tu comptes sur moi ?

— Évidemment.

Win s'attaqua à sa salade.

— Tu sais que ça va pas être de la tarte ?

Myron hocha la tête.

— Herman Ache n'aime pas se mêler des affaires de son frère.

— Je sais.

Win posa sa fourchette sur le bord de son assiette.

— Puis-je faire une suggestion ?

— Je t'écoute.

— Frank Ache t'a envoyé deux tueurs. Leur mort prématurée ne va pas le décourager.

— Et alors ? Qu'est-ce que tu proposes ?

— Arrête les frais. Donnant, donnant : tu leur laisses Landreaux et ils te foutent la paix.

— Je ne peux pas.

— Dis plutôt que tu ne veux pas.

— Tu joues sur les mots.

— Tu n'es pas obligé de l'aider, Myron.

— Mais j'y tiens.

Win poussa un profond soupir, mi-excédé, mi-résigné.

— Toi et tes moulins à vent ! Tu as un plan ?

— J'y travaille.

— Fébrilement, comme d'habitude. Je connais la chanson. En attendant, tu as pu tirer quelque chose du photographe ?

Myron lui raconta sa rencontre avec Lucy.

— Et alors, qui a acheté la photo de Kathy ?

— Si on admet que deux et deux font quatre, on aboutit à un seul nom.

— Qui ?

— Adam Culver.

— Le propre père de Kathy ?

— Eh oui. Réfléchis deux secondes. L'acquéreur avait dans les cinquante ans. Il voulait tous les tirages et les négatifs. Il n'a rien laissé au hasard.

— Le père voulait protéger sa fille.

— Ça n'a rien d'étonnant. Mais ça fait plus d'un an que Kathy a disparu. Comment Adam Culver aurait-il découvert l'existence de cette photo, au bout de dix-huit mois ?

— Peut-être qu'il était au courant depuis le début.

— Dans ce cas, pourquoi a-t-il attendu si longtemps ?

— Nous en saurons davantage demain, dit Myron. J'envoie Esperanza au studio avec une photo d'Adam, pour voir si Lucy le reconnaît.

Win avala un lambeau de laitue et une rondelle de tomate.

— Ça s'annonce bizarre, dit-il.

— Je ne te le fais pas dire.

— Y a un autre truc que tu as peut-être négligé : si Adam Culver a racheté toutes les photos et les négatifs, comment se fait-il que Kathy apparaisse malgré tout dans ce torchon ?

Myron s'était posé la question, sans trouver de réponse. La serveuse leur apporta la note. Toujours aussi mal lunée, pas un sourire. Huit dollars cinquante.

— C'est pour moi, dit Myron, très grand seigneur.

Ils regagnèrent la voiture, direction le centre-ville. Win habitait dans la tour San Remo, vue imprenable sur le bon côté (ouest) de Central Park. Adresse très chic. Ils abordaient la 72e Rue lorsque le téléphone sonna.

Myron jeta un coup d'œil à sa Swatch multicolore – un cadeau d'Esperanza. Il était plus de minuit.

— Un peu tard pour un coup de fil dans ta voiture, commenta Win.

Myron décrocha.

— Allô ?

— Salut, Bolitar, c'est Jake Courter. Amène-toi vite fait à St. Barnabas, tu sais, l'hôpital, à Livingston. Magne-toi.

— Qu'est-ce qui se passe ?

— Complique pas. Viens tout de suite, ça urge.

27

— On a reçu le coup de fil vers vingt-trois heures quinze, dit Jake, tout en guidant Myron dans le dédale des couloirs de l'hôpital St. Barnabas.

Il avait l'air épuisé, les yeux rouges et les paupières gonflées. Ils court-circuitèrent la réception et se dirigèrent directement vers les ascenseurs.

— Comment va Jessica ? demanda Myron.

— Physiquement, aucun problème. J'aimerais pouvoir en dire autant de Nancy Serat.

— Que s'est-il passé ?

— Strangulation.

Ils pénétrèrent dans l'ascenseur et Jake appuya sur le bouton du cinquième.

— Voyant que Nancy ne répondait pas, Jessica est entrée par la porte de derrière. Le tueur devait être encore à l'intérieur. Il l'a assommée et s'est tiré. Quand elle a repris conscience, elle nous a appelés. Elle a eu une sacrée chance qu'il ne finisse pas le boulot. Il a dû la croire morte.

L'ascenseur s'arrêta avec un petit ding fort mélodieux.

— Dans quelle chambre est-elle ?

— 515.

Myron se rua dans les couloirs, et atteignit la chambre 515 au pas de course.

Jessica gisait sur son lit, le teint blafard. Un médecin était à son chevet, une seringue à la main. Jake, tout essoufflé, avait rattrapé Myron mais resta sur le seuil.

— Myron ? balbutia-t-elle.

— Je suis là, ma chérie. Tout va bien, je reste avec toi.

Le médecin lui planta une aiguille à la saignée du coude.

— Et maintenant, il faut vous reposer.

— Mais je ne veux pas dormir, protesta-t-elle faiblement. Je veux sortir d'ici.

— Nous allons vous garder en observation un ou deux jours, dit le toubib. C'est pour votre bien, croyez-moi.

— Mais je…

— Écoute ce qu'il dit, Jess, intervint Myron. Repose-toi.

Les drogues commençaient à faire leur effet, ses yeux se fermèrent.

— Nancy…

— Chut ! Tout va bien.

— Nancy ! Elle était toute bleue. Elle…

— Chut, répéta Myron. Calme-toi.

Jessica sombra dans l'inconscience. Myron se tourna vers le médecin.

— Qu'en pensez-vous, docteur ?

— Elle est hors de danger. Je pense que le choc psychologique est bien plus inquiétant que le coup qu'elle a reçu sur la tête.

Jake posa une main sur l'épaule de Myron.

— Allez, mon vieux, allons prendre un café.

— Non. Je veux rester près d'elle.

— Vous pourrez revenir plus tard. Pour l'instant, il faut qu'on parle.

Myron regarda Jessica. Elle dormait profondément.

— Elle est sous sédatif, dit le médecin. Elle ne se réveillera pas avant demain.

Jake et Myron s'éloignèrent en silence, prirent l'ascenseur et se retrouvèrent dans le hall désert. Il y régnait cette odeur propre aux hôpitaux, un mélange d'éther et de désinfectant. Win, ayant garé la voiture, les attendait, sagement assis sur une banquette. Les voyant arriver, il se leva.

— C'est votre ami ? demanda Jake. Celui dont m'a parlé P.T. ?

— Oui.

— Dites-lui que je veux vous parler en privé.

Myron lança un coup d'œil à Win, qui reçut le message cinq sur cinq. Il se rassit, croisa les jambes et se replongea dans la lecture de son journal.

Jake l'observa un instant puis s'adressa à Myron :

— Est-il aussi fou et dangereux que le prétend P.T. ?

— J'en ai peur.

— C'est vrai ? Quel bonheur !

Ils prirent des cafés au distributeur et s'installèrent sur une banquette à l'écart.

— L'équipe scientifique passe le bungalow de Nancy

au peigne fin, dit Jake. Ils m'appelleront s'il y a du nouveau.

— Pour l'instant, que savez-vous au juste ?

— Pas grand-chose. Nancy venait de passer quelques jours au Mexique – un cadeau de ses parents pour fêter son diplôme.

— Ils sont au courant ?

— Pas encore. Je vais passer les voir tout à l'heure.

Ils restèrent silencieux un instant, puis Jake posa la question à laquelle ils songeaient tous les deux :

— Comment Jessica s'est-elle retrouvée mêlée à ça ?

— Elle m'a demandé d'enquêter sur la mort de son père. Elle ne croit pas à la version officielle.

— Oui, dit Jake. Elle est convaincue que le meurtre de son père a un rapport avec la disparition de sa sœur. J'ai le dossier dans ma voiture.

— À propos de la mort d'Adam Culver ?

— Je ne suis pas idiot, Bolitar. Vous vous mettez à enquêter après dix-huit mois. Pourquoi ? Il suffit d'additionner deux et deux. Vous pensez vous aussi que les deux affaires sont liées. Mais honnêtement, je n'ai rien trouvé dans le dossier. Quelques incohérences, peut-être, mais rien de probant.

— Quel genre d'incohérences ?

— Eh bien, Adam aurait dû être à Denver le jour où il a été tué. Il devait assister à un colloque au Hyatt Regency. Mais il n'y est pas allé.

— On sait pourquoi ?

— Il ne se sentait pas bien, d'après sa femme. C'est plausible.

— Quoi d'autre ?

— Il a été poignardé dans une petite rue tranquille.

— Qu'est-ce qu'il faisait dehors ?

— Sa femme prétend qu'il était sorti pour faire quelques courses.

— Drôle d'idée, pour quelqu'un qui ne se sent pas bien.

— Oui, mais n'oubliez pas que la police était obnubilée par la recherche du meurtrier. Sur le moment, personne ne s'est intéressé à cette histoire de conférence ratée.

— Des témoins ?

— Aucun. La rue était déserte, apparemment. En fait, le dossier est plutôt mince.

Jake se pencha vers Myron et le regarda droit dans les yeux.

— Maintenant, à vous. Et n'essayez pas de vous défiler. Que venez-vous faire là-dedans ?

— Je vous l'ai déjà dit. J'essaie d'aider Jessica.

— Cessez de me prendre pour un con. Jessica Culver est une très belle femme, mais vous n'êtes pas mordu au point de laisser tomber vos affaires pour elle.

— Il y a aussi Christian.

— Quel rapport ?

— C'est mon meilleur poulain. Il est encore très affecté par la disparition de sa fiancée.

— Sans blague !

— Qu'est-ce que vous insinuez ?

— Je ne suis pas convaincu que votre Christian soit blanc comme neige.

— Mais les analyses ADN sur le sperme…

— Je ne dis pas qu'il l'a violée.

— Alors quoi ?

— Il est possible qu'il soit impliqué. Il n'a aucun alibi sérieux. Il prétend qu'il s'est mis au lit à onze heures mais personne ne peut le confirmer.

— Qui peut dire à quelle heure vous vous couchez quand vous vivez seul ?

— Justement, répliqua Jake.

— Mais on a vu Kathy Culver pénétrer dans les vestiaires après vingt-deux heures, n'est-ce pas ?

— En effet.

— Et on sait que Christian était avec le coach jusqu'à vingt-deux heures trente. Ça, c'est confirmé.

— Et c'est à partir de là qu'il n'a plus d'alibi.

— Il est allé se coucher directement. Kathy a été vue de l'autre côté du campus vers vingt-trois heures.

— Malheureusement, la police n'a pas l'habitude de croire les suspects sur parole. Or c'était le petit ami, c'est-à-dire le principal suspect. Et il y avait autre chose.

— Quoi donc ?

— Ses coéquipiers.

— Oui ?

Jake finit son café, écrasa le gobelet dans son énorme poing et le jeta dans la poubelle.

— Ils se sont montrés coopératifs, c'est vrai. Mais certains m'ont semblé bien nerveux. J'ai eu l'impression qu'ils avaient quelque chose à cacher. Qu'ils cherchaient à couvrir leur quarterback vedette juste avant le grand match, par exemple.

Sauf que tous détestaient Christian, songea Myron. Aucun de ses coéquipiers n'aurait levé le petit doigt pour le couvrir. Bien au contraire. Alors pourquoi étaient-ils si mal à l'aise ?

Jake s'appuya au dossier de la banquette et sourit, changeant soudain de tactique :

— Écoutez, Myron, j'ai été plus que réglo, n'est-ce pas ? Je vous ai dit tout ce que je savais. Mais vous, vous êtes un vilain cachottier. Il y a un truc que vous gardez pour vous, j'en suis sûr. Un truc pointu qui vous empêche de dormir. À propos, ajouta-t-il sans transition, j'ai suivi votre conseil, j'ai rendu une petite visite à notre ami le doyen, cet après-midi. Il a été très cordial, pas du tout hautain – ce qui ne lui ressemble guère. En fait, je jurerais qu'il avait une trouille à en faire dans son froc. Pourquoi, à votre avis ?

— Que vous a-t-il dit ?

— Oh, il a été très volubile. N'a pas tari d'éloges sur Kathy – charmante jeune fille, studieuse, brillante, et blablabla. Il m'a aussi parlé de votre ex. Apparemment, Jessica voulait le dossier universitaire de sa sœur. Non, mais quelle idée !

— On essayait de réunir un maximum de renseignements.

— À propos de quoi ?

Myron contempla son café à peine entamé. La couleur du liquide évoquait irrésistiblement une vieille eau de vaisselle.

— Le jour de sa mort, Adam Culver est allé voir Nancy Serat.

Jake ne put masquer sa surprise.

— Comment le savez-vous ?

— Nancy a laissé un message sur le répondeur de Jessica. Elle lui proposait aussi de passer la voir ce soir à partir de dix heures.

Jake croisa les bras, qu'il laissa reposer sur son impressionnante panse.

— Seigneur Dieu ! Adam Culver rend visite à Nancy Serat ce matin-là. Et il découvre quelque chose de suffisamment grave pour décider d'annuler son voyage à Denver.

— Quelque chose de suffisamment grave pour qu'on l'assassine, conclut Myron.

— Ensuite le tueur n'avait pas le choix : il fallait éliminer la source, c'est-à-dire Nancy. Mais… j'ai interrogé cette gamine pendant des heures. J'ai…

Jake s'interrompit, se passa la main sur le front. Myron savait parfaitement ce à quoi il pensait. Comme tout flic digne de ce nom, il culpabilisait. Avait-il laissé passer un détail ? Avait-il bâclé le boulot ? Cette jeune fille était-elle morte par sa faute ?

— Si Nancy était au courant d'une chose aussi grave, dit Myron, le tueur n'aurait pas attendu dix-huit mois pour la faire taire. Je pense que le scénario est un peu plus compliqué que ça. Je suis convaincu qu'Adam Culver avait réuni pratiquement toutes les pièces du puzzle et qu'il ne lui en manquait plus qu'une – que détenait Nancy Serat. Une pièce qui à elle seule n'avait aucune signification, sauf pour Adam.

— Vous essayez de soulager ma conscience ?

— Non, je réfléchis tout haut. Si je pensais que vous avez foiré sur ce coup-là, je vous le dirais.

— Vous n'avez pas vu le corps, murmura Jake. La strangulation, c'est pas joli à voir. Elle était pratiquement décapitée. Une façon atroce de mourir, Myron.

Il secoua la tête comme pour chasser cette vision d'horreur.

— Je connais la question qui hante Jessica, à présent. Parce qu'elle me hante, moi aussi.

— Laquelle ?

— Kathy a-t-elle fini de cette manière ?

Silence. Myron avala son immonde café froid jusqu'à la dernière goutte, sans y penser, juste histoire de faire quelque chose. Jake s'éclaircit la gorge et reprit, d'une voix quelque peu enrouée :

— P.T. m'a parlé de vous. M'a dit que vous étiez brillant et que je pouvais vous faire confiance. Il ne dit pas ça de beaucoup de gens. Il a dit aussi que vous et votre pote Win êtes des bons. Un peu braques, mais je crois qu'en ce moment, c'est ce dont j'ai besoin. Je suis flic et tenu de respecter les règles. Pas vous. Ce qui vous donne une liberté d'action que je n'ai pas. Mais ici c'est mon territoire, et je ne vais pas me contenter de jouer les figurants.

Il posa ses mains à plat sur la table. Des mains d'honnête travailleur, noueuses, calleuses, sans la moindre bague.

— Maintenant je veux que vous me disiez tout, Myron. Ça restera entre vous et moi, je vous le jure.
— D'accord, dit Myron. J'ai confiance, moi aussi.
Il sortit le magazine de sa poche et le tendit à Jake.
— Tout a commencé avec ce torchon.

28

La presse du matin n'avait pas eu le temps de faire ses unes sur le meurtre de Nancy Serat, mais l'info avait transpiré et les chaînes de radio mentionnaient déjà la mort violente d'une jeune femme. D'ici quelques heures, tout le pays serait au courant. Myron s'engagea sur la Route 280, direction est, vers l'autoroute du New Jersey. Magnifique paysage, ô combien trompeur. Quiconque a vu la campagne libanaise n'imagine pas ce qui se passe à Beyrouth. Même chose pour le New Jersey.

Il prit la sortie 16 Ouest qui le mena directement au parking de Meadowlands. Royaume du meurtre et de la magouille subventionnés. Myron avait rendez-vous avec Otto Burke, lequel attendait une réponse à propos du contrat de Christian. Il n'allait pas être décu.

Myron avait passé la nuit au chevet de Jessica, recroquevillé sur une chaise qui n'avait rien à envier aux instruments de torture en vigueur au Moyen Âge. Il l'avait fait de bon cœur : il adorait la regarder dormir. Ça lui avait rappelé le bon vieux temps. Combien de fois n'avait-il pas rêvé d'une autre nuit avec elle ? Il ne l'avait pas imaginée aussi platonique et inconfortable, évidemment. Mais c'était mieux que rien.

Jess s'était réveillée au bout de deux heures. Agressive. Exigeante. En un mot : fidèle à elle-même. Avant que son frère Edward ne la ramène à la maison, Myron lui avait raconté tout ce qu'il savait. Notamment sa visite au studio de Lucy. Elle lui avait confié une photo de son père, au cas où Lucy aurait pu le reconnaître. Myron avait été surpris de constater qu'elle gardait le portrait de son géniteur dans son portefeuille. Et carrément stupéfait encore lorsqu'il avait entrevu une photo d'eux deux, prise quatre ans plus tôt. Leur dernier week-end, dans l'île de Martha's Vineyard. Ils étaient beaux, jeunes et bronzés. Follement amoureux. Ils avaient rompu juste après, et il se demandait encore pourquoi.

Myron n'avait pas eu le temps de se changer. Il avait l'air d'avoir passé la nuit au fond du séchoir d'une laverie automatique.

Otto l'attendait dans les tribunes des Titans, accompagné du fidèle Larry Hanson. Il accueillit Myron avec un grand sourire et une vigoureuse poignée de main. Larry se contenta d'un vague signe de tête et évita soigneusement de croiser le regard de Myron. Rien d'étonnant. Larry Hanson était une brute honnête. Il n'aimait pas tricher et désapprouvait ce que s'apprêtait à faire son patron. En fait, il avait plutôt l'air du mec qui rêve de se glisser dans un trou de souris.

— Myron, mon ami ! s'exclama Otto. Asseyez-vous, je vous en prie.

— Toujours aussi hospitalier, Otto.

— J'essaie, Myron, je m'exerce. Et je suis ravi que vous appréciiez mes efforts.

— Je crains de n'être pas aussi doué que vous, Otto.

Le sourire resta plaqué sur le visage d'Otto, son petit bouc ne bougea pas d'un poil. Gominé, sans doute. Coups de ciseaux tous les jours devant la glace, pour élaguer le moindre brin hors du rang.

Ils avaient pris place aux premières loges. Les fans auraient vendu leur âme pour avoir une telle vue. Sur le gazon, les joueurs s'échauffaient en attendant le coup d'envoi. Myron repéra Christian, qui marchait

— Je ne suis pas sûr de comprendre, dit Myron. Vous pouvez me faire un dessin ?

— Ce que j'essaie de vous dire, c'est que la photo de Kathy Culver dans ce magazine porno risque de bousiller la carrière de Christian Steele. Sans compter celle de toute l'équipe.

— Mais ce n'était pas une photo de lui ! protesta Myron.

— Non, mais de sa fiancée.

— Ex-fiancée.

— Laquelle a disparu en d'étranges circonstances.

— Christian et moi sommes prêts à prendre le risque. La diffusion de ce magazine est restreinte, peu de gens sont au courant.

Otto sirota son soda comme s'il dégustait le nectar des dieux ou était payé par une agence de pub.

— Exact. Mais vous sous-estimez la presse.

— Je ne crois pas, dit Myron. J'en ai discuté avec Christian, et lui et moi sommes d'accord.

— J'en conclus donc que j'ai affaire à deux cons.

La facade commençait à se craqueler, Otto Burke venait de révéler sa véritable personnalité.

— Je vous remercie du compliment, dit Myron. Venant d'un connaisseur…

Otto comprit son erreur et tenta de se rattraper aux branches.

— Laissez-moi vous rappeler notre dernière conversation, Myron. Voyons si votre mémoire est aussi fidèle que la mienne. Ou bien vous acceptez mes conditions, ou Mlle Kathy Culver fait la une des médias en costume d'Ève. Ce qui, pour votre poulain, signifie la fin de sa carrière. Et de la vôtre, par la même occasion.

— Mais Christian n'a rien à voir là-dedans, Otto. Ce n'est jamais que la photo de son ex !

— Aucune importance. N'oubliez jamais ceci,

Myron : les journalistes sont comme nous, avides de chair fraîche. Peu importe la réalité, pourvu qu'on ait l'apparence.

— Très joli, dit Myron. Faudra que je le note.

Otto sortit un contrat de sa poche.

— Signez-le, dit-il. Maintenant.

Myron sourit.

— Signez-le, ou je vous démolis.

— Non, Otto. Pas question.

Myron se mit à déboutonner sa chemise, tranquillement.

— Mais qu'est-ce que vous faites ?

— Calmez-vous, Otto. Je m'arrête au troisième bouton. Juste pour vous montrer ceci.

Il pointa son index sur le petit micro scotché sur son torse.

— Mais qu'est-ce que ça veut dire, bordel ?

— La technologie, Otto. Les progrès de la technique. Vous pouvez publier cette photo, et c'est vrai que ça pourrait être un handicap pour Christian. D'un autre côté, si je file cette bande à la presse, ça risque de vous coûter gros. Pas mal de dommages et intérêts pour Christian, sans compter que j'ai l'intention de vous attaquer en justice pour escroquerie et chantage.

Otto se tourna vers Larry.

— Oui, monsieur ?

— Récupère-moi cette bande. Par la force, si nécessaire.

Myron lorgna Larry, sans agressivité.

— Vous êtes costaud, dit-il. Je sais aussi que vous avez été l'un des plus fantastiques arrières dans l'histoire du football américain. N'empêche, si vous vous levez de cette chaise, je vous garantis que vous finirez en fauteuil roulant.

Larry Hanson hocha la tête. Pas effrayé pour deux sous. Ni très intéressé.

— Hé, nous sommes deux contre un, s'insurgea Otto. Et j'appelle les gars de la sécurité.

— Non, monsieur Burke, intervint Larry Hanson. Je ne pense pas que ce soit une bonne idée.

Myron faillit sourire.

— N'est-ce pas ? Et maintenant, si on signait mon contrat ?

Otto en resta bouche bée.

— Je me suis permis de convoquer la presse, ajouta Myron. Pour leur dire à quel point Christian se réjouit de jouer pour les Titans.

Otto réfléchit trois secondes.

— Si je signe, vous me rendez la bande ?

— Sûrement pas.

— Pourquoi non ?

— Vous gardez le magazine et moi la bande. Comme ça on est à égalité. Une petite guerre froide à nous deux. Intéressant, non ?

— Mais je vous donne ma parole que…

— Je vous en prie, Otto. Ça me fait mal quand je rigole.

Otto réfléchit, sourcils froncés mais très calme. À son âge, il en avait vu d'autres.

— Myron ?

— Oui ?

— Je suis heureux d'accueillir Christian Steele au sein des Titans. Bienvenue à notre futur champion.

— Vous n'avez plus qu'à signer ici, Otto. Juste en bas de la page.

— Avec plaisir, Myron.

— Mais je vous en prie, mon cher Otto.

Et voilà. Poignée de main, une bonne chose de faite.

— On affronte la presse ensemble, Myron ?

— Bonne idée, Otto.
— Il y a des douches, en bas. Et de la mousse à raser.
— Merci.

Otto avait retrouvé son sourire. Increvable, ce mec. Il prit son portable et composa un numéro.

— Allô ? Salut, Christian Steele vient de signer.

Clin d'œil vers Myron, puis :

— La peau des fesses, pour un débutant. Mais, bon…

Myron cligna de l'œil, lui aussi, et leva les pouces en signe de victoire. Comme si Otto et lui étaient des potes de longue date. Il jeta un coup d'œil à sa montre. Juste le temps de se doucher, de dire trois mots aux journalistes et puis basta. Après, c'était une autre histoire. Il avait rendez-vous avec Herman Ache.

Comment aborder l'aîné des deux frangins ? D'ailleurs, lequel des deux était le plus dangereux ? Il y réfléchissait. Fébrilement.

29

Jessica regagna la maison familiale de Ridgewood vers dix heures du matin. Le médecin voulait la garder pour procéder à quelques tests de routine mais elle avait refusé. Ils étaient finalement parvenus à un compromis : elle reviendrait en consultation d'ici quelques jours. Son frère Edward, qui était venu la chercher, resta silencieux durant tout le trajet.

En arrivant, Jessica remarqua que la voiture de sa mère n'était pas garée dans l'allée. Bonne nouvelle : elle n'avait aucune envie d'affronter l'hystérie de sa génitrice. Elle avait insisté pour que personne ne mette au courant Carol Culver de ce qui lui était arrivé la veille. Sa Maman avait d'autres chats à fouetter, inutile de la perturber davantage.

Elle se dirigea directement vers le bureau de son père. Il avait découvert quelque chose, elle en était sûre. Il y avait trop de coïncidences troublantes. Sa visite à Nancy Serat le matin même de sa mort. Et puis ce colloque à Denver auquel il avait renoncé au dernier moment, soi-disant pour raisons de santé. Ce n'était pas son genre. Et était-ce lui qui avait racheté toutes les photos porno de Kathy ? Inutile de s'appeler Sherlock Holmes pour flairer le coup fourré.

Elle appuya sur l'interrupteur et tous les halogènes s'allumèrent, inondant la pièce d'une lumière trop vive à son goût. Au rez-de-chaussée, Edward venait d'ouvrir le réfrigérateur – dont la porte grinçait toujours, comme autrefois.

Jessica se mit à fouiller dans les tiroirs paternels, sans savoir ce qu'elle y cherchait. La boîte de Pandore, peut-être ? Autant croire aux miracles. Elle s'efforçait de ne pas penser à Nancy Serat, à ce visage bleui, figé en une expression d'indicible terreur. En vain. Cette image la hantait. Elle tenta d'évoquer des souvenirs plus agréables – Myron, courbatu, après une nuit passée à son chevet à l'hôpital, recroquevillé sur une chaise, tel un contorsionniste. Excellente thérapie : elle ne put s'empêcher de sourire.

Dans l'un des tiroirs, elle tomba sur une chemise étiquetée « Merrill Lynch, CM ». Les finances personnelles de son père. « C » pour cash, « M » pour management. Une mine de renseignements, sinon d'or. Tout y était relaté, du moindre retrait sur carte Visa au moindre dividende. La banque de Jessica offrait le même genre de prestation.

Elle vérifia les bordereaux les plus récents. Rien de bizarre. Le seul problème, c'est que le dernier en date remontait à plus de trois semaines. Elle alla directement à la page finale. En bas, inscrite en petits caractères, elle lut la clause suivante : *Pour consulter votre compte Merrill Lynch, composez votre numéro puis tapez votre numéro de compte.*

Indicatif 800… Elle y avait déjà eu recours, quand elle n'était pas d'accord avec son relevé bancaire. Elle composa le numéro et tomba sur une messagerie vocale. « Bienvenue chez Merrill Lynch. Tapez votre numéro de compte ou votre code confidentiel. »

Jessica tapa les six chiffres du compte de son père et la voix préenregistrée poursuivit son monologue : « Si vous voulez connaître votre solde à ce jour, tapez 1. Pour le montant des derniers chèques débités, tapez 2. Pour le montant des derniers chèques encaissés, tapez 3. Pour vos derniers débits par carte Visa, tapez 6. Pour obtenir une de nos opératrices, tapez 0. »

Le 6 ? Où étaient passés le 4 et le 5 ? Peu importe, elle appuya sur la touche 6.

Toujours la même voix informatisée : « Débit Visa de vingt-huit dollars et cinquante *cents* le 28 mai. Débit Visa de quatorze dollars et soixante-quinze *cents* le 28 mai… »

La machine ne lui disait pas qui était le bénéficiaire. Ce serait sans doute pareil pour les chèques. L'informatique a ses limites et le secret bancaire reste d'actualité. En temps normal, elle s'en serait réjouie.

« Débit Visa de trois mille quatre cent soixante-dix-huit dollars et trois *cents* le 27 mai », poursuivit la voix.

Jessica se figea. Près de trois mille cinq cents dollars ? Et pourquoi ? Elle raccrocha, appuya sur la touche bis puis sur le zéro.

— Merrill Lynch, bonjour. Puis-je vous aider ? demanda une opératrice.

— Euh… oui. J'ai un débit de plus de trois mille dollars sur ma carte Visa et j'ai oublié de noter le nom du créditeur.

— Votre numéro de compte, s'il vous plaît.

— Neuf, huit, deux, trois, trois, quatre.

La jeune femme pianota sur son clavier.

— Votre nom ?

Jessica jeta un coup d'œil sur le relevé. C'était un compte joint, Dieu merci.

— Carol Culver.

— Ne quittez pas, madame Culver.

Clic, clic, repianotage.

— Voilà, je l'ai. Trois mille quatre cent soixante-dix-huit dollars et trois *cents*. À l'ordre de Vidéo-Tech, à Manhattan.

Vidéo-Tech ? Qu'est-ce que c'était que cette histoire ?

— Merci, dit Jessica.

— Je vous en prie. Autre chose pour votre service ?

— En fait, oui. Mon mari et moi tenons nos comptes sur notre PC qui vient de tomber en panne. Pourriez-vous me rappeler les derniers chèques qui ont été débités ?

— Certainement.

Clic, clic…

— Chèque numéro 119, 25 mai, deux cent quatre-vingt-quinze dollars à l'ordre de Volvo. Numéro 118, également du 25 mai, six cent quarante-neuf dollars à l'ordre de l'agence immobilière Escapade.

— Vous avez bien dit « Escapade » ?

— Oui, c'est ça.

— Auriez-vous leur adresse ?

— Non, désolée.

Elles passèrent en revue tous les autres chèques du mois écoulé. Jessica remercia la jeune préposée et raccrocha, perplexe.

Six cent quarante-neuf dollars d'un côté, près de trois mille cinq cents de l'autre. Vidéo-Tech, Escapade… De quoi s'interroger, non ?

À cet instant, Edward pénétra dans le bureau paternel, l'air penaud.

— Salut, Jess. Je voulais m'excuser, pour l'autre jour. Je n'ai pas été très sympa.

Battement de cils, œil de velours : Edward tel qu'en lui-même…

— C'est oublié.

— Tu as touché un point sensible, avec toutes ces questions.

— Il fallait que je les pose, dit Jessica. Je suis sûre que tout est lié. Ce qui est arrivé à Kathy, et à Papa. Le fait qu'elle ait changé, juste avant…

Il se raidit, imperceptiblement, mais se ressaisit immédiatement.

— Non. Tu t'inventes des histoires.

— Possible. Le seul moyen d'en avoir le cœur net, c'est que tu me dises tout ce que tu sais.

— Je ne veux pas en parler. Ça me fait trop mal.

— Mais je suis ta sœur. Tu peux me faire confiance.

— Arrête, s'il te plaît. Tu sais très bien qu'on n'a jamais été très proches, toi et moi.

— Ça ne m'empêche pas de t'aimer.

Elle attendit une réponse, prête à tout entendre, y compris le pire. Au bout d'un long moment, Edward se décida :

— Je ne sais pas par où commencer. Ça remonte à… à sa dernière année de lycée. Tu étais partie à Washington et moi j'étais étudiant à l'université de Columbia. Je partageais un appart' avec mon copain Matt. Tu te souviens de lui ?

— Bien sûr. Kathy est sortie avec lui pendant deux ans.

— Presque trois, rectifia Edward. Je n'ai jamais très bien compris ce que ces deux-là faisaient ensemble. Pour autant que je sache, ils ne sont jamais passés à l'acte. Matt était normalement constitué, il a essayé plus d'une fois. Mais Kathy le repoussait toujours.

Jessica hocha la tête. Elle se souvenait de cette époque, quand sa jeune sœur se confiait encore à elle.

— Souviens-toi, Maman adorait Matt, poursuivit Edward. Elle le trouvait si bien élevé. Elle l'invitait toujours pour le thé, on se serait cru dans *La Ménagerie de verre*, de Tennessee Williams. Le jeune gentleman assis timidement sous la véranda avec la fille cadette… Papa l'aimait bien, lui aussi. Tout semblait parfait. Tout le monde attendait l'annonce des fiançailles, le mariage aurait lieu dès que Matt obtiendrait son diplôme. Une vie toute tracée, Chevrolet et tarte aux pommes, ils seraient heureux et auraient beaucoup d'enfants, etc. Sauf qu'un jour Kathy l'a appelé et lui a dit que c'était fini. Elle l'a largué sans la moindre explication.

« Matt est tombé des nues. Il a essayé de discuter avec elle, mais elle refusait de le voir. Moi aussi, j'ai tenté de la raisonner, mais elle m'a envoyé sur les roses. Et puis ces rumeurs ont commencé à circuler.

— Quelles rumeurs ? demanda Jessica.

— Le genre de trucs qu'un frère n'a pas envie d'entendre à propos de sa sœur. Et encore moins de répéter.

— Ah…

— Pis que ça. Tous les mecs se vantaient de l'avoir sautée. Un sacré bon coup, d'après eux. Je me suis même battu pour défendre « l'honneur » de ma sœur. Tu parles ! Quel con !

« À partir de là, son attitude a changé, même à la maison. Elle a refusé d'aller à la messe. J'ai cru que Maman allait en faire une attaque – tu la connais, très à cheval de ce côté-là…

Jessica acquiesça. Oh oui, elle ne connaissait que trop bien « ce côté-là » de leur mère.

— Mais Maman n'a jamais rien dit. Kathy rentrait

de plus en plus tard. Elle sortait beaucoup, parfois elle découchait.

— Maman n'a pas réagi ? s'étonna Jessica.

— Impossible. Kathy était devenue incontrôlable. Toute sa vie elle avait été une petite fille obéissante, et d'un seul coup elle venait de se libérer.

— Et Papa ?

— Il n'a jamais été aussi strict que Maman, rappelle-toi. Il n'était pas contrariant, essayait toujours d'arrondir les angles. À cette époque-là, il a renoncé à toute autorité. Du coup, Kathy s'est rapprochée de lui. Il en était ravi.

Leur père tout craché, songea Jessica.

— Et toi, qu'as-tu fait ?

— J'ai essayé d'avoir une conversation sérieuse avec elle.

— Qu'a-t-elle dit ?

— Rien de concret. Elle s'est contentée de sourire. Je ne pouvais pas la comprendre, selon elle. J'étais « naïf ». Tu t'imagines ? Ma petite sœur me traitant de naïf !

— Mais ça n'explique pas pourquoi elle a changé du jour au lendemain.

Edward ouvrit la bouche, la referma. Leva les mains en signe d'impuissance, les laissa retomber.

— Je crois que ça a un rapport avec Maman, murmura-t-il enfin.

— Comment ça ?

— C'est juste une impression. Kathy s'est éloignée de nous deux mais encore bien davantage de Maman. Quand elle ne la fuyait pas, elle la provoquait. Elle était très dure avec elle.

Jessica posa les coudes sur le bureau de son père, laissa reposer son menton entre ses mains.

— Je savais que Kathy avait changé, les derniers temps. Mais j'ignorais à quel point.

— Ça n'a pas duré, Jess.

— Qu'est-ce qui n'a pas duré ?

— Cette période de crise. C'est pourquoi je pense que ça n'a rien à voir avec sa disparition. Elle était redevenue elle-même, entre-temps.

— C'est-à-dire ?

— Oh, elle n'est pas retournée à la messe, ne s'est pas vraiment réconciliée avec Maman, mais elle s'est rangée, si on peut dire. Je pense que Christian y était pour beaucoup. En tout cas, plus question de drogue, d'alcool, de coucheries. Elle avait même retrouvé son sourire.

Jessica se remémora le dossier scolaire de Kathy. Excellente élève, et puis ses notes avaient chuté brutalement, en terminale et durant son premier semestre en fac. Ensuite, revirement total, au second semestre – à l'époque où elle avait commencé à sortir avec Christian. Ça collait avec ce que venait de lui révéler son frère.

Donc, quel traumatisme Kathy avait-elle subi au cours de sa dernière année de lycée ? L'avait-elle surmonté, comme le suggérait Edward ? Peut-être. Mais Jessica en doutait. Si cet épisode trouble de son passé était bien mort et enterré, comment expliquer que sa photo resurgisse dans un magazine porno, dix-huit mois plus tard ?

Retour à la question initiale : pourquoi Kathy avait-elle changé, si soudainement ?

Si elle ne connaissait pas encore la réponse, du moins avait-elle dorénavant le début d'une piste.

30

Myron appréciait pas mal de choses dans la vie. Une visite de politesse à Herman Ache n'en faisait pas partie, hélas. La perspective lui était à peu près aussi agréable que de se faire arracher une dent sans anesthésie.

— J'ai entendu ta conférence de presse à la radio, dit Win.

Il avait baissé la capote de sa Jaguar XJR, ce qui n'enchantait pas Myron : il était sûr que tôt ou tard un insecte viendrait s'écraser sur son front.

— Je parie que Christian est ravi.

— Oui.

— Les journaux ne parlent pas encore de Nancy Serat.

— Jake n'a pas révélé son nom. Dès que ce sera fait…

— Le cirque.

— Exactement.

— Est-ce que Christian est au courant ?

— Pas encore. Il était si heureux d'avoir signé, je n'ai pas voulu lui gâcher sa joie.

— Tu devrais lui dire.

— J'en ai l'intention, dès que Jake me donnera le feu vert.

— J'ai l'impression que tu apprécies ce flic, commenta Win.

— C'est un type bien. On peut lui faire confiance.

Win déplia et replia les doigts pour les décontracter puis reprit le volant et accéléra.

— Je ne fais jamais confiance aux représentants de la loi, dit-il. C'est plus sûr.

Il roulait trop vite pour West Side Highway, malgré les quatre voies. Il y avait des feux pratiquement tous les cinquante mètres, sans compter les travaux, véritable tapisserie de Pénélope. Personne ne se souvenait de l'époque où ils avaient été entrepris. Selon les livres d'histoire, Peter Minuit, le Hollandais qui avait acheté Manhattan en 1626, se plaignait déjà du mauvais état des pistes dans cette partie de l'île ! Mais Win était au-dessus de ça, naturellement.

— Tu pourrais lever un peu le pied, s'il te plaît ?

— Ne t'inquiète pas, dit Win. Cette caisse est équipée d'un air bag côté conducteur.

— Voilà qui me rassure, en effet !

Ils n'étaient plus très loin du bureau d'Herman Ache. Myron commençait à avoir l'estomac noué. Le smog qui lui coupait la respiration à cause de la capote baissée n'arrangeait pas les choses. Ses nerfs étaient aussi tendus que le tamis d'une raquette de tennis au premier jeu. Win, en revanche, était parfaitement relax. Il est vrai que ce n'était pas sur sa tête que Frank Ache avait lancé un contrat.

Le téléphone sonna. Win décrocha puis tendit le combiné à Myron.

— Pour toi. C'est P.T.

— Allô ? Quoi de neuf ?

— Salut, Myron. Comment ça va, aujourd'hui ?

— Pas trop mal.

— Content de l'apprendre. Dis donc, tu ne devineras jamais ce qui est arrivé hier soir.

— Je t'écoute.

— Deux des tueurs les plus doués de New York se sont fait buter dans une allée. Triste, n'est-ce pas ?

— Tragique, acquiesça Myron.

— Ils travaillaient pour Frank Ache.

— C'est vrai ?

— On leur a explosé la tête. Magnum 44, balles dum-dum.

— Quelle horreur !

— Oui, moi aussi ça m'empêche de dormir. Au fait, d'après ce qu'on raconte, ce n'est pas fini. Frank Ache n'est pas content. Il a renouvelé le contrat sur le branleur qui a contrarié ses projets.

— Un branleur ?

— Bon, Myron, faut que je te quitte. Prends soin de toi.

— Toi aussi, P.T., dit Myron avant de raccrocher.

— Le contrat court toujours ? demanda Win.

— Ouais.

— Ils ne feront rien dans le bureau d'Herman. Il ne le permettrait jamais.

Myron le savait. Il y avait un code en vigueur, même chez ces hommes qui avaient dû ordonner la mort de centaines de personnes. Quelques naïfs pensaient qu'il s'agissait d'une question d'éthique. Tu parles ! Au sein de la Mafia, les règles n'ont que deux buts : contourner impunément la loi et préserver les apparences. L'éthique est à un mafieux ce que l'honnêteté est à un politicien.

Ils furent ralentis par d'autres travaux de voirie près de la 12e Rue mais arrivèrent largement dans les temps. Win se gara devant une pizzeria dont les effluves – pas désagréables – envahissaient le trottoir. Une jeune femme d'affaires en tailleur et lunettes de soleil croisa Myron. Il lui sourit. Elle lui rendit son sourire mais poursuivit sa route d'un pas décidé. On ne peut pas gagner à tous les coups…

À deux heures de l'après-midi, la Taverne de Clancy était en pleine activité. Myron s'arrêta devant la porte, se recoiffa, se tourna vers la gauche et sourit ; vers la droite et sourit encore ; enfin leva la tête et sourit de nouveau. Win l'interrogea du regard.

— Les fédéraux prennent en photo tous ceux qui entrent ici. Je voulais être à mon avantage.

— Et c'est maintenant que tu le dis ! protesta Win. J'ai l'air d'un épouvantail !

La clientèle était exclusivement masculine. Pas franchement le bar où l'on vient draguer. Un juke-box passait un tube de Bob Seger. Décor des années 50. Les murs étaient tapissés d'enseignes au néon pour toutes sortes de bières : Budweiser, Bud Light, Miller, Miller Lite, Schlitz. L'horloge murale portait le logo de Corona, le miroir derrière le comptoir, celui de Coors. Les chopes en grès ou en verre étaient « estampillées », elles aussi.

Myron savait que l'endroit était truffé de gadgets du FBI. Herman Ache s'en contrefichait : quiconque était assez stupide pour dire quelque chose de compromettant dans cet endroit méritait d'être épinglé. Les vraies négociations avaient lieu dans les salles de derrière. Ache les faisait passer au peigne fin chaque jour pour dénicher d'éventuels micros.

En entrant, Win s'attira quelques regards curieux (le style fils à Papa n'était pas courant par ici). Coups d'œil curieux mais rapides : la discrétion était de mise dans l'établissement.

— Ne serait-ce pas ton copain Aaron, là-bas ? demanda Win.

Aaron était debout au fond du bar, accoudé au comptoir. En costard blanc, comme d'habitude. Chemise noire largement échancrée, à l'italienne. Ses goûts vestimentaires faisaient de lui une vraie caricature. Il leva l'une de ses énormes paluches et leur fit signe de le rejoindre.

— Salut, Myron. Ravi de vous revoir.

Myron Bolitar, la star !

— Aaron, je vous présente Win Lockwood.

— Enchanté, Win.

Les deux hommes se serrèrent la main et se jaugèrent. Aucun des deux ne sourcilla ni ne détourna le regard.

— Venez, dit Aaron. Ils nous attendent à l'arrière.

Il les guida vers une porte verrouillée dont le panneau supérieur était orné d'un miroir – sans tain, puisqu'on leur ouvrit avant même qu'Aaron ne frappe. Ils entrèrent et se retrouvèrent face à deux gorilles impassibles. Le corridor était équipé d'un portique détecteur de métaux, comme dans les aéroports.

Aaron eut un geste d'excuse qui signifiait : « Eh, oui, que voulez-vous, par les temps qui courent… » Puis, très policé (si l'on peut dire) :

— Messieurs, si vous voulez bien être assez aimables pour me remettre vos armes…

Myron lui tendit son 38, et Win un 44 flambant neuf. Il avait dû se débarrasser de celui de la veille. Ils passèrent sous le portique, l'un après l'autre. Le détecteur demeura muet, ce qui n'empêcha pas les deux costauds de service de promener sur eux un engin qui avait tout du vibro-masseur. Puis ils eurent droit à une minutieuse fouille manuelle.

— Très professionnel, admira Myron.

— Pour un peu on y prendrait goût, renchérit Win. À un moment, j'ai cru que je devais tousser et dire « 33 »…

— Hé, les rigolos ! intervint l'un des gorilles. Par ici !

Les deux hommes de main les escortèrent le long du couloir. Aaron resta en arrière, immobile. Myron n'aima pas cela. Les murs blancs contrastaient avec la moquette orange chinée typique des locaux administratifs. Des lithographies (couchers de soleil, plages de sable blond, palmiers…) étaient accrochées ici et là. En franchissant la porte au miroir sans tain, on avait l'impression de passer d'un bar un peu louche à la salle d'attente d'un dentiste.

Au bout du couloir, étaient postés deux autres loubards, flingue au poing.

— Oh, oh… murmura Myron.

— Je ne te le fais pas dire, souffla Win.

Les deux hommes pointèrent leurs armes sur Myron et Win.

— Hé, toi, Boucle d'Or, amène-toi, dit l'un d'eux.

Win se tourna vers Myron.

— Boucle d'Or ?

— Je crois que c'est à toi qu'il s'adresse, ma poule.

— Tu crois vraiment ? Ah oui, je vois. Il n'aime pas les blonds…

— C'est ça, Marilyn, confirma Rambo. Allez, amène ton cul par ici.

— Avec plaisir, dit Win. Mais ne me bousculez pas !

Il avança le long du couloir, d'une démarche chaloupée. Derrière lui, les deux préposés au portique l'avaient en ligne de mire. Au total, quatre hommes, quatre pétards. Sacrée puissance de feu. Ça risquait d'être moins facile que la veille.

— Mains sur la tête. Avancez, tous les deux.

Win et Myron, environ à trois mètres l'un de l'autre, obéirent. Soudain, l'un des gorilles du portique se rapprocha d'un pas et enfonça le canon de son arme dans les reins de Myron. Lequel tomba à genoux, pris de nausée. L'autre en profita pour lui filer un coup de taloche dans les côtes. Puis un autre. Myron s'effondra sur le sol. Frustré, le deuxième primate responsable du détecteur rejoignit son collègue – pas de raison que la fête se passe sans lui ! Il sauta à pieds joints sur Myron, comme pour écraser une punaise. Pratiquement groggy mais pas encore totalement inconscient, Myron lança un regard désespéré à Win.

Win ne bougeait pas. On aurait même pu croire qu'il se foutait totalement de ce qui arrivait à son associé. En fait, il analysait la situation. Observait leurs adversaires. Pour l'instant, tenter d'intervenir équivalait à un double suicide. Mais jamais il n'oublierait le visage de ces hommes.

Les coups pleuvaient en continu. Myron s'était replié en position fœtale, essayant de préserver ses organes vitaux. Le bout ferré d'une boot l'atteignit sur l'arcade sourcillière – œil au beurre noir assuré pour le lendemain…

Soudain quelqu'un hurla :

— Mais qu'est-ce que c'est que ce bordel ? Arrêtez, immédiatement !

Les coups cessèrent, comme par miracle.

— Laissez-le tranquille ! Foutez-moi le camp, bande de connards !

Les hommes partirent à reculons, la tête et la queue basses.

— Mille excuses, monsieur Ache. On croyait bien faire.

Myron roula sur le dos puis réussit à se redresser, tant bien que mal. Herman Ache, le maître des lieux, se tenait debout sur le seuil d'une pièce au bout du couloir.

— Tout va bien, Myron ?

— Euh… Oui, super, grimaça l'intéressé. En pleine forme.

— Désolé, dit Herman Ache. Mais j'en connais qui ne vont pas tarder à être plus désolés que vous, ajouta-t-il en se tournant vers ses gorilles.

Apparemment terrorisés, les quatres primates décampèrent. Superbe prestation, se dit Myron. Tout le monde savait que les hommes d'Herman Ache ne tabassaient les visiteurs que sur ordre de leur patron. Du cinéma, tout ça. Maintenant, Myron était censé croire que Herman lui avait sauvé la vie. Après, fastoche : donnant, donnant. Ben voyons !

Aaron se pointa, comme par hasard, soutint Myron, très mère poule.

— Venez, dit Herman. Nous serons mieux dans mon bureau.

Myron se laissa entraîner, finit par retrouver l'usage de ses pieds et pénétra dans un bureau qu'il n'avait pas vu depuis quelques années. Rien n'avait changé. Le golf dominait, comme autrefois. Sur les murs, des photos aériennes de greens mondialement connus. Portraits de champions, dédicacés. En gros plan, la balle sur le tee ; en arrière-plan, le swing figé pour l'éternité. Superbes clichés.

— Très beau bureau, dit Myron.

— Merci.

Herman Ache sourit. Il avait un excellent dentiste : ses couronnes avaient l'air plus vraies que nature. Les incisives sur pivot aussi. La soixantaine, bronzé, mince, en bonne forme. Pantalon blanc et polo jaune avec un petit ours en or à la place de l'incontournable crocodile – prêt à disputer un tournoi à Miami Beach.

Ses cheveux étaient gris. Enfin, sa moumoute. Impeccable, elle lui collait au crâne comme une moule à son rocher. Deux ou trois choses le trahissaient, cependant. Les taches brunes sur ses mains. On appelle ça des fleurs de cimetière, fort joliment. Et puis son cou. Le visage était lisse, grâce aux injections de collagène et aux liftings, mais le cou ressemblait à celui d'une vieille tortue. Ridé, à la Ronald Reagan. Fripé comme un scrotum vidé de ses bourses.

— Messieurs, veuillez vous asseoir, ordonna Herman Ache.

Tout le monde obéit. L'un des gorilles referma la porte. Herman saisit un club de golf, posa une fesse sur le bord de son bureau et prit la parole :

— Myron, j'ai cru comprendre que vous et Frank aviez un léger… différend ?

— Justement, c'est pour ça que je voulais vous voir… Je voulais vous dire…

Herman hocha la tête. Une porte s'ouvrit et Frank fit son entrée, très remarquée.

Ces deux-là avaient un air de famille, indéniablement. Mais ils avaient évolué différemment. Frank pesait au moins dix kilos de plus que son aîné. Les épaules en bouteille de Perrier et une bedaine à faire pâlir d'envie le bonhomme Michelin. Chauve comme un pamplemousse, les dents cariées, la mine renfrognée : un vrai cadeau.

Les deux frères avaient grandi dans la rue. Tous deux avaient démarré comme hommes de main et avaient fait leur chemin au sein de la pègre. Au fil des ans, ils avaient vu mourir leurs enfants, poignardés ou tués par balle. Ils avaient aussi tiré sur les enfants des autres. Herman aimait croire qu'il avait mieux réussi que son voyou de frangin – d'où les belles reliures, les gravures et le golf – mais on n'échappe pas si facilement à son milieu. Frank rappelait à Herman ses origines et, peut-être, sa vraie nature. En tout cas, Frank était accepté par ses pairs. On ne pouvait pas en dire autant d'Herman.

Frank arborait un survêtement en jersey bleu orné de bandes jaunes fluo. La fermeture Éclair du blouson était ouverte et, suivant sans doute les conseils d'Yves Saint-Aaron en matière de mode, il ne portait pas de chemise. Les poils de son torse étaient collés, soit par une sorte de brillantine, soit par la sueur. *Very sexy*. Le pantalon moulant, trop petit d'au moins deux tailles, ne laissait rien ignorer de son anatomie, notamment au niveau de l'entrejambe.

Frank s'assit devant le bureau de son frère et attendit, sage comme une image.

— Donc, mon cher Myron, reprit Herman, j'ai cru comprendre que Frank et vous aviez un léger désaccord à propos d'un bronzé qui joue au basket…

— Chaz Landreaux. Et je ne suis pas sûr qu'il serait ravi d'être traité de « bronzé »…

— Pardonnez à un vieil homme de ne pas être au fait de tous les nouveaux termes politiquement corrects. Je ne voulais pas manquer de respect à ce garçon.

Myron jugea inutile de répondre.

— Laissez-moi vous dire comment je vois les choses, poursuivit Herman. En toute objectivité. Votre « Monsieur » Landreaux a conclu un accord. Pendant quatre ans, il a touché de l'argent avec lequel il a aidé sa famille. Puis, le moment venu, il a refusé d'honorer son contrat.

— En toute objectivité ? protesta Myron. Allons, Chaz Landreaux n'est encore qu'un gamin. Il…

— Épargnez-moi vos sermons, l'interrompit Herman d'une voix doucereuse. Notre rôle n'est pas de jouer les assistantes sociales, et vous le savez. Nous sommes des hommes d'affaires. Nous avons misé plusieurs milliers de dollars sur ce jeune homme. Notre investissement allait enfin porter ses fruits lorsque vous vous êtes interposé…

— Je ne me suis pas interposé. C'est lui qui est venu me trouver. Il est terrifié. O'Connor lui a mis le grappin dessus quand il avait dix-huit ans. Ce n'est pas pour rien qu'il existe des lois interdisant de faire signer des gosses aussi jeunes.

Herman prit un air sceptique.

— Allons, Myron, les enfants grandissent vite, de nos jours. Il savait très bien ce qu'il faisait. Il voulait l'argent, point final.

— Il est prêt à rembourser.

Frank ouvrit la bouche pour la première fois.

— Mon cul, qu'il remboursera !

— Oh, bonjour, Frank, dit Myron. Très élégante, votre tenue.

— Toi je t'encule, chiure de mouche. Un contrat c'est un contrat.

— Le contrat stipulait que Chaz pouvait se dédire à n'importe quel moment et rembourser sa dette. C'est ce que lui a dit O'Connor.

— Je me fous de ce qu'a dit O'Connor !

— Voyons, Frank, intervint Herman, inutile de nous énerver…

— Qu'il aille se faire foutre ! Cet enfoiré veut m'enculer à fond. Il veut me mettre sur la paille. Parce que ce négro, c'est juste le début. On a des douzaines de contrats comme ça. On en perd un, on les perd tous. Moi je dis qu'il faut donner l'exemple. Bolitar, faut s'en débarrasser, et tout de suite.

— Je ne suis pas enthousiaste, dit Myron.

— On t'a sonné, trouduc ?

— Je donnais simplement mon avis.

Herman tenta de calmer son frère :

— Frank, s'il te plaît… Tu avais promis de me laisser résoudre cette affaire…

— Quelle affaire ? Faut buter ce mec, point final.

— Va attendre à côté. Je m'en occupe.

À défaut d'une arme plus efficace, Frank fusilla Myron du regard. Myron l'ignora royalement : il savait que cette petite scène était destinée à l'intimider. Otto Burke et Larry Hanson lui avaient déjà interprété le duo du bon et du méchant.

Win, cependant, était pensif.

— Viens, Aaron, on se tire, bougonna Frank.

Il se leva et ajouta à l'adresse de son frère :

— Mais je te signale que cet enfoiré est un homme mort.

— Parfait, dit Herman. Ça te regarde…

Frank et Aaron quittèrent la pièce, Frank claquant bruyamment la porte derrière lui. Décidément, leur numéro était bien rodé, songea Myron. Peut-être même un peu trop. Ça manquait de spontanéité.

Herman alla dans un coin du bureau et mima un swing au ralenti avec son club.

— Frank est très en colère, Myron. Si j'étais vous, j'éviterais de le contrarier. En ce qui me concerne, je vous ai toujours apprécié. Depuis le début. Mais cette fois, je ne suis pas sûr de pouvoir vous aider…

Depuis le début… Ça remontait à la deuxième année de fac de Myron. Un épisode dont il n'aimait pas se souvenir. Son père avait joué et perdu gros. La veille d'un match contre la Georgie, Myron était rentré dans sa chambre pour y trouver son père et deux gorilles d'Herman Ache. Ils avaient menacé de couper un doigt de son père si Myron ne se débrouillait pas pour faire perdre son équipe. C'était la première fois que Myron voyait pleurer l'auteur de ses jours. Il avait obéi. Ni l'un ni l'autre n'en avait plus jamais reparlé.

— Dites-moi, Myron, pourquoi ce Chaz Landreaux est-il si important à vos yeux ? demanda Herman.

— Je pense qu'il mérite qu'on lui donne une chance.

— Quel genre de chance ?

— Une chance de rester clean.

Herman sourit, changea de club, exécuta deux ou trois swings puis prit son putter.

— Ah, Myron, toujours aussi romanesque ! Toujours prêt à voler au secours de la veuve et de l'orphelin !

— J'essaie seulement d'aider ce gosse.

— Et vous-même, par la même occasion.

— Et moi-même, si ça peut vous faire plaisir.

— Honnêtement, Myron, je ne pense pas pouvoir calmer Frank. Il est très déterminé.

— C'est vous le boss, tout le monde le sait.

— Mais Frank est mon frère. Je n'interviens que si c'est absolument nécessaire. Je ne pense pas que ce soit le cas, en l'occurrence.

— Qu'est-ce qu'ils lui ont fait ?

— Je vous demande pardon ?

— Quel moyen de pression Frank a-t-il trouvé pour effrayer Chaz ?

— Oh, il a fait kidnapper sa sœur. Sa jumelle, je crois.

Myron retint un haut-le-cœur. Ainsi, Win et lui avaient deviné juste. Ça leur faisait une belle jambe !

— Ils ne l'ont tout de même pas…

— Oh, ne vous inquiétez pas. Ils ne lui feront pas de mal. À condition que Landreaux accepte de coopérer.

— Quand la relâcheront-ils ?

— Dans deux jours. Le temps que le contrat avec Landreaux soit officiellement enregistré et qu'il ne puisse plus changer d'avis.

— Que voulez-vous, Herman ? Combien voulez-vous pour que Frank laisse ce garçon tranquille ?

Herman enfila un gant de golf et prit la pose pour un autre swing.

— Je suis un vieil homme, Myron. Un vieil homme très riche. Que pourriez-vous m'offrir que je n'aie déjà ?

Win se pencha en avant, se manifestant pour la première fois :

— Votre ouverture est mauvaise, monsieur Ache. Vous tenez mal votre club. Faites pivoter vos poignets vers la droite.

Dans le genre coq-à-l'âne, on ne pouvait rêver mieux. Cette intervention impromptue prit Herman par surprise.

— Merci, monsieur… Excusez-moi, je n'ai pas saisi votre nom.

— Windsor Horne Lockwood, troisième du nom.

— Ah, c'est donc vous, l'immortel Win ? Je ne vous imaginais pas ainsi.

Il reprit son club selon les indications de Win.

— Non, je ne le sens pas.

— Ça prend quelques semaines. Vous jouez souvent ?

— Aussi souvent que possible. C'est plus qu'un sport, pour moi. C'est…

— Sacré ?

Une étincelle s'alluma au fond de ses prunelles délavées.

— Exactement. Et vous, monsieur Lockwood ?

— Tout comme vous. Où jouez-vous ?

— Eh bien, c'est un milieu assez fermé, comme vous le savez. J'ai trouvé un club à Westchester. Vous connaissez ?

— Non, désolé.

— Le parcours n'est pas fantastique. Dix-huit trous, bien sûr, mais le terrain est rocailleux. Il faudrait être un chamois pour golfer là-dessus.

Et voilà, c'était reparti, les histoires de golf. Myron avait l'habitude, avec Win. N'empêche, y avait quelques urgences. Sa propre survie, par exemple. Il décida de mettre les pieds sur le green :

— Y a un truc que je ne comprends pas. Avec toute votre… euh, votre influence, comment se fait-il que vous ne puissiez pas jouer là où ça vous plaît ?

Herman et Win échangèrent un regard empreint de compassion.

— Excusez mon ami, dit Win. Il ne connaît rien au golf. Pour lui, un fer numéro neuf n'est qu'une vitamine.

Herman s'esclaffa. Dociles, les gorilles imitèrent leur patron.

— Vous pouvez toujours rigoler, s'insurgea Myron, plutôt vexé. Pour moi, le golf, c'est un passe-temps stupide réservé à des gens qui n'ont jamais eu à mouiller leur chemise pour gagner leur vie. Des parasites qui squattent des hectares où l'on pourrait construire des crèches et des hôpitaux. Et tout ça pour mettre une petite balle dans un trou !…

Myron n'était pas mécontent de lui mais personne ne rit : les golfeurs ne sont pas réputés pour leur sens de l'humour. Herman rangea ses clubs, religieusement.

— « Pardonnez-leur, mon Dieu, car ils ne savent pas ce qu'ils disent… »

— Oui, vous avez raison, dit Win. Il faut lui pardonner. Ses propos étaient sacrilèges mais c'est un innocent. Et… pas de problème, vous êtes le bienvenu sur mon parcours, monsieur Ache.

Herman écarquilla les yeux puis les referma, comme s'il avait peur d'être en train de rêver.

— Vous voulez dire que…

Win pointa l'index sur quelques photos qui ornaient le mur.

— Merion Golf Club, Pine Valley. Toutes des rencontres légendaires, qui révélèrent de vrais champions. S'ils sont affichés sur vos murs, c'est que vous êtes un vrai fan. Voire un pro.

Le visage d'Herman s'illumina comme celui d'un gosse devant son premier sapin de Noël.

— Pine Valley… Un bunker comme je n'en ai jamais vu. Et la balle passe par-dessus, whaouh… Vous devriez voir ça, monsieur Ache, fit Win en souriant.

— Ne me dites pas que vous y avez joué, monsieur Lockwood !

— Euh… Pour tout vous avouer, si. Je suis membre des deux.

— Non, c'est pas vrai ?

Win prit un air modeste.

— Handicap trois à Merion, cinq à Pine Valley. Et je serais ravi que vous soyez mon invité, dans l'un ou l'autre de ces clubs. Soixante-douze trous par jour, trente-six par parcours. Ça vous dirait ? On commence à cinq heures du matin. Ou bien peut-être est-ce trop matinal pour vous ?

— Euh… non, bien sûr.

— Bon, alors on dit ce samedi ?

Myron crut voir quelques gouttes de sueur perler sur le front d'Herman, qui décrocha son téléphone et dit :

— Relâchez la fille. Et annulez le contrat sur Myron Bolitar.

31

Win et Myron regagnèrent leur bureau. Myron passablement courbatu, mais en un seul morceau. Pas démoralisé pour deux sous. Il était comme ça, Myron. L'homme que rien ne peut abattre.

— On dirait que vous êtes passé sous un autobus, lui dit Esperanza.

— Vous, vous savez parler aux hommes !

Il lui lança la photo d'Adam Culver.

— Allez, rendez-vous donc un peu utile ! Tâchez de voir si votre copine Lucy le reconnaît.

Elle se mit au garde-à-vous.

— *Jawohl, Kommandant !*

Esperanza était une fan de cette vieille série télé où Hogan ridiculisait des nazis d'opérette. Myron n'avait jamais trouvé ça drôle, sauf qu'il aurait bien aimé voir la tronche du jeune producteur qui, un jour, s'était pointé en disant : « Eh, les mecs, j'ai une idée géniale pour un sitcom ! Ça se passe chez les nazis, dans un camp de prisonniers. Tout le monde va se fendre la gueule ! »

— Des messages ?

— Environ un million. Les journalistes veulent en savoir plus à propos de Christian. Au fait, ajouta-t-elle avec un sourire jusqu'aux oreilles, bravo, patron !

— Merci.

— Et, dites-moi, cet Otto Burke, il est marié ?

Myron la regarda, horrifié.

— Ça vous intéresse ?

— Je le trouve plutôt mignon.

— Si c'est du chantage pour obtenir une augmentation, je vous l'accorde tout de suite.

Eperanza sourit mais ne répondit pas. Myron se hâta vers son bureau.

— Hé, attendez ! cria-t-elle. J'ai un message pour vous. Il vient d'arriver, il y a deux minutes.

— De qui ?

— Une certaine Madelaine. Elle n'a pas voulu me donner son nom de famille. Mais ça avait l'air urgent. Et... personnel !

Hum... Madame la doyenne...

— Elle a laissé un numéro ?

Esperanza hocha la tête, lui tendit un Post-it.

— Et n'oubliez pas de vous protéger...

— Merci, Maman.

— Oh, à propos, votre mère a appelé deux fois, et votre père une fois. Ils s'inquiètent pour vous.

Myron pénétra dans son bureau. Son sanctuaire. Il s'y sentait bien, à l'abri du monde extérieur. Toutes ses réunions professionnelles avaient lieu dans la salle de conférence. Son bureau était un refuge, un endroit bien à lui. À sa gauche, une vue imprenable sur une partie de Manhattan. Horizon édenté, tours plus hautes les unes que les autres. À l'intérieur, sur le mur du fond, de part et d'autre de la baie vitrée, des affiches de comédies musicales. De toutes époques, et d'époque. En face de lui, Humphrey Bogart et Ingrid Bergman dans *Casablanca*, Woody Allen et Diane Keaton dans *Annie Hall*. Katharine Hepburn et Spencer Tracy, Groucho, Chico et Harpo, Adam West et Burt Ward... Toute l'histoire du cinéma... Sur les deux autres murs, des photos encadrées de ses ex-poulains, désormais vedettes. Un jour, peut-être, Christian figurerait parmi eux.

Il composa le numéro de Madelaine Gordon. Tomba sur son répondeur. Quelle voix sensuelle... une vraie caresse ! Il ne laissa pas de message.

Trois heures et demie. Il pouvait encore décemment

se pointer. Ce n'était pas Madelaine qu'il voulait voir, mais le doyen. Et il tenait à le surprendre. Une petite visite à l'improviste, rien de mieux pour déstabiliser l'adversaire.

En passant devant le bureau d'Esperanza, il la prévint :

— J'en ai pour une heure ou deux. Vous pouvez me joindre sur mon portable.

— Mais vous boitez ? s'inquiéta-t-elle.

— Une légère altercation avec les hommes d'Herman Ache.

— Je vois.

— Ça me fait un mal de chien mais j'assume.

— Bien sûr.

— Surtout, pas de scène ! Pas de sermons !

— Je compatis, discrètement.

— Au fait, essayez de joindre Chaz Landreaux. Dites-lui qu'il faut absolument qu'on se voie.

— OK.

Myron se rendit au parking et grimpa dans sa Ford Taurus bleue. Si Win était amoureux de sa Jaguar verte et décapotable, Myron, lui, considérait les bagnoles comme de simples moyens de transport.

Il prit le tunnel Lincoln, passa devant le célèbre York Motel. Un panneau publicitaire géant annonçait la couleur :

11,99 $ l'heure
95 $ la nuit
Miroirs dans toutes les chambres

Il appela sa mère pour la rassurer. Laquelle lui dit d'appeler son père : c'était lui qui s'inquiétait. Il appela son père, lequel lui dit d'appeler sa mère : c'était elle qui s'inquiétait. Ah, la communication ! Le secret d'un mariage heureux.

Tout en conduisant, il songeait à Kathy Culver. À

Adam Culver. À Nancy Serat. Quel rapport entre ces affaires ? Il essaya de dénouer l'écheveau, en vain. Première piste, Fred Nickler. La photo de Kathy n'était pas venue dans son magazine par hasard. Le Fred en question en savait sans doute plus qu'il ne voulait bien le dire. Bon, Win enquêtait de ce côté-là…

Une demi-heure plus tard, Myron se gara sur le campus. Totalement désert. Il frappa à la porte du doyen. Ce fut Madelaine qui lui ouvrit. Très souriante.

— Hello, Myron !

Tenue de tennis. Jupette plissée, jambes bronzées et galbées à souhait. Chemisette blanche, semi-transparente. Myron ne put s'empêcher de remarquer l'ensemble (déformation professionnelle). Elle remarqua qu'il avait remarqué (réflexe de jolie femme ?).

— Désolé de vous déranger, dit Myron.

— Mais pas du tout. J'allais prendre ma douche mais je vous en prie, entrez.

— Euh… En fait, c'est votre mari que je venais voir.

Elle croisa les bras, juste sous ses seins.

— Je ne l'attends pas avant quelques heures, dit-elle. Vous avez reçu mon message ?

— Oui.

— Allez, entrez donc. Ne soyez pas timide.

— « Mrs Robinson, vous essayez de me séduire ? »

— Je vous demande pardon ?

— *Le Lauréat*.

— Oh. Bien sûr.

Elle se passa la langue sur les lèvres. Elle avait une bouche à damner un saint. Des lèvres pulpeuses, bien dessinées, parfaitement ourlées, sans un gramme de collagène. La plupart des mecs sont branchés seins. Myron, lui, avait toujours fantasmé sur les bouches.

— Je devrais me sentir offensée. Je suis à peine plus âgée que vous, Myron.

— Touché. Je retire la citation.
— Donc, je répète ma question : voulez-vous entrer ?
— Bien sûr.
Superbe réplique. Bravo, Myron, si avec ça elle ne te tombe pas dans les bras !
Elle disparut à l'intérieur de la villa, créant un vide qui attira Myron – contre son gré, évidemment. Le décor était luxueux. Le genre de baraque où l'on reçoit beaucoup. Pièces immenses, lampes Tiffany, tapis persans, bustes en marbre d'écrivains français perruqués, horloge comtoise et portraits d'ancêtres…
— Asseyez-vous, dit-elle.
— Merci.
Provocante. C'était le mot qu'avait utilisé Esperanza. Elle avait raison. Tout en Madelaine était provocant. Non seulement sa voix mais aussi sa démarche, ses gestes, son regard…
— Je vous sers quelque chose à boire ?
Il remarqua qu'elle ne l'avait pas attendu.
— Volontiers. La même chose que vous.
— Martini-gin.
— Parfait.
Myron détestait le Martini-gin.
Elle prépara le cocktail et le lui tendit. Il en avala une gorgée en essayant de ne pas faire la grimace – sans être certain d'y parvenir. Elle s'assit près de lui sur le canapé.
— Je ne suis jamais aussi directe, vous savez.
— Vraiment ?
— Mais avec vous, c'est différent. Vous m'attirez beaucoup, Myron. C'est l'une des raisons pour lesquelles j'adorais vous regarder jouer. Vous êtes extrêmement séduisant. Je parie que vous êtes fatigué que toutes les femmes vous le disent.
— Eh bien… Je ne sais pas si « fatigué » est le terme exact…

Elle croisa les jambes. Légèrement inférieur au croisement de jambes façon Jessica, mais le spectacle valait le détour.

— Quand vous avez sonné à ma porte hier, j'ai su que je ne pourrais pas résister longtemps. J'ai décidé d'oublier les convenances et de me jeter à l'eau.

Myron sourit bêtement. Elle se leva et lui tendit la main en un geste d'invite.

— Alors, nous allons la prendre, cette douche ?

— Euh… Pourrions-nous parler, d'abord ?

Elle parut à la fois surprise et contrariée.

— Quelque chose ne va pas ?

Myron feignit d'être embarrassé.

— Vous êtes mariée, n'est-ce pas ?

— Et cela vous gêne ?

— Oui, je l'avoue.

— Admirable ! dit-elle.

— Merci.

— Et stupide.

— Merci encore.

Elle éclata de rire.

— En vérité, c'est tout à fait charmant. Mais entre Harrison et moi, il s'agit d'un mariage… libéral.

— Vous pourriez être plus explicite ?

— Explicite ?

— C'est que… je n'ai pas l'habitude de ce genre de situation.

Madelaine se rassit, la jupette de tennis relevée bien haut.

— C'est bien la première fois qu'on me demande « d'expliciter » mes relations conjugales !

— Je m'en doute. Mais ça m'intéresse.

— Qu'est-ce qui vous intéresse ?

— Par exemple, qu'implique exactement le mot « libéral » ?

Elle soupira.

— Mon mari et moi sommes des amis d'enfance. Nos familles passaient les vacances d'été ensemble à Hyannis Port. Nous étions du même milieu, comme on dit. Nous pensions que c'était suffisant pour faire de nous un couple heureux. C'était une erreur.

— Le divorce n'est pas fait pour les chiens.

Elle resta silencieuse un moment, puis réagit :

— Je me demande pourquoi je vous raconte tout cela…

— Le pouvoir hypnotique de mes beaux yeux bleus.

— Peut-être bien.

— Je plaisantais, dit-il, faussement modeste. Sans doute avez-vous simplement besoin de parler à un ami.

— Mon mari a des ambitions politiques. Si nous divorcions, cela signifierait…

— La fin de ses espoirs de ce côté-là.

— Exact. Même de nos jours, le moindre scandale peut ruiner une carrière. Mais il n'y a pas que cela. En fait, Harrison et moi sommes toujours très attachés l'un à l'autre. C'est mon meilleur ami et la réciproque est vraie. Simplement, nous avons besoin l'un et l'autre d'un peu de stimulation extérieure, de temps en temps.

— De temps en temps ?

— Tous les deux mois, en fait.

Myron en resta baba. Quelle précision !

— Comment êtes-vous tombés d'accord sur ce calendrier ? Ça manque un peu de romantisme, non ? Question d'hormones ou calcul algorithmique ?

Elle sourit.

— Nous en avons longuement discuté et sommes arrivés à un compromis. Une fois par mois, c'était trop. Deux fois par an, pas assez.

Myron hocha la tête.

— Et nous nous protégeons toujours, ajouta-t-elle. Ça fait partie du deal.

— Je vois.

— En avez-vous ? Un préservatif, je veux dire.

— Déjà en place ? Non, je regrette.

— Ne vous inquiétez pas, j'en ai à l'étage, dit-elle en souriant.

— Puis-je vous poser une autre question ?

— Si c'est indispensable.

— Comment savez-vous que vous avez tous deux respecté les termes du… contrat ?

— Pas de problème. Nous n'avons aucun secret l'un pour l'autre. Cela pimente nos relations.

Myron était un peu bluffé. Elle avait l'air tellement cool. Ça la rendait encore plus provocante.

— Mais votre mari… Quelles partenaires recherche-t-il, pour ses « stimulations extérieures » ? Est-il attiré par les étudiantes, par exemple ?

Elle se pencha vers Myron et posa une main sur sa cuisse. Le haut de la cuisse. Et même très haut. Là où ça cesse de s'appeler une cuisse.

— Alors c'est ça qui vous excite, hein ? Les petites jeunes filles ?

— Euh…

Il tenta de mettre dans son regard une petite lueur lubrique. En vain. Ce n'était pas son truc, elle ne fut pas dupe. Elle retira sa main.

— Où voulez-vous en venir, Myron ?

— Pardon ?

— J'ai l'impression d'être manipulée. Mais pas comme je l'espérais.

Merde ! T'es le dernier des cons, Bolitar.

— Excusez-moi, je suis un peu déboussolé.

— Je n'en crois pas un mot, Myron. Soyez honnête. Avez-vous l'intention de coucher avec moi ?

— Non.
— C'est la première fois qu'un homme me rejette.
— C'est la première fois que je décline une telle offre. Et maintenant que j'y pense, c'est la première fois que ça m'arrive. De la part d'une femme aussi splendide que vous, je veux dire.
— Est-ce parce que je suis mariée ?
— Non.
— Alors vous êtes amoureux ?
— Pire que ça. Je suis au beau milieu d'une histoire très compliquée. Qui pourrait faire souffrir un tas de gens. Je suis désolé, Madelaine. Tout cela me dépasse. Ça n'a rien à voir avec vous.
— Vous êtes adorable.
Il prit son air de chien battu.
— Mais si vous résolvez vos problèmes ?
— Je reviens et me répands à vos pieds.
Elle l'embrassa. À pleine bouche. Un baiser inoubliable, qui le fit décoller du sol.
— C'était juste l'avant-première, murmura-t-elle.
Mon Dieu, si la suite était à ce niveau-là, il mourrait d'une crise cardiaque avant le deuxième acte. Il reprit ses esprits, cependant.
— Il faut vraiment que je parle à votre mari. Quand revient-il ?
— Je l'ignore. Il est à son bureau, sur le campus. Tout seul, théoriquement. Frappez fort, sinon il ne vous entendra pas.
Il se leva, la remercia et se dirigea vers la sortie.
— Myron ?
— Oui ?
— Harrison et moi ne citons jamais de noms, quand nous discutons de nos histoires extra-conjugales. Je ne sais pas s'il s'intéresse aux étudiantes. Mais j'en doute.
— Et Kathy Culver ? Ça vous dit quelque chose ?

Elle blêmit.

— Je pense qu'il vaut mieux que vous partiez, Myron.

— Oui, bien sûr. Vous avez peur de mes hypnotiques yeux bleus. Vous avez peur qu'ils ne vous forcent à dire la vérité.

— Non, pas cette fois. Et quand je vous regardais jouer, ce n'était pas vos yeux que j'admirais.

— Ah bon ?

— Non. C'était votre joli petit cul.

Myron ressentit cela comme une insulte. En même temps, quelque part, il était flatté.

— Avaient-ils une liaison ?

Madelaine sursauta mais ne répondit pas.

— Je vous fais un strip-tease si vous répondez.

— Non, je ne pense pas.

— Alors, pourquoi cette réaction épidermique ? Comme si vous aviez peur ?

— Vous me demandez si mon mari avait une liaison avec une étudiante qui a probablement été assassinée. J'ai été prise au dépourvu.

— Connaissiez-vous Kathy Culver ?

— Non.

— Votre mari vous a-t-il parlé d'elle ?

— Pas vraiment. Je sais seulement qu'elle travaillait pour lui.

Elle jeta un œil à la comtoise, se leva et le raccompagna vers la sortie.

— Il est tard, Myron. Il vaut mieux que vous parliez avec mon mari. C'est un homme honnête. Il vous dira tout ce qu'il sait.

— Ce qui veut dire qu'il sait deux ou trois choses ?

— Merci de votre visite, Myron.

Inutile d'insister, elle s'était refermée comme une huître. Et lui, il s'était débrouillé comme un manche. Ça lui apprendrait à jouer des pectoraux pour tenter de découvrir la vérité. C'était la première fois qu'il se servait de son physique dans une enquête. Ça ne lui déplaisait pas, au fond. Ça valait mieux que de brandir une arme à feu.

Il s'éloigna, sachant que Madelaine l'observait, derrière sa fenêtre. Il se déhancha, façon Steve McQueen. Après tout, tout le monde n'a pas un beau petit cul.

32

Jessica avait trouvé l'adresse de l'agence Escapade dans les pages jaunes. Bergen County, à vingt minutes en voiture, et pourtant elle avait l'impression de régresser d'un siècle. L'Amérique profonde. Il y avait même une épicerie-quincaillerie tout droit sortie d'une série du genre *Docteur Queen, femme médecin*, ou *La Petite Maison dans la prairie*. Ça existait encore ailleurs qu'à la télé, ce genre de truc ?

Elle frappa à la porte vitrée et entra, timidement.

— Bonjour, que puis-je pour vous ?

La cinquantaine, chauve, barbu. Un look de professeur d'université proche de la retraite. Chemise en flanelle, cravate noire, jean.

— Tom Corbett, se présenta-t-il. Président d'Escapade. À votre disposition.

— Je suis la fille du docteur Adam Culver, dit Jessica. Il vous a envoyé un chèque le 25 mai dernier.

— C'est possible.

— Il vient de mourir. J'aimerais savoir à quoi correspondait ce paiement.

Corbett eut un mouvement de recul.

— Toutes mes condoléances. J'estimais beaucoup votre père.

— Merci. Mais j'aimerais savoir quelles étaient vos relations avec lui.

Il haussa les épaules, réfléchit un moment, puis :

— Je ne vois aucune raison de vous le cacher, chérie. Il m'a loué une cabane.

— Près d'ici ?

— Bien sûr. Au milieu des bois.

— Et… il vous l'a louée pour longtemps ?

— Un mois. À partir du 25 mai. La location court toujours, si ça vous intéresse. Il a payé d'avance.

— Mais quel genre de cabane ? demanda Jessica.

— Quel genre ? Ben… classique, ma poule. Rustique. Confort minimum. Kitchenette, douche.

Ça ne ressemblait pas à son père.

— Pourriez-vous me dire où se trouve ce chalet et me confier les clés ? C'est très important.

Jessica détestait deux ou trois choses chez les mecs. Qu'on l'appelle « chérie » ou bien « ma poule », par exemple. En l'occurrence, il y avait plus urgent. Elle décida de fermer sa gueule et sourit, genre jeune fille en détresse.

— C'est que c'est pas la porte à côté, ma p'tite dame. Mais, bon, puisque c'est vous… Je vous y emmène.

— Je ne sais comment vous remercier…

Au volant de sa Toyota LandCruiser, il fut intarissable, vantant les mérites de la région et ceux du supermarché local. Elle s'étonna, néanmoins, lorsqu'il tourna à gauche et s'engagea dans un chemin forestier.

— C'est joli, n'est-ce pas ?

— Euh…

Rien que des arbres autour d'eux. Jessica commença à se poser des questions. Elle n'avait jamais été fan du camping, pour elle synonyme de bestioles qui piquent, d'herbes urticantes et d'allergies diverses. Sans compter l'absence de salle de bains. L'humanité s'était battue durant des siècles pour s'élever au-dessus du niveau du singe. Et son père aussi. Alors que signifiait tout ceci ?

Corbett pointa du doigt un ravin, juste devant eux.

— Il y a deux ans, un mec est tombé là-dedans. Accident de chasse, à ce qu'on a dit.

— Ah, bon ?

— Ouais. N'empêche, ça fait pas mal de macchabées dans la région. Dont trois femmes, ces deux dernières années. La gamine, par exemple, qu'ils ont retrouvée il y a deux mois à peine. Une fugueuse, qu'ils disent. Sauf qu'ils n'ont pas pu dire qui c'était, tellement qu'elle était pourrie !

— Eh bien, Tom, vous êtes un sacré vendeur !

— Vous bilez pas, chérie. Je sais faire la différence. J'ai vu tout de suite que vous n'étiez pas venue pour acheter.

Jessica, bien sûr, était au courant, pour les corps. La police n'avait pas encore épinglé le tueur, mais le bruit courait qu'il avait pu faire une autre victime. Une jeune fille qui n'aurait pas encore été retrouvée. Kathy Culver… Non ! Jessica refusait de croire à ces sornettes.

— Quand j'étais gamin, reprit Corbett, il y avait plein de légendes à propos de ces bois. On disait qu'un méchant s'y promenait et enlevait les petits enfants. Il avait un crochet à la place du bras.

— Oui, ça fait partie des éternels fantasmes inventés par les grandes personnes pour terroriser les enfants. Le croque-mitaine, la fée Carabosse, et toute la panoplie. Je crois que les adultes n'ont jamais accepté leur statut. C'est pourquoi ils ont inventé ces histoires. Pour se venger de n'être plus des enfants.

— Voilà, on y est, annonça Corbett. C'est là, derrière les arbres.

Une modeste cabane en rondins, avec un vaste porche.

— Rustique, n'est-ce pas ?

Décrépite, plutôt, pensa Jessica. Il ne manquait qu'un péquenaud édenté jouant du banjo dans un fauteuil à bascule.

— Mais comment mon père a-t-il eu l'idée de louer un truc pareil ?

— Il a dit qu'il voulait se retirer du monde.

Ça n'avait aucun sens. Adam Culver devait se rendre à une conférence à Denver. Et ce n'était pas le genre à se défiler au dernier moment. Et là, d'un seul coup, il aurait loué cette cabane au milieu de nulle part, sans en parler à quiconque ?

Tom ouvrit la porte.

— Après vous, m'dame.

Elle entra la première. Et s'arrêta net sur le seuil.

Tom la suivait.

— Oh, mon Dieu ! murmura-t-il.

33

Le bureau du doyen Gordon était situé dans Compton Hall. Le bâtiment, tout en longueur, ne comportait que trois étages. Colonnades à la grecque, briques rouges, doubles portes laquées de blanc. Dans le hall d'entrée, un tableau d'affichage couvert de tracts : Comité de défense afro-américain, Alliance gay-lesbos, Mouvement de libération de la Palestine, Coalition contre la domination des meufs… Il faut bien que jeunesse se passe !

Côté décoration, le marbre semblait de rigueur. Sol en marbre, escalier en marbre, colonnes en marbre. Sur les murs (en marbre), d'immenses portraits de messieurs en toge, la mine sévère. La plupart se seraient retournés dans leur tombe s'ils avaient pu jeter un œil au tableau d'affichage.

L'endroit était désert mais tous les lustres étaient

allumés. Les pas de Myron résonnaient comme dans une cathédrale. Il avait envie de crier pour entendre l'écho de sa voix mais se retint : il avait passé l'âge de tels enfantillages.

Le bureau du doyen se trouvait au bout du couloir de gauche. Myron se meurtrit les doigts en frappant à la porte en chêne massif. Trente secondes plus tard, Harrison Gordon vint lui ouvrir.

Lunettes à monture d'écaille, yeux noisette, cheveux touffus mais coupés court. Traits réguliers, presque féminins, comme si on avait arrondi les angles pour lui donner une apparence de douceur. Bref : une bonne bouille, digne de confiance. Le genre de tronche que détestait Myron.

— Je suis désolé, dit-il, le bureau est fermé. Revenez demain matin.

— Non. Il faut qu'on parle. Maintenant.

Il leva un sourcil.

— Excusez-moi, mais… suis-je censé vous connaître ?

— Non, je ne crois pas.

— Vous n'êtes pas l'un de nos étudiants ?

— Pas franchement.

— Alors puis-je savoir…

Myron le regarda droit dans les yeux.

— Vous savez parfaitement qui je suis. Tout comme vous savez ce dont je veux vous parler.

— Je ne vois pas du tout à quoi vous faites référence. Maintenant, si vous voulez bien m'excuser… Je suis très occupé.

— Oui, j'imagine. La lecture des magazines, c'est très prenant.

Gordon se raidit.

— Je vous demande pardon ?

— Je crois bien que je vais suivre votre conseil et revenir demain matin, quand votre bureau sera plein de monde. J'en profiterai pour apporter quelques revues qui devraient passionner le corps enseignant…

Pas de réaction.

Myron sourit d'un air entendu. En fait, il n'avait aucune preuve contre le doyen. Il devait donc y aller au bluff.

Gordon toussota. Il ne s'éclaircit pas la gorge, ne fut pas non plus pris d'une réelle quinte de toux. Non, il toussota, la main poliment devant sa bouche. Histoire de gagner du temps.

— Venez, dit-il enfin.

Il se dirigea vers une porte, à l'autre extrémité du bureau de réception. Myron le suivit, avec beaucoup moins d'enthousiasme que lorsqu'il s'était agi de son épouse. Ils passèrent devant quelques chaises vides et un poste de travail avec une machine à écrire recouverte d'une housse kaki. (Camouflage, en vue de la prochaine guerre ?)

Ce n'était que l'antichambre. L'antre du maître, en terrain retranché, était typiquement universitaire. Murs lambrissés et tapissés de diplômes. Gravures de la chapelle de l'université de Reston, à l'époque de sa fondation. Étagères remplies de bouquins hypersérieux. Jamais ouverts, destinés à donner une impression de tradition, de professionnalisme et de compétence. Sur le bureau, l'inévitable photo personnelle : Madelaine et une gamine de douze ou treize ans dans un cadre en argent.

— Charmante famille, dit Myron. Charmante épouse.

— Merci. Asseyez-vous, je vous prie.

— Dites-moi, où Kathy travaillait-elle ?

— Pardon ?

— Où était son poste de travail ?

— De qui parlez-vous ?

— De Kathy Culver.

Le doyen se laissa glisser dans son fauteuil, lentement,

comme dans une baignoire remplie d'eau un peu trop chaude.

— Elle partageait un bureau avec une autre étudiante, dans la pièce d'à côté.

— Très pratique.

Harrison Gordon fronça les sourcils.

— Je suis désolé, je n'ai pas saisi votre nom.

— Hendrix. Jimi Hendrix.

Gordon se fendit d'un petit sourire forcé. Il avait l'air particulièrement tendu. Le fait d'avoir reçu le magazine avait dû lui faire un choc, et la visite de Jake avait resserré l'étau.

— Et que puis-je pour vous, monsieur… Hendrix ?

— Je pense que vous le savez.

Myron fit jouer à fond son célèbre regard candide, que démentait un sourire entendu. Un mélange déstabilisant qui avait fait ses preuves.

— Je crains de ne pas vous suivre…

Myron s'en tint à la même tactique. Toujours prétendre qu'on en sait long sur le sujet alors qu'on improvise. Avant tout, faire parler l'adversaire.

Le doyen croisa les mains et les posa sur son bureau. Pour les empêcher de trembler ?

— Cette conversation est absurde. Maintenant, si vous me disiez le but de votre visite ?

— Je voulais bavarder avec vous.

— À quel propos ?

— Votre département de littérature, pour commencer. Est-ce que vous obligez encore les étudiants à se farcir les trois mille vers de *Beowulf* ?

— Écoutez, qui que vous soyez, je n'ai pas le temps de jouer aux devinettes.

— Moi non plus.

Myron balança son exemplaire de *Nibards* sur le bureau. À force d'être manipulé, le magazine commençait à être passablement écorné et froissé, comme s'il sortait de sous le matelas d'un ado en pleine crise hormonale. Gordon y jeta à peine un coup d'œil.

— Qu'est-ce que c'est que ça ?

— Et qui joue aux devinettes, à présent ?

Le doyen s'adossa à son fauteuil et se tripota le menton.

— Qui êtes-vous ?

— Aucune importance. Je ne suis qu'un messager.

Gordon inspira à fond, comme s'il s'apprêtait à battre un record de plongée en apnée.

— Que me voulez-vous ?

— C'est curieux, j'ai l'impression que je vous dérange. On est pourtant bien, là, tous les deux, à bavarder gentiment.

— Cessez ce petit jeu, jeune homme. Je ne suis pas d'humeur à rire. Que voulez-vous exactement ?

Myron retenta le coup du sourire entendu, mais l'autre ne s'y laissa pas prendre.

— Ou devrais-je plutôt dire « combien » ?

Il semblait avoir retrouvé de l'assurance. Il était confronté à un problème, soit. Mais il y avait une solution. Et dans son monde, c'était toujours la même : l'argent. Il sortit un carnet de chèques du tiroir supérieur de son bureau.

— Alors ? Combien ?

— Ce n'est pas si simple, dit Myron.

— Que voulez-vous dire ?

— Vous ne croyez pas que quelqu'un doit payer ?

— Justement, parlons chiffres. Vous êtes ici pour ça, n'est-ce pas ?

— L'argent n'efface pas tout.

— Je ne comprends pas.

— Que pensez-vous de la justice ? Kathy y a droit. Et ça n'a que trop tardé.

— Je suis d'accord. Mais que pourrait lui apporter la

vengeance, à présent ? Vous êtes le messager, oui ou non ?

— Oui.

— Alors retournez la voir et dites-lui de prendre l'argent.

Les battements du cœur de Myron s'accélérèrent brusquement. Cet homme, qui de toute évidence était impliqué dans la disparition de Kathy, la croyait toujours vivante. *Attention, Myron, vas-y doucement, tu marches sur des œufs…*

— Kathy ne vous a pas pardonné, dit-il à tout hasard.

— Je n'avais pas l'intention de lui faire du mal.

— « L'enfer est pavé de bonnes intentions », cita Myron. J'aime bien placer des auteurs français dans la conversation. Ça fait cultivé, vous ne trouvez pas ?

— Cessez donc de faire le clown, dit Gordon. Vous dites que Kathy ne veut pas d'argent ?

— Exact.

— Alors que veut-elle ?

Bonne question…

— Elle veut que la vérité éclate au grand jour.

Pas mal, ça. Suffisamment vague, ça n'engage à rien.

— Quelle vérité ?

— Vous me prenez vraiment pour un con ! Vous n'étiez pas sur le point de rédiger ce chèque à l'ordre d'une œuvre de charité !

— Mais je n'ai rien fait, protesta le doyen d'un ton plaintif. Kathy est partie ce soir-là. Je ne l'ai pas revue depuis. Je ne savais pas quoi penser. Comment étais-je censé réagir ?

Myron lui lança un regard sceptique (faute d'inspiration). Après le bluff, il n'avait guère d'autre solution que d'adopter la tactique de Jake. Se taire et espérer que l'autre se mettrait dans le caca tout seul. En général, la méthode fonctionne bien avec les politiciens : ils sont nés avec un chromosome déficient qui leur rend insupportable un silence prolongé lors d'une conversation.

— Il faut qu'elle comprenne, reprit Gordon. J'ai agi en mon âme et conscience. Elle a disparu. Qu'aurais-je dû faire ? Prévenir la police ? Mais l'aurait-elle souhaité ? Je n'en savais rien. Elle avait peut-être changé d'avis. Je pensais avant tout à elle. À ce qui était le mieux pour elle.

Ben voyons ! Cette fois, Myron n'eut pas à se forcer pour jouer les sceptiques. Malgré tout, il aurait bien voulu comprendre ce que racontait le doyen. Ils restèrent un instant face à face, sans un mot. Puis quelque chose d'étrange se produisit. Les épaules de Gordon s'affaissèrent, son visage changea d'expression, son regard s'altéra.

— Ça suffit, dit-il en secouant la tête.

— Que voulez-vous dire ?

Il referma son chéquier.

— Dites à Kathy que je ferai tout ce qu'elle veut. Je la soutiendrai jusqu'au bout. Tout ceci a assez duré, je ne peux plus vivre ainsi. Je ne suis pas un salopard. Kathy est malade, elle a besoin d'aide. Je veux l'aider.

Myron fut pris au dépourvu.

— Vous êtes sincère ?

— Oui, absolument.

— Vous souhaitez venir en aide à votre ex-maîtresse ?

Gordon sursauta.

— Vous pouvez répéter ?

Hum… Myron s'était aventuré à l'aveuglette sur un terrain miné. Apparemment, il venait d'en faire exploser une belle.

— Ce n'est pas Kathy qui vous envoie. Je parie qu'elle ne vous connaît même pas !

Myron ne répondit pas.

— Qui êtes-vous ? Quel est votre vrai nom ?
— Myron Bolitar.
— Qui ?
— Myron Bolitar.
— Vous êtes de la police ?
— Non.
— Alors qui êtes-vous exactement ?
— Je suis agent sportif.
— Vous êtes quoi ?
— Je représente de jeunes athlètes.
— Quel rapport avec Kathy ?
— J'essaie de la retrouver.
— Est-elle en vie ?
— Je l'ignore. Mais vous semblez le croire.

Gordon ouvrit un tiroir de son bureau, en sortit un paquet de cigarettes et en alluma une.

— C'est mauvais pour la santé, dit Myron.
— J'ai arrêté il y a cinq ans. Enfin, officiellement.
— Encore un de vos petits secrets ?

Gordon esquissa un sourire dépourvu d'humour.

— Ainsi, c'est vous qui m'avez envoyé ce magazine…
— Non.
— Alors qui ?
— Aucune idée. C'est l'une des choses que j'essaie de découvrir, justement. En revanche, je connais le nom de l'éditeur et pas mal de détails intéressants sur tout ce réseau. Et maintenant j'ai aussi la confirmation que vous êtes impliqué dans la disparition de Kathy.

— Vous n'avez aucune preuve. Je pourrais nier tout ce que nous venons de nous dire.

— Bien sûr. Mais vous ne pourrez pas nier l'existence de cette revue. En outre, j'ai un allié en la personne du shérif Jake Courter. Vous avez raison, cependant : ce serait votre parole contre la mienne.

Gordon exhala une bouffée de fumée vers le plafond, ôta ses lunettes et se frotta les yeux.

— Non, dit-il lentement, ce ne sera pas nécessaire. J'étais sincère, tout à l'heure. Je veux aider Kathy. J'ai *besoin* de l'aider.

Myron était perplexe : la souffrance de cet homme semblait authentique, mais il avait déjà vu des salauds plus doués pour le théâtre que sir Laurence Olivier en personne.

— Quand avez-vous vu Kathy pour la dernière fois ?

— Le soir de sa disparition.

— Elle est venue chez vous ?

— Oui. Il était tard. Vers onze heures, onze heures et demie. J'étais dans mon bureau. Ma femme était déjà couchée, au premier étage. Quelqu'un a sonné. Avec insistance. Puis a donné des coups de poing contre la porte. C'était Kathy.

Le doyen était passé en pilote automatique, il parlait d'une voix monocorde, comme s'il relatait une histoire mille fois visionnée dans sa tête.

— Elle pleurait. Ou plutôt, elle sanglotait, au point de ne plus pouvoir parler. Je l'ai guidée vers mon bureau, lui ai servi un brandy, ai posé un plaid sur ses épaules. Elle avait l'air… terrorisée, vulnérable. Si fragile. Je me suis assis en face d'elle et lui ai pris la main. Elle a eu un mouvement de recul. Et c'est là que ses larmes ont cessé. Brusquement, comme si on venait d'appuyer sur un interrupteur. Elle s'est figée, visage de marbre, sans la moindre émotion. Puis elle s'est mise à parler…

Il prit une autre cigarette, la porta à ses lèvres. Ses mains tremblaient tellement qu'il lui fallut quatre essais avant de craquer une allumette avec succès.

— Elle m'a tout raconté depuis le début, d'une voix parfaitement calme – ce qui était étonnant, compte tenu de son comportement hystérique quelques instants plus tôt. Et ce qu'elle m'a dit…

Il s'interrompit, secoua la tête comme pour chasser le souvenir d'un mauvais cauchemar. Puis il reprit son récit :

— Je connaissais Kathy depuis pratiquement un an. Je l'avais toujours considérée comme une adolescente intelligente, bien élevée, équilibrée. N'y voyez aucun jugement de valeur, mais je la trouvais même un peu trop sérieuse, par rapport à ses congénères. Et voilà qu'elle venait me confier une histoire à faire rougir des marins en goguette.

« Au départ, m'a-t-elle dit, elle était effectivement conforme à l'image que nous avions d'elle. Une petite fille bien sage, appréciée de tout le monde. Et puis elle a changé. Elle est devenue, selon ses propres termes, une "vraie salope". De mon temps, on disait une "Marie-couche-toi-là". Ça a commencé avec les garçons du lycée. Et puis ce fut l'engrenage. Adultes inconnus, professeurs, amis de ses parents… Personne ne l'y forçait, plus rien ne l'arrêtait. Elle a tout expérimenté, à deux, à trois, en groupe. Partenaires de toutes les couleurs et des deux sexes – pour ne pas dire des trois. Orgies échevelées. Elle prenait des photos. "Pour la postérité", me précisa-t-elle avec une grimace cynique.

— A-t-elle mentionné des noms ? demanda Myron. De professeurs, ou d'adultes ?

— Non.

Ils se turent. Le doyen avait l'air épuisé. Enfin, Myron réagit :

— Et ensuite ?

Gordon se ressaisit, releva la tête avec effort.

— Elle a compris qu'elle faisait fausse route. Elle a décidé de faire machine arrière. C'est à cette époque qu'elle a rencontré Christian. Elle est tombée amoureuse de lui. Elle a voulu tirer un trait sur son passé mais ce n'était pas si facile. Elle a essayé, de toutes ses forces, mais…

La voix de Gordon faiblit, puis s'éteignit.

— Mais ? l'encouragea Myron. Ensuite, qu'a-t-elle dit ?

— Ensuite… Jamais je n'oublierai son regard. « Ce soir, j'ai été violée », m'a-t-elle annoncé, calmement, comme si elle était anesthésiée. J'en suis resté sans voix, évidemment. Ils étaient six, d'après elle. Ou peut-être sept. Je lui ai demandé quand ça c'était passé. Moins d'une heure plus tôt. Dans les vestiaires. Elle y avait rendez-vous avec quelqu'un qui voulait la faire chanter. Un ancien… euh… « partenaire » qui menaçait de révéler ses activités passées. Elle était prête à payer pour effacer le passé.

Voilà ce qui expliquait pourquoi elle avait retiré l'argent de son héritage, se dit Myron.

— Mais quand elle est arrivée dans les vestiaires, poursuivit Gordon, le maître-chanteur n'était pas seul. Ils ne l'ont pas tabassée. Elle n'a pas résisté. À quoi bon ? Ils étaient trop nombreux.

Harrison Gordon ferma les yeux.

— Ils l'ont violée à tour de rôle. C'est ce que, de nos jours, on appelle une « tournante », n'est-ce pas ?

Que dire, après cela ? songea Myron. Le doyen, en revanche, avait envie d'aller jusqu'au bout de l'horreur :

— Kathy m'a confié cette histoire d'une voix sans passion, comme s'il s'agissait de quelqu'un d'autre. Je n'oublierai jamais son regard. Calme, déterminé. Elle m'a dit qu'il n'y avait qu'un seul moyen pour elle d'effacer cette souillure. Elle devait faire face. Amener les coupables en plein soleil pour qu'ils expient, tels des vampires. Elle m'a dit qu'elle savait ce qu'elle avait à faire.

— Et vous n'avez pas réagi ? Vous n'avez même pas tenté de l'aider ?

— Elle voulait se venger. C'était désormais sa raison de vivre, sinon elle resterait traumatisée pour le restant de ses jours. Mais moi, de mon côté, je devais songer à Reston.

— Vous êtes fier de vous ?

Gordon baissa les yeux, écrasa sa cigarette dans le cendrier.

— Non, évidemment. Je lui ai dit de se calmer. Elle m'a ri au nez. Bon sang, elle venait de subir un sacré traumatisme et je lui demandais de se calmer ! Mon Dieu, quel imbécile !

— Et alors ?

— Je lui ai dit qu'elle était encore sous le choc mais que tout allait bien se passer. Vous savez, le genre de truc stupide qu'on dit dans ces cas-là : le temps efface tout. Il fallait qu'elle pense à sa famille, à elle-même, à son fiancé…

— En d'autre termes, vous l'avez dissuadée de porter plainte.

— Peut-être. Mais je ne lui ai jamais dit ce que je pensais réellement : une petite pute qui s'était payé la moitié du campus risquait maintenant de bousiller la vie de mes étudiants ? Je voulais qu'elle réfléchisse deux secondes avant de créer un scandale…

— Évidemment ! En fait, vous vous foutiez d'elle comme de vos premières couches-culottes. Elle est venue vous voir parce qu'elle avait confiance en vous, mais vous ne pensiez qu'à vous-même, à votre précieuse institution et à votre carrière. Il y avait aussi ce fameux match de foot. Des violeurs parmi les joueurs, ça aurait fait désordre, pas vrai ? Et puis la police serait venue fourrer son nez dans vos petites affaires. Votre mariage « libéral », notamment…

Le doyen Gordon dressa la tête.

— Ah oui ? Et cela vous regarde en quoi ?

— Une fois tous les deux mois, ça vous dit quelque chose ?

Il en resta bouche bée.

— Comment ? Qui donc…

Très vite, il se ressaisit :

— Vous êtes très bien informé, à ce que je vois.

— Comme tout le monde, cher monsieur.

— Je n'ai aucune envie de discuter avec vous de mes relations avec mon épouse, monsieur Bolitar. J'estime qu'elles ne vous regardent en aucune manière. Mais en ce qui concerne Kathy, ce malheureux incident…

— C'était un viol, monsieur le doyen. Non pas un incident, mais un viol. Collectif. C'est un crime, selon nos lois.

— Rien ne prouve qu'elle n'était pas consentante.

Myron secoua la tête. À quoi bon discuter avec une pareille ordure ?

— Et alors, j'imagine que vous l'avez convaincue ?

— Non, pas du tout. Je pense qu'elle n'a pas compris que j'agissais pour son bien. Elle est partie, et je ne l'ai jamais revue. Jusqu'au jour où j'ai reçu ce magazine. Et ce coup de fil, récemment.

— Un coup de fil ?

— Oui, voici deux ou trois jours. Il était très tard. Une voix de femme. Kathy, peut-être, mais je n'en suis pas sûr. Cette femme m'a dit : « J'espère que tu as aimé la photo. Maintenant, je t'attends. Je suis toujours en vie. »

— « Je t'attends. Je suis toujours en vie. » C'est réellement ce qu'elle a dit ?

— Oui, à peu de choses près. J'étais tellement bouleversé, je n'ai pas noté.

— Et que voulait-elle dire ?

— Je n'en ai pas la moindre idée.

— Quand vous avez appris la disparition de Kathy, qu'avez-vous pensé ?

— Qu'elle avait fait une fugue. Qu'elle avait envie de fuir tous ses problèmes et qu'elle reviendrait quand tout serait plus clair dans sa tête. C'est ce que pensait aussi la police, jusqu'au jour où ils ont trouvé ses sous-vêtements dans la poubelle. Là, ils ont pensé qu'elle avait été violée puis assassinée. Moi je savais qu'elle avait survécu au viol.

— Il ne vous est pas venu à l'esprit que ses violeurs avaient pu être tentés de la faire taire ?

— Oui, bien sûr, j'y ai pensé. Mais non, c'était hors de question. Mes garçons…

— … Ont violé une adolescente. Une jeune fille qui n'avait aucun moyen de se défendre. Quand on est passé à l'acte une première fois, quoi de plus facile que d'aller plus loin ? Surtout pour effacer une première bêtise ?

— Non, je n'y ai jamais cru une seconde.

— Et c'est pourquoi vous n'avez rien dit ?

— Oui, et j'ai eu tort. Je m'en rends compte maintenant. J'espérais qu'elle était partie pour faire le point. Pour réfléchir, toute seule dans son coin. Au bout de quelques semaines, j'ai compris qu'il était trop tard.

— Et vous avez choisi de vivre avec ce mensonge.

— Oui.

— Ce n'était qu'une étudiante, après tout. Elle était venue chercher de l'aide auprès de vous, au pire moment de sa vie, mais vous n'en aviez rien à cirer.

— Oui, c'est vrai. Mais qui êtes-vous, pour me jeter la pierre ? hurla le doyen. De quel droit me condamnez-vous, pauvre débile ? Vous croyez que je n'ai pas souffert, durant les dix-huit derniers mois ?

— Allez-y mou, les larmes me montent aux yeux…

— Y en a marre, Bolitar. Que voulez-vous ?

Marrant, comme les universitaires changent de registre, de temps en temps.

— Votre démission, monsieur le doyen.

— Et si je refuse ?

— Je veillerai à ce que justice soit faite. Vous qui n'aimez pas les scandales, croyez-moi, vous ne serez pas déçu. Bon, on est d'accord ? Votre démission, dès demain matin.

Gordon réfléchit. Il ferma les yeux, les rouvrit. Puis :

— D'accord. Et merci.

— Il n'y a pas de quoi. Ne croyez pas que vous vous en tirerez si facilement.

— Je comprends.

— Dernière question : Kathy a-t-elle mentionné des noms ?

— Des noms ?

— A-t-elle dénoncé quelques-uns des violeurs ?

Il hésita.

— Non, je ne crois pas.

— Mais vous avez une petite idée ?

— Non, vraiment.

— Allez, dites-moi la vérité !

— Eh bien, les derniers temps, juste avant que Kathy ne disparaisse, j'ai remarqué qu'un étudiant s'était mis à jeter l'argent par les fenêtres. Il s'est acheté une BMW décapotable. Ça m'a frappé parce qu'il se pavanait avec sur le campus et roulait même sur le gazon.

— Son nom ?

— C'est un ex-footballeur. Il a été exclu de l'équipe parce qu'il vendait de la drogue. Il s'appelle Junior Horton. Les autres le surnommaient…

— Horty.

Myron sortit du bureau sans ajouter un mot et quitta le bâtiment à la hâte. C'était une journée magnifique, chaude et sèche à la fois. Le soleil de fin d'après-midi était doux. Un parfum d'herbe fraîchement tondue et de cerisiers en fleurs flottait dans l'air. Myron aurait voulu s'étendre sur une couverture et penser à Kathy Culver.

Pas le temps.

Quand il regagna sa Ford Taurus, le téléphone sonnait.

— Chou blanc avec Lucy, dit Esperanza. Ce n'est pas Adam Culver qui a acheté les photos.

Encore une piste qui tombait à l'eau. Il allait démarrer lorsqu'il entendit la voix de Jake Courter :

— Je me doutais bien que je vous trouverais dans les parages, dit le shérif, penché vers la vitre ouverte.

— Du nouveau, Jake ?

— Nous allons révéler le nom de Nancy Serat à la presse.

— Merci de me prévenir.

— Mais ce n'est pas pour ça que je suis ici.

Le ton de Jake n'augurait rien de bon.

— Nous avons un suspect, poursuivit-il. Nous sommes venus le chercher pour l'interroger.

— De qui s'agit-il ?

— Votre client. Christian Steele.

34

— Comment ça, Christian ?

— Nancy Serat avait loué ce bungalow il y a seulement une semaine. Un jour ou deux avant de partir pour le Mexique. Elle n'avait même pas encore défait ses bagages.

— Et alors ?

— Alors comment se fait-il qu'on ait trouvé les empreintes de Christian un peu partout ? Toutes fraîches. Sur la poignée de la porte. Sur un verre. Sur le manteau de la cheminée…

Myron tenta de masquer sa surprise.

— Allons, Jake, vous ne pouvez pas l'arrêter uniquement pour ça ! La presse va le manger tout cru.

— C'est le cadet de mes soucis.

— Mais des empreintes ne constituent pas une preuve…

— Elles prouvent en tout cas qu'il était sur les lieux du crime !

— Tout comme Jessica. Vous allez l'arrêter, elle aussi ?

Jake déboutonna son veston, libérant son impressionnante bedaine. Il portait un costume marron à larges revers qui devait dater des années 70. Pas exactement un esclave de la mode, le shérif.

— OK, petit malin. Vous pouvez m'expliquer ce que fabriquait votre client chez Nancy Serat ?

— Il suffit de le lui demander. Il vous dira la vérité, Jake. C'est un brave gosse. Ne bousillez pas sa vie sur de simples présomptions.

— Ouais. Vous n'avez surtout pas envie que je bousille votre commission.

— Ça c'est un coup bas, Jake.

— Vous n'êtes pas objectif, Bolitar. Ce p'tit gars est votre meilleur poulain, votre chance d'accéder à la cour des grands. Vous ne *voulez* pas qu'il soit coupable.

Myron ne répondit pas.

— Laissez votre voiture ici, dit Jake. Je vous emmène.

Le poste de police n'était qu'à un kilomètre et demi du campus. En route, Jake annonça à Myron que le nouveau district attorney était arrivé.

— Roland. Un jeune loup. Ses dents raclent le plancher.

— Oh oh… Cary Roland ? Cheveux frisés ?

— Vous le connaissez ?

— Oui, hélas.

— Il adore la pub. Ça le fait bander de se voir à la télé. Il a pratiquement déchargé dans son froc quand il a entendu le nom de Christian.

Plus qu'une mauvaise nouvelle, c'était carrément un

coup dur. Myron et Cary Roland n'étaient pas exactement les meilleurs potes du monde.

— A-t-il déjà parlé aux journalistes ?

— Non. Il a décidé d'attendre le dernier JT. Conférence de presse en direct.

— Et ça lui donnera le temps de se faire faire un brushing.

— Aussi.

Christian était assis dans une pièce d'à peine trois mètres sur deux. Il était seul sur sa chaise, derrière une table peinte en gris. Pas de spots en pleine figure. Pas d'engins de torture.

— Où est Roland ? demanda Myron.

— Derrière la glace.

Un miroir sans tain, même dans un poste aussi minable que celui-ci ! On n'arrête pas le progrès. Myron entra, ajusta sa cravate et se retint de lever le majeur à l'intention de Cary Roland.

— Monsieur Bolitar ?

Myron se retourna. Christian le salua d'un geste de la main, comme s'il venait d'apercevoir un visage familier dans les gradins.

— Ça va, Christian ?

— Euh… oui. Sauf que je ne comprends pas pourquoi ils m'ont amené ici.

Un policier en uniforme vint apporter un magnétophone.

— Mon client est-il inculpé ? demanda Myron à Jake.

— C'est vrai, répondit le shérif avec un sourire. J'avais presque oublié que vous êtes également juriste, Bolitar. C'est agréable d'avoir affaire à un professionnel.

— Est-il inculpé ? répéta Myron.

— Pas encore. Nous voulons seulement lui poser quelques questions.

Le flic en uniforme s'occupa des préliminaires d'usage puis Jake commença l'interrogatoire :

— Je suis le shérif Jake Courter. Vous vous souvenez de moi ?

— Oui, monsieur. Vous êtes chargé de l'enquête à propos de la disparition de ma fiancée.

— Exact. Monsieur Steele, connaissez-vous une certaine Nancy Serat ?

— Oui, Kathy et elle partageaient une chambre à Reston.

— Nancy Serat a été assassinée la nuit dernière. Le saviez-vous ?

Christian se tourna vers Myron, qui hocha la tête.

— Oui.

— Étiez-vous un ami de Nancy Serat ? poursuivit Jake.

— Oui, monsieur, répondit Christian d'une voix blanche.

— Monsieur Steele, pouvez-vous nous dire où vous étiez la nuit dernière ?

— À quelle heure ? intervint Myron.

— Entre le moment où vous avez cessé l'entraînement et celui où vous êtes allé vous coucher.

Myron hésita. C'était un piège. Il pouvait intervenir ou bien laisser Christian se débrouiller. En d'autres circonstances, il l'aurait subtilement mis en garde, mais là il choisit de se taire.

— Si vous voulez savoir si j'étais avec Nancy hier soir, la réponse est oui, dit Christian.

Myron poussa un soupir de soulagement. Il tourna la tête vers la glace sans tain et tira la langue.

— Quelle heure était-il ? poursuivit Jake.

— Vers neuf heures, je crois.

— Où l'avez-vous vue ?

— Chez elle.

— Au 118, Acre Street ?

— Oui, c'est ça.

— Quel était le but de votre visite ?

— Nancy était rentrée de voyage le matin même. Elle m'a appelé pour me dire qu'il fallait qu'on parle.

— Vous a-t-elle dit à quel propos ?

— Ça avait un rapport avec Kathy. Mais elle n'a rien voulu me dire de plus au téléphone.

— Que s'est-il passé quand vous êtes arrivé chez elle ?

— Elle m'a pratiquement fichu à la porte. M'a dit de repartir, tout de suite.

— Savez-vous pourquoi ?

— Non, monsieur. Je n'y comprenais rien, alors je lui ai demandé de s'expliquer. Elle m'a promis de me rappeler dans un jour ou deux et de tout me raconter. Mais pour le moment, elle ne pouvait pas me parler.

— Qu'avez-vous fait ?

— J'ai essayé de discuter avec elle. Alors elle est devenue hystérique et a commencé à dire des trucs qui n'avaient aucun sens. Finalement, j'ai renoncé et je suis parti.

— Quel genre de « trucs » ?

— Quelque chose à propos de sœurs réunies…

Myron dressa l'oreille.

— Vous pouvez être plus précis ? insista Jake.

— Je ne me souviens plus exactement. Elle répétait quelque chose comme « Il est temps que les sœurs se retrouvent »… ou « se réunissent ». Je ne sais plus trop. C'était plutôt incohérent.

Jake jeta un coup d'œil à Myron, qui le lui relança. Ping-pong oculaire.

— Vous souvenez-vous d'autre chose ?

— Non, monsieur.

— Ensuite, qu'avez-vous fait ?

— Je suis rentré chez moi.

— Directement ?

— Oui.

— À quelle heure êtes-vous arrivé ?

— Il devait être dans les dix heures et quart. Un peu plus, peut-être.

— Quelqu'un pourrait nous le confirmer ?

— Je ne crois pas. Je viens d'emménager dans une résidence, à Englewood. Peut-être qu'un voisin m'a vu. Je n'en sais rien.

— Monsieur Steele, veuillez patienter quelques minutes.

Jake fit signe à Myron de le suivre. Myron se pencha vers Christian et lui murmura à l'oreille :

— Ne dis pas un mot avant mon retour. D'accord ?

Jake et Myron passèrent dans l'autre pièce. De l'autre côté du miroir – telle Alice au pays des merveilles.

Le DA Cary Roland avait fait son droit à Harvard, en même temps que Myron. Brillant élément. Déjà tête à claques, odieux, ambitieux, lèche-cul et le reste. Fulgurant début de carrière : subalterne à la Cour suprême, tremplin idéal pour qui a l'échine souple. Ce type-là était génétiquement programmé pour la politique. D'ailleurs, il en avait le look. Costard anthracite avec gilet (il s'habillait déjà comme ça, à l'époque de la fac). Nez en bec d'aigle, petits yeux perçants, trop rapprochés. Cheveux frisés qui devaient faire son désespoir, c'est pourquoi il les portait coupés très court.

Il secoua la tête en signe de mécontentement puis émit une sorte de reniflement méprisant.

— Compliments, Bolitar. Votre client est très créatif.

— Pas autant que votre coiffeur.

Jake, d'habitude parfaitement maître de lui, ne put retenir un ricanement jubilatoire.

— Voici comment je vois les choses, annonça Roland. Je le boucle, et j'annonce la nouvelle lors de la conférence de presse.

— Et moi je vois autre chose, dit Myron.

— On peut savoir quoi ?

— La bosse dans votre pantalon, quand vous avez prononcé le mot « presse ».

— Vous êtes vulgaire, Bolitar. Et pathétique. Votre « client » n'a pas une chance.

— Je n'en serais pas si sûr, à votre place.

— Pensez ce que vous voulez.

Myron soupira, excédé, comme s'il essayait d'expliquer la théorie de la relativité à un débile mental.

— Mon client vous a donné une explication parfaitement plausible quant à sa présence chez Nancy Serat. À part sa visite – qu'il ne conteste pas –, vous n'avez rien contre lui. Imaginez la une des journaux, s'il se révèle être innocent. « Superbe bavure du procureur. Jeune espoir du foot victime d'une erreur judiciaire. Les Titans sur le banc de touche et le DA au banc des accusés… » J'en passe, et des meilleures.

Roland avala sa salive. Visiblement, il n'avait pas envisagé la chose sous cet angle. Aveuglé par les feux de la rampe, sans doute.

— Shérif Courter, qu'en pensez-vous ?

Le moment ou jamais de rétropédaler. (De faire machine arrière, comme on dit plus communément.)

— On n'a pas tellement le choix, décréta Jake. Il faut le laisser partir.

— Mais vous croyez à sa version ?

Jake haussa les épaules.

— La question n'est pas là. On n'a rien de très concret contre lui. Pas assez pour une garde à vue, en tout cas.

— D'accord, dit Roland, hautain, comme si la décision venait de lui et de sa suprême indulgence. Mais qu'il ne quitte pas la ville. Il demeure à la disposition de la justice.

— Quel gâchis ! C'est dialoguiste à la télé que vous devriez faire, lâcha Myron.

Jake tenta de se maîtriser mais ses lèvres tremblaient, on le sentait sur le point d'éclater de rire.

Le visage de Roland vira au rouge.

— Shérif, je veux un rapport complet. Demain matin, sur mon bureau.

— À vos ordres !

Il lança à chacun d'eux son regard le plus percutant. En pure perte : personne ne tomba à genoux. Vexé, il quitta les lieux sans se retourner.

— J'aimerais pas être sa secrétaire, dit Myron. Elle ne doit pas rigoler tous les jours.

— Qui sait ?

— Bon, c'est pas tout ça. Christian et moi, on peut y aller ?

— Oh non ! dit Jake. Votre client peut partir mais vous, Myron, vous restez. Je veux savoir ce que vous a dit le doyen.

35

Myron raconta absolument tout. Puis il raccompagna Christian et ne lui cacha rien, à lui non plus. L'heure n'était plus aux secrets. Il aurait bien voulu l'épargner, mais à quoi bon ? Tôt ou tard la vérité éclaterait, et le plus tôt serait le mieux.

Christian ne posa aucune question. En fait, il resta étrangement silencieux. Sur le terrain, c'était un fantastique meneur de jeu. Mais là, il n'y avait plus personne.

Quand Myron se tut, Christian ne relança pas la balle. Il était pâle comme un yaourt nature, paralysé. Au bout de quelques minutes, Myron tenta de le faire réagir :

— Hé, fiston ! Ça va ? Tu as entendu ce que je t'ai dit ? C'est ta vie qui est en jeu.

— Oui, je sais. Je vous remercie, monsieur Bolitar.

Il y avait une telle résignation, une telle désespérance dans sa voix…

— Kathy t'aimait, dit Myron. Elle t'aimait sincèrement. Ne l'oublie jamais.

Christian hocha la tête.

— Il faut la retrouver.

— Oui, et j'y travaille.

Christian se tortilla sur le siège de la voiture, se mordit les lèvres, puis se lança :

— Quand tous ces agents m'ont fait des propositions, j'ai été flatté, évidemment. Mais quelque part, c'était si… impersonnel. Il n'était question que de fric. Je suis peut-être naïf, mais j'avais confiance en vous. Vous n'étiez pas comme les autres. Enfin, je veux dire… Vous êtes plus qu'un agent, pour moi. Je suis content de vous avoir choisi.

— Moi aussi, dit Myron. Ce n'est peut-être pas le moment idéal pour te poser la question, mais comment as-tu entendu parler de moi, la première fois ?

— Une personne m'a dit le plus grand bien de vous.

— Ah bon ?

Christian sourit.

— Vous ne devinez pas ?

— Un autre client ?

— Non.

— Alors je donne ma langue au chat.

— Jessica. Elle m'a raconté votre parcours. L'époque où vous étiez champion, votre blessure, votre boulot pour le FBI, vos études de droit. Elle m'a dit que vous étiez le mec le plus fantastique qu'elle ait jamais connu.

— Jessica ne sait pas ce qu'elle dit.

Silence un peu gêné. Coincé dans les embouteillages,

Myron s'apprêtait à changer de voie lorsque Christian prononça une phrase, d'une toute petite voix. Myron écrasa la pédale du frein.

— Tu peux répéter ?

— Quand elle était jeune, ma mère posait nue.

— Qu'est-ce que tu veux dire ?

— J'étais tout petit. Je ne sais pas si ses photos étaient publiées. Elle n'était pas très jolie. Elle avait vingt-cinq ans, mais on aurait dit qu'elle en avait soixante. Elle était prostituée, à New York. Dans les rues. Je n'ai jamais connu mon père. Elle non plus n'a jamais su qui c'était. Le mec d'un soir, mais lequel ?

Myron, tout en surveillant la route, glissa un œil vers Christian. Lequel regardait droit devant lui.

— Mais je croyais que ton père et ta mère t'avaient élevé dans le Kansas…

— Non, c'étaient mes grands-parents. En fait, ma mère est morte quand j'avais sept ans. Ils m'ont adopté. On avait le même nom, alors c'était facile.

— Désolé, je ne savais pas, dit Myron.

— Y a pas de quoi être désolé. Ils ont été fantastiques. Avec ma mère, ils ont dû commettre des erreurs, vu comment elle a fini et tout ça, mais avec moi ils ont été super. Ils me manquent beaucoup.

Entre eux le silence devint pesant. Myron commençait à se poser de sérieuses questions. Il jeta ses pièces dans le réceptacle du péage, se diriga vers le pont George Washington. Christian avait acheté un studio tout près du stade des Titans. Cross Creek Pointe. Trois cents cabanes préfabriquées, l'arnaque du siècle. Tandis que Myron se garait dans un environnement digne d'une réserve d'Indiens financée par Bush père & fils, le téléphone de la voiture sonna.

— Allô ? dit Jessica.

— Où es-tu ?

— À Englewood.

— Bon, alors tu prends la route 4, direction ouest, et ensuite la 7, direction nord. Je t'attends sur le parking de Pathmark, à Ramsey. Magne-toi, c'est urgent.

— Qu'est-ce qui se passe ?

— Fonce. Je t'attends.

36

Debout sur le parking de Pathmark, en jean moulant et chemisier rouge, Jessica était belle à vous couper le souffle. Dès qu'il la vit, Myron sut qu'ils avaient un problème.

— C'est grave ?

— Pis que ça, répondit-elle en grimpant dans la voiture.

Quelles que soient les circonstances, il ne pouvait s'empêcher d'être ému et fasciné par sa beauté. Elle était pâle, ses yeux étaient légèrement cernés, quelques rides marquaient son visage, et pourtant jamais il ne l'avait trouvée plus désirable. Il avait été attiré par Madelaine Gordon mais se rendait compte à présent qu'elle n'était qu'une jolie femme parmi d'autres, alors que Jessica était unique, incomparable.

— Raconte-moi.

— Non. Je préfère que tu le voies. Tourne à gauche.

Il suivit ses instructions. Dix minutes plus tard, ils s'engagèrent dans un chemin de terre à peine carrossable.

— Mon père a loué une cabane par ici.

— Dans ces bois ?

— Oui.

— Quand ?

— Il y a deux semaines. Il l'avait louée pour un

mois. D'après le type de l'agence, il voulait un endroit tranquille pour faire le point. Pour se ressourcer.

— Ça ne lui ressemble pas.

— Non, en effet.

Quand ils se garèrent devant la cabane en question, Myron n'en crut pas ses yeux. Il avait bien connu Adam Culver, à l'époque où Jessica et lui étaient ensemble. C'était un homme qui aimait les lumières de la ville, les champs de course, les casinos. On l'imaginait mal s'offrir des vacances dans ce coin perdu.

Les marches du porche, à demi pourries, faillirent céder sous leur poids. Jessica ouvrit la porte, qui grinça sur ses gonds.

— Regarde.

Myron entra. Il sentait les yeux de Jessica rivés sur lui.

— J'ai vérifié ses relevés de cartes de crédit, dit-elle. Il a dépensé plus de trois mille dollars dans une boutique qui s'appelle Vidéo-Tech.

Myron était client de ce magasin et reconnut leur matériel. Trois caméscopes Panasonic étaient posés sur le canapé, ainsi que tout un équipement permettant de les installer au plafond. Il y avait également trois écrans de contrôle, comme ceux que l'on voit dans les parkings souterrains ou les supermarchés. Panasonic, là aussi. Plus deux magnétoscopes. Toshiba. Sans compter une forêt de câbles, raccords et autres accessoires.

Mais le plus perturbant, ce n'était pas cela – tout ce matériel électronique pouvait s'expliquer de multiples façons. Deux autres objets retinrent l'attention de Myron et lui firent froid dans le dos.

Posée à la verticale contre le mur, une carabine. Et à côté, sur le sol, une paire de menottes.

— Bon Dieu, tu te rends compte ? dit Jessica.

Myron savait à quoi elle pensait. Les adolescentes qu'on avait retrouvées mortes dans la région. Les images de leurs corps mutilés et décomposés avaient été diffusées à la télévision et hantaient encore tous les esprits.

— Quand a-t-il acheté tout ce bazar ? demanda Myron.

— Il y a deux semaines.

Elle semblait étrangement calme, détachée même.

— Écoute, reprit-elle, j'ai eu le temps de réfléchir à tout ceci. Même si on envisage le pire, ça ne résoud pas le problème. Ça n'explique pas la photo de Kathy dans le magazine. Ni son écriture sur l'enveloppe. Ni les coups de fil. Et encore moins la mort de mon père.

Myron savait qu'elle essayait désespérément de nier l'évidence.

— Ça va ? Tu tiens le coup ?

Elle croisa les bras, une main sous chaque coude, comme pour se bercer.

— Je me sens… paumée. J'ai perdu tous mes repères.

— J'ai autre chose à te dire. Un truc assez moche…

Ses bras retombèrent le long de son corps.

— Quoi ? Qu'est-ce que tu me caches ?

Il hésita.

— Mais parle, bon sang ! explosa-t-elle.

— Jess…

— Arrête de me traiter comme une gamine ! Je n'ai pas besoin d'être protégée. Je veux savoir.

— Le soir où elle a disparu, Kathy a été violée par plusieurs des coéquipiers de Christian.

Jessica se figea. Myron tendit la main vers elle.

— Je suis désolé.

— Dis-moi exactement ce qui s'est passé. Je veux tous les détails.

Il lui répéta ce que lui avait révélé Harrison Gordon. Elle l'écouta, impassible, le regard vide, sans l'interrompre une seule fois. Quand il se tut, elle réagit enfin :

— Quelle bande d'ordures ! C'est monstrueux.

— Oui, je sais.

— C'est l'un d'eux qui l'a tuée. Pour la faire taire. Ou peut-être même qu'ils s'y sont tous mis.

— C'est possible.

Elle réfléchit un instant, puis son regard s'anima :

— Suppose que mon père ait appris ce qui lui est arrivé.

— Oui ?

— À ton avis, comment aurait-il réagi ? Qu'est-ce que tu ferais, toi, s'il s'agissait de ta fille ?

— Je deviendrais fou. Kathy n'était pas ma fille mais je suis fou de rage.

— Exactement. Ça expliquerait cette cabane et tout ce matériel. Peut-être qu'il espérait coincer les violeurs et venger Kathy.

— Ils étaient six, Jess. Il n'y a qu'une seule paire de menottes.

— Oui, mais imagine qu'il ait été dans la même position que nous actuellement.

— J'ai du mal à te suivre…

— Suppose qu'il n'ait découvert qu'un seul nom. Par exemple ce type, Horton. Que ferais-tu, à sa place ?

— Peut-être que je le kidnapperais pour lui faire avouer le nom de ses copains.

— Exactement.

— D'accord, mais ça n'explique pas tout cet équipement.

— Pour enregistrer la confession. Je ne sais pas, moi. Tu as un meilleur scénario ?

Myron dut avouer que non.

— As-tu fouillé le reste de la cabane ?

— Je n'ai pas pu. J'étais avec le type de l'agence. Il a failli avoir une attaque quand il a vu tout ce bordel.

— Qu'est-ce que tu lui as dit ?

— Que j'étais au courant. Que mon père était détective privé.

Myron fit la grimace.

— Et il t'a crue ?

— Je pense que oui.

— Pour un auteur, tu manques un peu d'imagination.

— Désolée, je ne suis pas douée pour l'improvisation. Mon point fort c'est l'écrit, pas l'oral.

— Ce n'est pas le souvenir que j'ai gardé de toi !

— Tu crois vraiment que c'est le moment d'évoquer le bon vieux temps ?

— Tu as raison. Allons explorer ce palace.

Tâche relativement aisée : le living ne comprenait ni placard ni armoire où l'on aurait pu cacher quoi que ce soit. La kitchenette ne leur réserva aucune surprise, à part quelques cafards. Pareil pour la rudimentaire salle d'eau. Restait la chambre.

La pièce était réduite à sa plus simple expression : un lit double occupait pratiquement tout l'espace. Pas de tables de chevet, pas de commode, mais une penderie.

Bingo.

Ils y trouvèrent un pantalon et un T-shirt noirs. Et une cagoule. Noire, évidemment.

— Un passe-montagne, en juin ?

— Peut-être qu'il en avait besoin pour kidnapper Horton, suggéra Jessica, sans grande conviction.

Myron s'accroupit pour regarder sous le lit. Il aperçut un sac en plastique rouge, tendit la main et l'attira vers lui, ramenant par la même occasion tout un troupeau de moutons. Sur le sac, étaient imprimées les lettres *IMLB*.

— Institut médico-légal de Bergen, expliqua Jessica.

C'était le genre de truc à ouverture « glissière à pression », comme pour les surgelés. Myron en extirpa une paire de pantalons de jogging en molleton gris (avec une cordelette en guise de ceinture) et un sweat jaune orné d'un grand *T* rouge sur le devant. Les deux vêtements étaient couverts de boue séchée.

— Ça te dit quelque chose ? demanda Myron.

— Le sweat, oui. C'est une relique. Le *T*, c'est pour Tarlow. Le lycée où mon père a passé son bac !

— Drôle de truc à cacher sous un lit dans une cabane au fond des bois !

Soudain les yeux de Jessica firent tilt, comme au flipper.

— Mais oui ! Le message de Nancy ! Mon Dieu ! Mon père lui avait parlé du sweater jaune de Kathy.

— Euh… Excuse-moi, Jess. Tu vas trop vite pour moi. Que disait exactement Nancy ?

— Elle a dit que mon père lui avait parlé du sweat jaune qu'il avait donné à Kathy. Sur le moment je n'ai rien compris.

— Ton père le lui avait effectivement donné ?

— Bien sûr. Elle l'aimait beaucoup, elle le portait pour traîner à la maison, et même pour dormir.

— Alors comment l'a-t-il récupéré ?

— Aucune idée. Peut-être qu'il était parmi ses affaires, à l'université.

— Ce qui n'explique pas pourquoi il en a parlé à Nancy Serat. Ni pourquoi on le retrouve sous ce lit.

Ils réfléchirent, chacun pour soi.

— Je n'y comprends rien, conclut Jessica.

— Peut-être que ton père a voulu laisser un message.

— Que veux-tu dire ?

— Je ne sais pas. Mais j'ai le sentiment que ces deux vêtements sont essentiels. Sinon, pourquoi les aurait-il gardés, et cachés ?

— Mais Kathy portait un pull bleu, ce soir-là !

Myron passa mentalement en revue les témoignages des copines de Kathy. Revit la photo de groupe. Quelque chose lui titillait les neurones.

— Y a un moyen de vérifier, dit-il.

Il prit son portable et appela le doyen.

— Allô ?

Myron laissa tomber les civilités d'usage : il savait que Gordon reconnaîtrait immédiatement sa voix.

— Comment était habillée Kathy quand elle est venue chez vous ce soir-là ?

— Comment… Euh… Je ne sais plus trop. Un chemisier et une jupe, je crois.

— Quelle couleur ?

— Bleu. Le chemisier était déchiré, il me semble. Mais il était bleu.

Myron raccrocha.

— Retour à la case départ, soupira Jessica.

Peut-être. Pourtant, une image avait flashé dans la tête de Myron. Impossible de la retrouver, mais elle allait revenir, il en était sûr.

— Viens, dit Jessica en l'entraînant vers la voiture. Je n'en peux plus. Allons-nous-en d'ici.

Ils refermèrent les portières, se retrouvèrent dans l'obscurité.

— Où veux-tu aller ? demanda-t-il.

— Où tu voudras.

37

Ils trouvèrent un Hilton à Mahwah. Myron demanda la suite la plus luxueuse encore disponible. Le regard de l'employé allait alternativement de Jessica à Myron, exprimant de la concupiscence à l'égard de la première et de la jalousie à l'égard du second. Une réception avait lieu dans le grand salon – le genre de truc chic, smokings et robes longues. Pourtant, tous les hommes n'eurent d'yeux que pour le jean et le chemisier rouge de Jessica. Ou du moins pour leur contenu.

Au début de leur liaison, Myron était fier que tous les

autres mâles lui envient sa compagne. Réaction puérile et machiste (Ha, ha, vous pouvez regarder mais moi j'ai le droit de toucher !). Par la suite, il supporta de plus en plus difficilement le désir qu'il lisait dans leur regard. Quand on possède un trésor aussi convoité, on a peur qu'on vous le vole… Jessica, quant à elle, était tellement habituée aux hommages masculins qu'elle n'y prêtait guère attention.

Leur chambre était au sixième étage. Ils avaient à peine refermé la porte qu'ils s'embrassaient avec frénésie. La langue de Jessica avait le même goût qu'autrefois – et la même habileté. Un frisson lui parcourut l'échine et il déboutonna son chemisier, fébrilement. Dieu qu'elle était belle ! Il en eut le souffle coupé. Quel bonheur de sentir sous ses mains la peau tiède et satinée de ses seins parfaits ! Elle gémit, impatiente, et ils vacillèrent jusqu'au lit.

Entre eux, le sexe avait toujours été passionné mais cette fois ce fut encore plus intense, un curieux mélange de violence et de tendresse.

Beaucoup plus tard, Jessica se redressa, déposa un chaste baiser sur sa joue.

— C'était… étonnant, dit-elle.

— Oui, pas mal.

— *Pas mal ?*

— Pour moi. Et étonnant pour toi.

Elle se leva et enfila le peignoir de l'hôtel.

— J'ai bien aimé.

— Ça s'entendait, en tout cas.

— J'ai été un peu bruyante ?

— Un concert des Who est bruyant. Toi, tu étais assourdissante.

Debout au bord du lit, peignoir entrouvert révélant une paire de jambes longues à n'en plus finir, elle sourit.

— Je ne t'ai pas entendu te plaindre.

— Et pour cause : ta voix couvrait la mienne !
— Quelle heure est-il ?
— Minuit, dit-il en attrapant le téléphone. Tu as faim ?
Elle lui lança un regard qui le titilla jusqu'au bout des orteils. Entre autres.
— Je suis affamée.
— Je parlais de nourriture, Jess.
— Oh.
— Tu n'as jamais entendu parler du nécessaire « temps de récupération » du mâle normalement constitué, pendant les cours d'éducation sexuelle, au lycée ?
— J'ai dû sécher, ce jour-là.
Il consulta le menu.
— Merde !
— Quoi ?
— Ils n'ont pas d'huîtres !
— Myron ?
— Oui ?
— Y a un jacuzzi dans la salle de bains.
— Jess…
Elle lui lança un regard candide plus vrai que nature.
— On pourrait faire trempette en attendant le service d'étage. Tu pourrais te relaxer. « Récupérer ».
— Juste l'eau chaude et les bulles ?
— Promis.
Tu parles ! Qui dit trempette, dit savonnette. Elle entreprit de le laver de la tête aux pieds. Comment résister ? C'était si bon, ses mains qui effleuraient son corps, se retiraient, puis s'insinuaient dans les replis, se refermaient sur les reliefs. Elle jouait avec lui, l'excitait jusqu'à l'extrême limite puis l'abandonnait, pour revenir une minute plus tard. Supplice lentement, savamment distillé. Comment savait-elle exactement, chaque fois, à quel moment s'arrêter ? Il était à sa merci. À l'agonie. Si proche du paradis.

Enfin elle eut pitié de lui.

— Maintenant, murmura-t-elle.

L'explosion le laissa abasourdi, aveugle et sourd pour un instant.

— Étonnant, dit-il, quand il eut repris son souffle.

Elle se recula, souriante et taquine :

— Oui, pas mal.

Quelqu'un frappa à la porte. Le service d'étage, sans doute. Ni l'un ni l'autre ne réagit.

— Vas-y, suggéra-t-elle au bout de trente secondes.

— Je ne peux pas. Mes jambes. Elles sont paralysées. Je crois que jamais je ne pourrai remarcher.

De nouveau, quelques coups discrets.

— Je ne peux pas non plus, dit-elle. Au cas où tu ne l'aurais pas remarqué, je suis à poil.

— Et moi ? Tu crois que je suis habillé pour tenir une conférence de presse ?

— Tel que je te connais, je parie que ta prestation serait couverte par toutes les chaînes.

Myron ne put s'empêcher de sourire.

Toc, toc, une fois de plus. Décidément, le personnel du Hilton avait de la suite dans les idées.

— Allez, Myron. Mets une serviette autour de ton joli petit cul et va ouvrir.

C'était la deuxième fois dans la journée qu'une femme le complimentait sur ses muscles fessiers. Whaouh ! Il enroula une serviette autour de ses reins et se dirigea vers la porte.

— Une seconde, j'arrive !

Ce n'était pas le service d'étage.

Devant lui, se tenait Win.

— Je suis la femme de chambre, monsieur, dit-il d'une voix de fausset. Puis-je faire votre lit ?

— Mais qu'est-ce que tu fous là, bordel ! T'as pas vu la pancarte, sur la poignée de la porte ? Ne-Pas-Déranger !

— Désolé, Mister. Je ne sais pas lire.

— Mais comment tu nous as retrouvés ?

— Par ta carte de crédit, dit Win, comme si c'était la chose la plus naturelle au monde. Elle a été débitée à vingt heures vingt-deux.

Win passa la tête par la porte entrebâillée.

— Salut, Jessica !

— Hello, Win !

Myron l'entendit sortir du jacuzzi. La pensée de son corps nu et constellé de gouttes d'eau, telle Vénus émergeant de l'océan, l'acheva littéralement.

— Allez, entre, grommela-t-il.

— Merci infiniment.

Win lui tendit un dossier cartonné, couleur kraft, fermé par une étroite bande de toile et deux clips métalliques.

— J'ai pensé que ceci pourrait t'intéresser, dit Win.

Jessica sortit de la salle de bains, une serviette éponge en turban autour des cheveux. La ceinture de son peignoir était sagement bouclée.

— Que se passe-t-il ?

— C'est le dossier de police à propos d'un certain Fred Nickler, dit Win. Alias Nick Fredericks.

— Très imaginatif, comme pseudo ! ironisa Myron.

— Il était imaginatif dans d'autres domaines, hélas.

Jessica se laissa tomber sur le lit.

— C'est l'éditeur des revues porno, n'est-ce pas ?

Myron acquiesça, tout en survolant le dossier, pas très épais. Rien que des délits mineurs, plutôt récents. Violation du code de la route, fraude fiscale…

— Regarde à l'année 1978, dit Win.

Myron remonta jusqu'à cette année-là. 30 juin 1978. Fred Nickler avait été arrêté pour violence présumée sur un mineur. Non-lieu.

— Et alors ?

— Le sieur Nickler a trempé jusqu'au coup dans une

affaire de pédophilie, expliqua Win. À l'époque, il n'était encore qu'un jeune photographe, mais il a été pris la main dans le sac, si j'ose dire. Son modèle était un gamin de huit ans.

— Mon Dieu ! s'exclama Jessica.

Myron se souvint de son entrevue avec Fred, alias Trucmuche. « Je ne fais que mon métier, j'essaie de gagner ma vie honnêtement. » Et dire qu'il avait failli le croire !

— Mais ce non-lieu… s'insurgea Jessica. Comment se fait-il que la police…

— Ah, mes enfants, c'est là que ça se corse ! En fait, c'est une histoire malheureusement assez courante. Fred Nickler n'était qu'un petit photographe. Un tout petit poisson. Or la police voulait le requin qui se cachait derrière. Alors notre ami Fred a conclu un accord, en échange de l'immunité.

Myron bondit sur place, hors de lui.

— Et ils ont abandonné toutes les charges contre lui ? Ils ont même effacé son casier ? Non mais je rêve !

— Tu ne rêves pas, malheureusement. C'est le système. C'est comme ça que ça marche.

— Conclusion ?

— Cet « arrangement », comme on dit pudiquement, a été conclu entre Fred Nickler et l'officier de police chargé de l'enquête à l'époque.

Win marqua une pause puis se tourna vers Jessica.

— Un ami de la famille Culver. Paul Duncan.

38

— C'est notre homme, dit Win. Mister Junior Horton.

Horty avait le physique de l'emploi. Ex-footballeur. Tout en muscles, veines saillantes et faciès de brute.

Côté vestimentaire, un véritable homme-sandwich. Chemisette des Cardinals de Saint Louis, Reebok noires montantes (sans chaussettes) et casquette des White Sox de Chicago. Pour parfaire le tout, lunettes noires, gourmette et bagues en or.

Il était neuf heures du matin. 132e Rue, Manhattan. Pas grand-monde alentour. Malgré tout, Horty se méfiait. On se méfie toujours, quand on doit livrer de la came. D'autant que la taule, il connaissait. (La seule période où il avait échappé à la prison, c'était durant son séjour à l'université de Reston.) Il avait été souvent condamné pour trafic de drogue mais à son palmarès figuraient également une attaque à main armée et deux tentatives de viol. Vingt-quatre ans, parfaitement déjanté. Comme la plupart de ses codétenus, il avait passé son temps de réclusion à faire des pompes et à soulever des poids. Nos établissements pénitentiaires semblent destinés à développer la force physique d'individus violents, ce qui fait qu'ils sont mille fois plus dangereux quand ils en ressortent. Sacré système !

Jessica n'accompagnait pas Win et Myron. Elle était allée trier les affaires de son père à l'institut médico-légal, espérant y dénicher quelques autres bombes à retardement. Myron avait réussi à la dissuader d'affronter Paul Duncan tant qu'ils n'avaient pas d'éléments plus précis. Elle l'avait écouté – à contrecœur, ce qui était sa façon habituelle de suivre les conseils.

Horty conclut sa transaction avec un gamin qui ne devait pas avoir plus de douze ans puis vint dans leur direction. La démarche hésitante, les yeux rouges, il reniflait et se mouchait du revers de la main tous les trois pas.

— Qui a dit que les cordonniers sont toujours les plus mal chaussés ?

— Il doit avoir la grippe, dit Win.

— Oui. Pas l'espagnole, la colombienne.

Quand Horty parvint à leur niveau, Myron lui barra la route.

— Junior Horton ?

Horty lui lança un regard mauvais.

— Qu'est-ce que ça peut te foutre, connard ?

— Voilà qui répond à ma question.

— Casse-toi ou je t'explose la tronche.

Soudain il aperçut Win et rectifia :

— Je vous explose vos tronches.

— Non, dit Myron. La tronche doit rester au singulier : on n'en a qu'une par personne. Si tu avais dit « je vous broie les burnes », là, c'était correct.

— Va te faire foutre !

— J'aimerais bien, mais d'abord nous voulons te parler.

— Je t'encule, *man*.

Myron se tourna vers Win.

— Ce jeune homme a du vocabulaire, c'est indéniable.

— Oui, j'en suis tout ému.

Horty s'avança vers Win, qui devait faire dans les quinze centimètres et trente kilos de moins que lui. Il trouvait sans doute plus intelligent de commencer par le plus faible de ses adversaires. Myron eut du mal à ne pas sourire quand le malfrat lança d'un ton rogue :

— Je vais te la mettre profond, p'tit con.

Win adopta le ton d'un instituteur d'école maternelle :

— Mon garçon, si tu dis encore un seul gros mot, je vais devoir te corriger.

Horty s'esclaffa, puis se pencha jusqu'à ce que son nez arrive au niveau de celui de Win. Lequel ne broncha pas.

— Toi, espèce de demi-portion, tu veux te battre ? Elle est bien bonne, celle-là ! Putain de…

Win bougea à peine. En un dixième de seconde, la tranche de sa paume vint frapper le plexus d'Horty, puis son bras retomba le long de son corps. L'autre vacilla en arrière, le souffle coupé.

— Je t'avais prévenu : plus de gros mots…

Il fallut une demi-minute à Horty pour récupérer. Quand enfin il recouvra l'usage de la parole, il écumait de rage.

— Enculé de fils de pute de merde, je vais te niquer la tête, je vais te percer un deuxième trou du cul tout neuf !

Il chargea, les bras tendus comme pour attraper le ballon. Win l'esquiva avec grâce et lui balança au passage un coup de pied dans le sternum. Horty se plia en deux et s'effondra, le visage déformé par la douleur, la fureur, la stupeur. Et, bien sûr, l'humiliation. Il regarda autour de lui pour s'assurer que personne n'avait assisté à la scène. Quand on se fait étaler par un nain de jardin, on n'a pas envie de témoins…

— Il y a deux cent six os dans le corps humain, dit Win, calmement. La prochaine fois, je t'en casse un.

Mais Horty n'écoutait pas. Selon l'expression consacrée, on est « aveuglé » par la rage. Lui, ça le rendait sourd. Sans compter que ses facultés de raisonnement étaient dès le départ limitées. Il se releva, tituba, feignant d'être plus atteint qu'il ne l'était réellement. Pour ménager l'effet de surprise, sans doute. Il devait être sacrément stone, se dit Myron. Ou congénitalement con. Les deux, probablement.

Quand il fonça, tel un rhinocéros, Win fit un bond de côté puis tourna sur lui-même et projeta son pied sur le tibia du malheureux Horty. On entendit un craquement, comme lors d'une promenade en forêt, lorsqu'on marche sur une branche sèche. Horty poussa un hurlement et s'écroula à terre. Un pied au-dessus de la jambe du vaincu, Win s'apprêtait à parfaire le travail mais Myron l'arrêta d'un signe de tête.

— Il en reste deux cent cinq, dit simplement Win.

Horty, dans la position du fœtus, les deux mains sur sa jambe, se tordait de douleur sur le trottoir.

— Ma guibole ! Tu me l'a niquée !

— Simple fracture du tibia droit, précisa Win.

— Enfoir… Mais qui t'es, toi ? C'est qui qui t'envoie ?

— Nous souhaitons te poser quelques questions. Et nous souhaitons que tu y répondes.

— Ma jambe ! J'ai besoin d'un toubib !

— Quand nous aurons terminé notre petite conversation.

— Écoute, mec, je bosse pour Terrell. C'est lui qui m'a confié ce territoire. Si ça te pose un blème, tu vois ça direct avec lui, OK ?

— Il ne s'agit pas de ça.

— J'ai mal ! Je veux un toubib. Je vous en supplie, les mecs…

— Tu as fréquenté l'université de Reston, n'est-ce pas ?

Il en oublia presque la douleur tellement il fut surpris.

— Ouais, pourquoi ? Tu veux mon CV ?

— Tu connaissais Kathy Culver.

Éclair de panique dans ses yeux.

— Vous êtes des flics ?

— Non.

Silence.

— Tu connaissais Kathy Culver, n'est-ce pas ?

— Kathy comment ?

— Le deux cent cinquième os, c'est le fémur, dit Win. Pour toi ce sera le gauche. Le fémur est l'os le plus long et le plus costaud du squelette humain…

— D'accord. Je la connaissais. Et alors ?

— Comment l'as-tu rencontrée ?

— À une teuf, chez des potes. C'était sa première semaine à Reston.

— Es-tu sorti avec elle ?

— Vous rigolez ?
— Pourquoi ?
— Enfin, ces meufs-là, on sort pas avec elles, on les saute. C'est le genre à te siphonner le jonc dès le premier soir. C'est ce qu'elle a fait avec Willie, d'ailleurs.
— Qui est Willie ?
— On créchait ensemble, à Reston.
— Footballeur, lui aussi ?
— Ouais. Mais spécial.
— Vas-y, on t'écoute.
— Merde, vous voulez vraiment que je vous raconte tout le bordel ?
— Oui, on y tient.
Il haussa les épaules, résigné. Sa jambe commençait à enfler et à bleuir mais la cocaïne lui permettrait de tenir le coup quelque temps encore.
— Ben, on avait organisé cette fête, à Moore House. C'était notre QG, en quelque sorte. Kathy, c'était la seule nana blanche qui avait accepté de venir. Et voilà qu'elle se pointe habillée comme la première de la classe. On a commencé à danser, du rap, c'était super, on se la refilait entre potes. Enfin, voyez ce que je veux dire : elle aimait bien allumer les mecs. Après on est passés aux slows. Elle aimait bien se frotter.
Il ferma les yeux, comme s'il revivait la scène.
— Putain, elle était chaude !... Elle a posé sa main sur ma bite. Là, comme ça, au milieu de la piste de danse. Et elle s'est mise à me tripoter. Merde, t'aurais fait quoi, à ma place ? J'avais une trique d'enfer, je l'ai emmenée à l'étage. Une fois là-haut, elle me suce. Je me plaignais pas, remarque. Mais voilà qu'elle sort de son sac un appareil photo. Non mais tu te rends compte ? Et elle me demande de nous prendre, elle et moi, en gros plan. Sa chatte et mon zob. Titi et Grosminet.

Myron avait envie de vomir. Win, comme d'hab', demeurait impassible.

— Le lendemain soir, poursuivit Horty, elle est revenue. On s'est envoyés en l'air super, tous les trois. C'était géant. Sauf que cette fois j'avais un appareil, moi aussi.

— Donc tu as pris tes propres photos.

— Ben ouais, quoi. Normal, non ?

— Et ça a duré combien de temps, ces petites séances ?

— Ben... Après elle a rencontré d'autres mecs, on s'est perdus de vue. Remarquez, je comprends. Elle était drôlement canon, blonde et bien roulée et tout...

— Donc tu as cessé de la fréquenter ?

— On peut dire ça comme ça. D'autant qu'elle a commencé à sortir avec Christian Steele.

— Que s'est-il passé, alors ?

— Elle avait l'air de flotter sur un petit nuage. Non mais fallait la voir, Miss Sainte-Nitouche. La Vierge Marie en personne ! Tous les deux ils se baladaient main dans la main, et elle allait lui faire gober ça ? Elle était blanche comme neige, Miss Sucette ? Ça m'a foutu les boules, je dois dire.

— Donc vous avez décidé de la faire chanter ?

— Non, je vous jure que non !

— Allons, Horty. Nous savons qu'elle vous a payé pour ces photos.

Enfin, il craqua.

— Et merde ! C'était pas franchement du chantage. Juste du business. Un jour, je l'ai appelée et je lui ai dit qu'on pourrait procéder à un petit échange. On a discuté, évidemment. Ça se résumait à une question de fric et on s'est mis d'accord. Aucun chantage, je vous le jure, c'était juste un deal. Et maintenant, vous pourriez appeler une ambulance ? S'il vous plaît !

— Oui, bientôt. Mais auparavant, il y a un petit détail qu'on voudrait préciser.

— Ah bon ?

— Ce viol collectif, dans les vestiaires…

Horty ne parut pas surpris. Pis, même : il ricana.

— Un viol ? Mais ça va pas, la tête ? Cette meuf, c'était un aspirateur. Elle se payait toutes les queues qui passaient à sa portée. Faute de mieux, elle se serait enfilé un cobra. On a bien rigolé avec elle, mais je peux vous dire qu'elle aussi s'en est offert de sacrées tranches, bien juteuses…

Myron allait lui sauter à la gorge mais Win le calma, d'un seul regard.

— Combien étiez-vous ?

— Ben… Six, je crois.

— Tu la faisais chanter, Horty. Pourquoi ne pas avoir simplement pris l'argent ? Pourquoi l'avoir violée ?

— Je viens de te le dire, mec. Je…

— Elle n'est pas venue dans ces vestiaires pour forniquer volontairement avec toi et cinq de tes copains. Vous l'avez violée et c'est un crime.

— C'était rien qu'une petite pute, bordel ! Elle baisait avec n'importe qui. Un trou, c'est un trou, y a pas de quoi se prendre le chou. C'est vrai, quoi, pom-pom girl et tout le bazar, jupe plissée et socquettes blanches, n'empêche qu'elle ne demandait que ça, la môme Kathy. Je l'ai tringlée, la salope, mais elle adorait ça. Reine de la promo, mon cul !

Win vint s'interposer entre Horty et Myron. Sage mesure de prévention.

— En plus, reprit Horty, j'avais un compte à régler avec son petit ami.

— Christian Steele ?

— Ouais. Il m'avait fait un sale coup, alors je lui ai rendu la monnaie de sa pièce. On s'est partagé sa petite pute, bien fait pour sa gueule. L'avait qu'à pas me faire virer de l'équipe.

— Non, dit Myron. Ce n'était pas Christian.

— Quoi ?

— J'ai parlé avec le coach. Deux joueurs de top niveau se sont pointés et c'est pour ça que tu as été viré. Christian n'avait rien à voir là-dedans.

Horty haussa les épaules.

— Ah bon ?

— Tes remords font peine à voir, dit Myron.

— Il me faut un toubib, mec. Ma jambe me tue.

— Tu n'avais pas peur qu'elle te dénonce ?

Horty ouvrit de grands yeux, comme si Myron s'était mis à parler chinois.

— Tu rigoles ? Au contraire, elle m'a donné un joli paquet pour que je ferme ma gueule. Elle avait pas envie que tout le monde sache qui elle était vraiment. Christian, sa chère Maman, son cher Papa, ses profs. Et de toute façon, si elle avait parlé, on avait les photos d'elle, avec Willie et moi. Qui aurait cru au viol, après ça ?

Le doyen Gordon avait avancé le même argument, se souvint Myron. Les grands esprits se rencontrent.

— Hé, mec, ma jambe…

— As-tu revu Kathy, depuis ce soir-là ?

— Nan.

— C'est toi qui as jeté sa petite culotte ?

— Nan. Un des gars voulait la garder en souvenir. Mais quand il a appris que Kathy avait disparu, il a eu la trouille et il l'a foutue à la poubelle.

— Comment s'appelle-t-il ?

— Je suis pas une balance, mec.

— C'est ce que tu crois, dit Win. En fait, tu vas nous donner *tous* les noms.

Il posa le pied sur le tibia droit de Horty. Argument de poids.

— OK, OK. Comme j'ai dit, on était six. Trois Noirs, deux Blancs et un Asiate.

C'est beau, l'égalité des races…

— Y avait Tommy Wu. Et puis Ed Woods, Bobby Taylor, Willie et moi.

— Ça ne fait que cinq.

Horty hésita.

— Le dernier, c'est un vrai pote. Il m'a jamais laissé tomber, y me dépanne quand je suis à sec, voyez ? En plus, il est top.

— Ce qui veut dire ?

— Il est passé pro. Je peux pas vous donner son nom.

Win exerça une légère pression sur le tibia d'Horty, qui s'allongea dans l'instant :

— Ricky Lane.

Myron n'en crut pas ses oreilles.

— Le running-back des Jets ?

Question stupide. Combien de Ricky Lane étaient allés à Reston et étaient maintenant joueurs professionnels ?

— Bon, gémit Horty, le toubib, c'est pour quand ?

Win se tourna vers Myron.

— D'autres questions ?

— Non.

— Alors tu t'en vas, s'il te plaît.

Myron ne bougea pas.

— Je veux que tu partes, insista Win.

— Pas question.

— Bon sang, Myron, ce mec est une ordure. Il vend de la came à des gosses, c'est un maître-chanteur, un voleur et un violeur, et pourtant il s'en tirera toujours. Tu le sais, n'est-ce pas ?

— Hé, déconnez pas, les mecs ! dit Horty en tentant de se lever.

— Tire-toi, répéta Win.

Myron hésita. Horty paniqua :

— Putain, j'ai dit tout ce que je savais. Me laisse pas avec ce dingue !

— Myron, tu as ce que tu voulais, n'est-ce pas ? La suite ne te regarde pas.

— Désolé, mais je ne suis pas d'accord.

Win observa son associé, hocha la tête. Horty tentait désespérément de s'éloigner, traînant sa patte folle derrière lui, tel un agneau blessé.

— Ne le tue pas, dit Myron.

Win opéra avec la précision d'un chirurgien. Visage impassible, gestes précis. S'il entendait les cris d'Horty, il ne le montra pas.

Au bout d'un moment, Myron n'y tint plus et lui dit d'arrêter. Win obtempéra, à regret.

Ils partirent.

39

Ricky Lane vivait dans le New Jersey, dans une résidence assez huppée. Tout comme Christian. Win resta dans la voiture tandis que Myron allait sonner à la porte. Il dut frapper plusieurs fois, et très fort : Ricky était fan de techno et les basses vibraient jusque dans le jardin. Enfin, il vint ouvrir.

— Hé, Myron ! Quelle bonne surprise !

Il portait une chemise en soie. C'était soit la dernière mode, soit une veste de pyjama. Va-t'en savoir, de nos jours… Ladite chemise était déboutonnée jusqu'à mi-torse, révélant les fameuses tablettes de chocolat. En bas, un pantalon informe, retenu par une cordelière. Et il était en pantoufles. Oui, finalement, peut-être que Myron le tirait du lit.

— Salut, Ricky. J'ai à te parler.

— Entrez, je vous en prie.

La chaîne marchait à fond la caisse, à la limite du supportable. Côté décor, beaucoup de métal et de verre, en noir et blanc. Moderne, en un mot. L'équipement stéréo occupait tout un mur, les voyants verts clignotaient façon *Star Trek*.

Ricky arrêta la musique. Le silence qui s'ensuivit fut assourdissant.

— Et alors, qu'est-ce qui vous amène ?

Myron saisit un vase en cristal et le lança vers Ricky. En bon professionnel, Ricky le rattrapa au vol.

— Pisse dedans, dit Myron.

— Je vous demande pardon ?

— Je veux que tu pisses dans ce vase.

— Qu'est-ce que… ?

— Tu prends des stéroïdes.

— Jamais de la vie !

— Alors ça ne devrait pas te gêner de me filer un échantillon d'urine. Je le ferai tester en laboratoire.

Ricky regarda le vase en silence.

— Allez, vas-y. J'ai pas toute la journée.

— Vous êtes mon agent, Myron, pas ma mère.

— Exact. Prends-tu des stéroïdes ?

— Ça ne vous regarde pas.

— J'en déduis que la réponse est « oui ».

— Déduisez ce que vous voulez, j'en ai rien à cirer.

— C'est Horty qui te les vend, ou bien as-tu un nouveau fournisseur maintenant que tu es pro ?

Silence. Puis :

— Vous êtes viré, Myron.

— Mon Dieu, que vais-je devenir ? Je suis effondré. Et maintenant, si tu me parlais du fameux soir où tu as violé Kathy Culver ?

Nouveau silence. Ricky essayait de la jouer cool mais ce n'était pas un très bon acteur.

— Je sais tout, poursuivit Myron. Ton pote Horty a craché le morceau. Charmant garçon, je dois dire. Un vrai chérubin.

Ricky recula, posa le vase sur une espèce de cube en acier qui faisait office de table basse.

— Je ne l'ai pas touchée, murmura-t-il.

— Foutaises ! Toi et cinq autres gars, vous l'avez sautée dans les vestiaires. Vous l'avez violée à tour de rôle.

— Non. C'est pas comme ça que ça s'est passé.

Ricky boutonna sa chemise, éjecta le CD qui se trouvait dans le lecteur et le rangea. Le tout très lentement.

— J'y étais, c'est vrai, dit-il enfin. J'étais stone. On l'était tous. Défoncés à mort. Horty venait de récupérer une livraison et…

Il haussa les épaules, laissant sa phrase en suspens.

— Au départ, c'était un pari, juste pour rigoler. Mais on n'avait pas l'intention d'aller jusqu'au bout. Et puis…

— Et puis ça a dégénéré.

— Oui. Je les ai regardés, je trouvais même ça très excitant. C'est seulement quand mon tour est arrivé que j'ai réagi. J'ai pas pu.

— Mais tu as gardé sa petite culotte.

— Oui.

— Et quand tu as appris que la police enquêtait, tu l'as jetée dans une poubelle.

— Non. Je ne suis pas con à ce point. Je l'aurais plutôt brûlée.

Myron dut admettre que l'argument tenait la route.

— Alors, qui s'en est débarrassé ?

— Kathy, je suppose. Je la lui ai redonnée.

— Quand ?

— Plus tard.

— Combien de temps plus tard ?

— Il devait être un peu plus de minuit. Après le… le pari, elle s'est enfuie du vestiaire et on s'est payé une méchante descente. C'était comme si quelqu'un nous avait filé l'antidote, on planait plus du tout et on s'est rendu compte de ce qu'on avait fait. Tous sauf Horty. Lui, il ricanait comme un ouf et a continué à la poudre. Nous autres, on est rentrés dans nos piaules, pas très fiers. Je me suis mis au lit. Mais je ne pouvais pas dormir alors je me suis rhabillé et je suis ressorti. Je n'avais pas de plan précis. Je voulais seulement la retrouver, lui parler. Je voulais… merde, je sais pas, moi. J'étais complètement paumé.

Il tournicotait une mèche de cheveux entre ses doigts, comme un gosse de trois ans pris la main dans la boîte de biscuits. Comme quoi les stéroïdes vous stimulent les muscles mais pas les neurones.

— Finalement, je l'ai trouvée, dit-il, au bord des larmes.

— Où ?

— Sur le campus.

— À quel endroit ?

— En plein milieu. Sur la pelouse.

— Et elle allait dans quelle direction ?

— Vers le sud, je crois.

— Comme si elle revenait des résidences de la faculté ?

— Oui, c'est possible.

Après avoir quitté le domicile du doyen, songea Myron.

— Ensuite ?

— Je me suis approché d'elle, je l'ai appelée. Je croyais qu'elle aurait peur et qu'elle partirait en courant – il faisait noir, et tout. Mais non. Elle s'est retournée et m'a regardé. Elle ne tremblait pas, elle n'avait pas l'air effrayée. Elle ne bougeait pas, restait juste là, debout devant moi, à me dévisager. Je lui ai dit que j'étais désolé. Elle n'a rien répondu. C'était comme si elle était devenue muette. Alors je lui donné sa petite culotte. Je lui ai dit que ça servirait de preuve, et que j'étais prêt à témoigner. J'ai dit ça comme ça, sans réfléchir. Kathy a pris la culotte et est partie, sans un mot.

— C'est la dernière fois que tu l'as vue ?

— Oui.

— Comment était-elle habillée ?

— Pardon ?

— À ce moment-là, que portait-elle ?

— Euh… un pull bleu, je crois.

— Ou jaune ?

— Non, là je suis sûr. Il était pas jaune.

— Elle ne s'était pas changée, après le viol ?

— Non, c'était les mêmes fringues.

Myron se dirigea vers la sortie.

— Tu vas avoir besoin d'autre chose qu'un nouvel agent, Ricky. Ce qu'il te faut maintenant, c'est un sacrément bon avocat.

40

Jake était assis dans un fauteuil, face au bureau d'Esperanza. Il se leva quand Myron et Win apparurent.

— Vous avez une minute ?

— Bien sûr. Suivez-nous.

— En privé, précisa Jake.

Win reçut le message cinq sur cinq et s'éclipsa.

— Rien de personnel, dit Jake. C'est juste que votre associé me rend nerveux.

— Pas de problème. Vous avez pu joindre Chaz ? demanda-t-il en se tournant vers Esperanza.

— Pas encore.

Il lui tendit une enveloppe.

— C'est une photo à faire parvenir à Lucy. Voyez si elle reconnaît ce type.

— OK, patron.

Myron guida Jake vers son bureau. La clim marchait à fond la caisse, il y régnait une bienfaisante fraîcheur.

— Alors, Jake, qu'est-ce qui vous amène dans notre chère Grosse Pomme ?

— C'est toujours un plaisir de venir à New York, évidemment. Mais, en l'occurrence, j'avais deux ou trois choses à vérifier chez John Jay.

— Le labo ?

— On ne peut rien vous cacher.

— Du nouveau ?

Jake ne répondit pas. Il examinait les photos des poulains de Myron accrochées au mur.

— J'ai vaguement entendu parler de certains d'entre eux, dit-il. Mais je n'y vois aucune star.

— C'est vrai. Je les recrute à la naissance. Il faut du temps pour que germe la graine de champion.

— Tel que Christian Steele ?

Myron s'assit dans son fauteuil et posa les pieds sur son bureau.

— Vous pensez toujours qu'il a tué Nancy Serat ?

— Qui sait ? Disons que Christian n'est plus notre suspect numéro un.

— Et qui a pris sa place ?

Jake se détourna du mur consacré aux futures idoles. Il s'assit en face de Myron et croisa les jambes.

— Je me suis penché sur le dossier d'Adam Culver. J'y ai découvert deux ou trois choses intéressantes. Apparemment, à l'époque, la police s'est polarisée sur un meurtre crapuleux et n'est pas allée chercher plus loin. J'ai essayé d'élargir le débat. Ridgewood : banlieue chic, cent pour cent WASP, pas un Noir dans les parages. Vous y êtes allé, d'accord ?

— Tout à fait.

— Quoi qu'il en soit, j'ai discuté avec un type qui

habite à deux cents mètres des Culver. Il promenait son chien, comme tous les soirs. Il devait être dans les vingt heures. Or il a entendu des disputes, chez les Culver. Carrément l'engueulade maison, si vous voyez ce que je veux dire. C'était tellement violent qu'il a failli appeler la police. Mais il a renoncé. Ils étaient voisins depuis plus de vingt ans, il n'allait pas porter le pet. Alors il a laissé pisser.

— Avait-il une idée de l'objet de la dispute ?

— Non, dit Jake. Il sait seulement qu'ils criaient très fort. Adam et Carol.

Calé dans son fauteuil, Myron réfléchissait. Ainsi, Adam et Carol Culver s'étaient violemment querellés quelques heures avant la mort d'Adam. Peu à peu, les pièces du puzzle se mettaient en place.

— Qu'avez-vous découvert d'autre ?

— À propos de la mort d'Adam ? Rien, j'en ai peur.

Silence.

— Mais maintenant que j'y pense, reprit Jake, oui, y a un truc. Des cheveux trouvés sur la scène du crime. En fait, Nancy tenait une mèche de cheveux dans sa main.

— Elle se serait débattue ? Elle aurait arraché ces cheveux en essayant de sauver sa vie ?

— C'est ce que nous avons pensé, tout d'abord. Mais les résultats du labo sont arrivés ce matin. Ces cheveux sont ceux de Kathy Culver.

Un frisson parcourut Myron des pieds à la tête. Non, ce n'était pas vrai, il rêvait ? Ce n'était qu'un cauchemar ?

— On avait l'ADN de Kathy sur fichier, poursuivit Jake. C'est la première chose qu'on a faite après sa disparition, d'après les cheveux restés sur sa brosse. Le labo est formel : les cheveux trouvés sous les ongles de Nancy sont ceux de Kathy.

Myron secoua la tête. Non, ce n'était pas possible.

— Kathy serait toujours vivante et aurait tué Nancy parce qu'elle avait tout découvert ?

Jake haussa les épaules.

— À mon avis, elle a pété les plombs. C'est vrai, quoi. D'abord elle a un passé pas piqué des hannetons. Ensuite elle tombe amoureuse d'un enfant de chœur, décide de se racheter une conduite. Et voilà qu'elle se fait violer par une demi-douzaine de footballeurs. Qu'est-ce qu'elle fait ? Elle court vers le doyen pour lui raconter ses malheurs. Le seul homme en qui elle ait confiance, mais il la laisse tomber. Alors elle craque. Elle décide de se tirer. Peut-être qu'elle en parle à Nancy, peut-être pas. Mais Nancy a tout compris et se débrouille pour faire revenir Kathy. On connaît la suite.

— Euh… intervint Myron, vous connaissez peut-être la fin mais pas moi. Imaginons que Kathy soit encore en vie. Pourquoi tuer Nancy, après tout ce temps ?

Jake haussa les épaules.

— D'abord ce passé, plus que chargé. Ensuite elle tombe amoureuse de Christian. Puis elle a un maître chanteur sur le dos. Et enfin le doyen, qui s'en lave les mains. Elle craque. Elle essaie de se confier à Nancy, laquelle lui dit : « T'en fais pas, ma chérie, on est des sœurs, on est toutes avec toi. » Kathy comprend qu'on la mène en bateau, une fois de plus, conclut Jake. Bon sang, elle vient de se faire violer et personne ne la comprend. Elle est folle à lier, elle veut se venger…

— Et elle tue Nancy, dix-huit mois plus tard ? C'est vous qui êtes fou à lier, sauf le respect que je vous dois !

— Non. C'est plausible. C'est sans doute aussi la raison pour laquelle elle a tué son père. Elle veut se venger. Elle est givrée, Myron. Complètement à côté de la plaque. C'est pour ça qu'elle a essayé de vous faire plonger. Christian, ses parents, Gordon… C'est elle qui a envoyé le magazine.

Non, il y avait quelque chose qui ne collait pas.

— Ça n'explique pas la dispute entre Adam et Carol, ce soir-là.

— Aucune idée, dit Jake. J'y vais au feeling. C'était peut-être juste une scène de ménage comme tant d'autres. Mais c'est vrai, peut-être bien que la Maman Culver aurait des choses à me dire…

Myron réfléchit. Oui, c'était intéressant. Peut-être Carol Culver en savait-elle plus qu'elle ne le disait. Oui, elle détenait peut-être l'une des clés de l'énigme.

Une petite visite s'imposait.

41

Myron se gara devant la demeure de style victorien, à Ridgewood. Il hésitait encore : peut-être aurait-il dû en parler à Jessica d'abord. D'un autre côté, il y a certaines choses qu'une femme confie plus volontiers à un étranger qu'à sa propre fille. En l'occurrence, c'était sans doute le cas.

Carol Culver vint lui ouvrir, en tablier et gants de ménage. Elle lui sourit, mais ses yeux étaient tristes.

— Hello, Myron.

— Bonjour, madame Culver.

— Je suis désolée, Jessica n'est pas encore rentrée.

— Je sais. En fait, c'est vous que je venais voir. Mais je ne voudrais pas vous déranger…

— Non, pas du tout. Entrez, je vous en prie. Puis-je vous offrir une tasse de thé ?

— Avec plaisir.

Il la suivit à l'intérieur. Il n'était pas venu très souvent dans cette maison, même à l'époque où Jessica et lui étaient ensemble. Il n'avait jamais aimé l'atmosphère oppressante qui y régnait.

Il s'assit sur un sofa aussi confortable qu'un banc de square. Le décor était solennel. Tout plein de trucs religieux. Des portraits de la Vierge Marie, des crucifix, des cadres dorés et des napperons partout.

Deux minutes plus tard, Carol réapparut, sans les gants et sans le tablier. Elle apportait un plateau chargé d'un service à thé et d'une assiette de sablés. Elle avait dû être très belle, autrefois. Ses filles ne lui ressemblaient pas vraiment, mais Myron retrouvait en elle quelques traits communs : le port de reine de Jessica, le sourire de Kathy.

— Alors, Myron, que devenez-vous ?

— Ça va, merci.

— Il y a longtemps qu'on ne vous a pas vu.

— Oui, je suis désolé…

— Est-ce que vous et Jessica…

Elle s'interrompit, feignant d'être embarrassée. (Elle faisait ça très bien, et très souvent.)

— Excusez-moi, ça ne me regarde pas.

Elle servit le thé. Myron en but une gorgée et grignota un biscuit. Carol Culver l'imita.

— Demain a lieu une messe de commémoration, dit-elle. Adam a fait don de son corps à la science. Pour lui, seul l'esprit comptait. Le reste n'était qu'une enveloppe. Je suppose que c'était lié à sa profession. Les pathologistes raisonnent différemment.

Myron hocha la tête et sirota son thé.

— Seigneur, vous avez vu ce temps ? poursuivit-elle. Quelle chaleur ! S'il ne pleut pas très bientôt, la pelouse sera grillée. Et nous venions juste de…

— La police ne va pas tarder à arriver, l'interrompit Myron. C'est pourquoi je suis venu vous voir. Je crois que nous avons deux ou trois choses à nous dire.

Elle posa la main sur son cœur.

— La police ?

— Ils veulent vous interroger.

— Moi ? Mais à quel propos ?

— Ils ont appris, au sujet de votre querelle avec le docteur Culver. Un voisin qui promenait son chien vous a entendus.

Elle se raidit mais ne répondit pas.

— Votre mari était en parfaite santé, ce soir-là.

Elle blêmit, reposa sa tasse de thé et s'essuya les coins de la bouche avec une serviette en papier.

— Votre mari n'a jamais eu l'intention d'assister à ce colloque à Denver, n'est-ce pas ?

Elle baissa la tête.

— Madame Culver ?

Pas de réponse.

— Je sais que ce doit être pénible pour vous, insista Myron, mais c'est important. Je m'efforce de retrouver Kathy.

— Et vous croyez que vous avez une chance ? dit-elle, sans lever les yeux.

— Peut-être. Je ne veux pas vous donner de faux espoirs mais je crois que oui.

— Alors vous pensez qu'elle est encore en vie ?

— Je l'espère.

Enfin elle releva la tête. Des larmes coulaient le long de ses joues.

— Faites tout ce que vous pouvez pour la retrouver, Myron. C'est mon bébé. Rien d'autre n'a d'importance.

Myron attendit la suite mais Carol se tut. Au bout d'une minute, il revint à l'attaque :

— Le docteur Culver n'a jamais eu l'intention d'aller à Denver, n'est-ce pas ?

— C'est vrai.

— Mais vous pensiez qu'il était parti.

Myron parlait doucement mais sa voix semblait

résonner dans la pièce. Le tic-tac de l'horloge égrenait les secondes.

— Madame Culver, qu'a vu votre mari quand il est revenu ce matin-là ? Vous a-t-il surprise avec un autre homme ?

Pas de réponse.

— Cet homme, c'était Paul Duncan, n'est-ce pas ?

Carol se redressa et affronta le regard de Myron.

— Oui, j'étais avec Paul. Adam nous avait tendu un piège. J'ignore pour quelle raison il a commencé à avoir des soupçons. En tout cas, il a prétendu devoir se rendre à Denver pour une conférence. Il m'a même demandé de m'occuper de son billet d'avion, pour que je sois sûre qu'il serait absent.

— Que s'est-il passé quand il vous a trouvée avec Paul ?

Elle s'essuya les joues d'une main tremblante.

— À votre avis, comment réagit un mari qui surprend sa femme et son meilleur ami au lit ? Adam est devenu comme fou. Il avait bu, ce qui n'a rien arrangé. Il m'a insultée. Je le méritais. Je méritais bien pis. Il a menacé Paul. Nous avons essayé de le calmer – sans succès, évidemment.

Elle but une gorgée de thé, se ressaisit.

— Finalement, Adam est parti en claquant la porte, reprit-elle d'une voix monocorde. J'étais terrifiée. Paul a tenté de le rattraper mais il avait pris la voiture.

— Depuis combien de temps Paul et vous…

— Six ans.

— Quelqu'un d'autre était-il au courant ?

Carol Culver s'effondra d'un seul coup et éclata en sanglots. Soudain, Myron comprit.

— Kathy, murmura-t-il. Kathy savait.

Les sanglots redoublèrent.

— Elle a découvert la vérité durant sa dernière année de lycée, n'est-ce pas ?

Myron se souvenait de l'admiration que vouait Kathy à sa mère, incarnation de la femme parfaite qui avait élevé trois enfants en leur inculquant le sens de la famille et le respect des valeurs qui étaient les siennes. Éducation rigide, contre laquelle Jessica et Edward s'étaient rebellés. Seule Kathy était restée sous la coupe maternelle. Jusqu'au jour où…

— Kathy nous a surpris, dit Carol en fermant les yeux, comme pour chasser ce souvenir.

— Et c'est à partir de là qu'elle a changé.

— Oui. Tout est ma faute. Que Dieu me pardonne…

Elle secoua la tête et reprit :

— Non. Je ne mérite pas son pardon. Je n'en veux pas. Je veux seulement retrouver mon bébé.

— Qu'a fait Kathy quand elle vous a vus ensemble ?

— Elle est partie en courant. Mais le lendemain, elle a rompu avec Matt, son petit ami. Ensuite, elle s'est arrangée pour me faire payer toutes ces années d'hypocrisie et de mensonges. Et elle a trouvé un terrible moyen de me punir.

— En couchant avec n'importe qui.

— Oui. Et en s'assurant que je sois bien au courant.

— Elle vous racontait ses aventures ?

— Non. Elle ne m'adressait plus la parole.

— Alors comment l'avez-vous su ?

Elle hésita.

— Par des photos.

Évidemment ! Horty et ses partouzes. Clic, clac, merci Kodak…

— Elle vous a envoyé des photos d'elle avec des hommes.

— Oui.

— Des Blancs, des Noirs…

Carol ferma de nouveau les yeux.

— Pas seulement des hommes. Ça a commencé par quelques photos d'elle complètement nue, mais seule. Comme celle parue dans ce magazine.

— Vous aviez donc déjà vu ce cliché ?

— Oui. Il y avait même le tampon du photographe, au dos.

— Global Globes ?

— Non. C'était quelque chose comme « Fruit Défendu ».

— Vous avez toujours ces photos ?

Elle secoua la tête.

— Vous les avez détruites ?

— Non. Je voulais les brûler et tenter d'oublier ce cauchemar mais je n'ai pu m'y résoudre. En me les adressant, Kathy me punissait, et les garder était une forme de pénitence. Vous comprenez, Myron ?

— Oui. Enfin, je crois.

— Alors je les ai cachées dans le grenier. Dans une vieille malle. Je pensais qu'elles étaient en sécurité.

— Mais votre mari les a découvertes.

— Oui.

— Quand ?

— Il y a quelques mois. Il ne m'en a jamais parlé mais je l'ai deviné à son comportement. Je suis allée vérifier au grenier. Elles avaient disparu. Adam a peut-être cru que c'était Kathy elle-même qui les avait cachées là.

— Savez-vous ce que votre époux a fait de ces photos, madame Culver ?

— Non. Je suppose qu'il les a détruites.

Myron en doutait. Ils restèrent silencieux durant quelques minutes, chacun perdu dans ses pensées.

— Il faut le dire à Jessica, conclut Myron.

— Faites-le, Myron. Moi je n'en ai pas le courage.

Carol le raccompagna jusqu'au perron. Avant de pénétrer dans sa voiture, il se retourna et contempla l'élégante bâtisse. Vingt-six ans plus tôt, un jeune couple y avait emménagé, le cœur plein d'illusions. Ils avaient « fondé une famille », selon l'expression chère aux Américains. Avaient installé une balançoire dans le jardin et un panier de basket au-dessus de la porte du garage. Ils avaient acheté un break, conduit leurs enfants à la chorale et participé aux réunions de parents d'élèves, avaient organisé des goûters d'anniversaire. Myron voyait se dérouler le film, comme une pub pour un contrat d'assurance vie.

Il grimpa dans sa Ford et démarra.

42

Myron essayait de rassembler les pièces du puzzle.

Il y en avait un peu trop, à son gré. Gary Grady. Le doyen Gordon. Nancy Serat. Carol Culver. Christian Steele. Fred Nickler. Paul Duncan. Ricky Lane. Horty et ses potes. Plus une pièce dont il n'avait pas tenu compte jusqu'à présent : Otto Burke.

Imaginons que Jake ait vu juste. Que les magazines aient été envoyés pour satisfaire une quelconque vengeance. Ça voulait dire que tous ceux qui avaient reçu une copie de *Nibards* étaient en rapport avec Kathy Culver, de près ou de loin.

Sauf Otto Burke. Il ne la connaissait même pas.

Ou peut-être que si ?

Myron tourna après le Garden State Plazza Mall et prit la 17 en direction du sud, vers la 3. Le New Jersey, ses autoroutes, ses bretelles ! Il atteignit les Meadowlands et se gara près du QG des Titans. À la réception, il déclina son identité et demanda à voir Larry Hanson. Il n'avait pas rendez-vous mais, curieusement, on ne le fit pas attendre.

Il exposa brièvement le but de sa visite. Larry l'écouta, ses grosses paluches posées sur le bureau, le visage dénué d'expression. Son cou de taureau semblait prêt à faire exploser le bouton de son col de chemise. Pour ses cinquante ans et des poussières, Larry n'était pas trop mal conservé. Le genre massif mais pas mou. Il lui manquait un barreau de chaise coincé entre les dents, comme le sergent Rock dans la célèbre BD.

Son bureau était encombré de coupes et de trophées. Car il faut dire que Larry avait été un sacré champion de foot, du temps de sa splendeur. Sur les murs, de multiples photos retraçaient son parcours, depuis le lycée jusqu'à sa carrière de pro, en passant par ses années d'université. Il y avait du noir et blanc et des clichés couleur. Mais toujours la même coupe en brosse, le sourire à demi débile et les cuisses hypertrophiées.

Quand Myron en eut terminé, Larry examina les battoirs qui lui servaient de mains comme s'il les voyait pour la première fois.

— Pourquoi vous adresser à moi ? dit-il. Pourquoi ne pas demander directement à Otto, à propos de ce magazine ?

— Parce que je sais qu'il ne me dira rien.

— Et pourquoi pensez-vous que je serai plus coopératif ?

— Parce que vous n'êtes pas totalement idiot.

Larry faillit esquisser un sourire mais se retint juste à temps.

— Venant de vous, Myron, ça me va droit au cœur.

Myron ne dit mot.

— C'est important, n'est-ce pas ?

— Plutôt.

Larry réfléchit un instant, puis se décida :

— Burke n'a pas reçu le magazine par la poste. Il a appris la chose par un détective privé.

Myron se s'attendait pas à cela. Il se tortilla sur son siège.

— Otto faisait surveiller Christian ?

— Vous plaisantez, dit Larry. Jamais un homme aussi intègre qu'Otto Burke ne s'abaisserait à ce genre de pratique.

— Ouais, n'empêche que vous croisez les doigts sous la table. Pas vrai ?

De nouveau, Larry eut ce petit sourire mi-figue, mi-raisin.

— Ce que je vais vous dire ne doit pas quitter ce bureau, Bolitar. J'ai votre parole ?

— Promis, juré, dit Myron, la main sur le cœur.

— Burke a piraté l'informatique, dit Larry. Ce qui lui permet de fourrer son nez dans les revenus de chacun de nous. Y compris votre serviteur. À partir de là, vous imaginez les conséquences. Un petit truc pas très clair avec les Titans, et il prend sa commission en échange de son silence. Ou, de préférence, il vous achète. Très cher. Et puis un jour, cette histoire de magazine porno est remontée à la surface. Un de ses indics, sans doute.

— Comment ?

— Aucune idée. Peut-être qu'il est abonné.

— Allez, arrêtez votre char. Son nom ?

— Brian Sanford. Un enfoiré. Il travaille surtout à Atlantic City. Les casinos, tout ça. Il surveille les joueurs. Si un membre des Titans met une pièce de dix *cents* dans une machine à sous, il appelle Burke, illico. Rigolo, non ? Tout ça à cause de Michael Jordan et de tout ce bordel. Burke aime bien se tenir au courant. Ça lui donne les coudées franches, pour négocier. Moi j'appellerais ça plutôt du chantage.

Myron se leva.

— Merci, Larry. J'apprécie votre coopération.

— Hé, Bolitar, ça ne fait pas de nous des potes à la vie à la mort. On réglera ça plus tard, d'accord ?

— Bien sûr, Larry. En attendant, c'était sympa, non ?

Larry Hanson, les coudes sur son bureau, pointa l'index vers Myron.

— Je reste convaincu que tu n'es qu'une petite enflure, un tocard de première, une misérable crotte de chien. Et je vais le prouver, crois-moi.

Myron écarta les bras.

— Viens par ici, ma poule. Viens m'embrasser.

— Espèce de trou du cul !

— Ça veut dire non ?

— Fais-moi une faveur, Bolitar.

— Tout ce que tu voudras, mon chou.

— Tire-toi de mon bureau, vite fait.

43

Sans tarder, Myron appela Brian Sanford. Tomba sur son répondeur. Laissa entendre qu'il s'agissait d'une affaire assez juteuse – dix mille dollars – et qu'il passerait vers sept heures du soir. Il était sûr que Sanford serait présent au rendez-vous : les mecs comme lui trucideraient leur grand-mère pour moins que ça.

Ensuite, il appela son bureau. Esperanza décrocha, fidèle au poste.

— Salut, vous avez montré la photo à Lucy ?

— Ouais.

— Et alors ?

— On a trouvé l'acheteur.

— Lucy en est sûre ?

— Cinq sur cinq.

— Merci, ma grande.

Il raccrocha. Une heure à tuer. Il décida de se rendre à la morgue – en l'occurrence le bureau de feu le docteur Culver, ex-médecin légiste. Une idée, comme ça…

Un bâtiment austère, tout en briques. Traditionnel, sans fioritures. À l'intérieur, chaises pliantes en métal et skaï. Décor des années 60, pré-Watergate.

— Je viens voir le docteur Li, dit Myron à la réceptionniste.

— Ne quittez pas, dit la jeune fille, comme si elle était au téléphone.

Sans lui jeter un regard, totalement conditionnée, elle continuait à taper sur son clavier. Dingue, non ? Vous avez quelqu'un en face de vous qui vous dit « Ne quittez pas », comme si vous étiez une image virtuelle !

Sally Li arborait une blouse blanche, sans la moindre trace de sang. Elle avait l'air plutôt chinoise. Asiatique, en tout cas. Tout le monde sait que les Occidentaux ne savent pas faire la différence. La quarantaine, peut-être. Ou moins ? Elle portait des lunettes à double foyer. Un paquet de cigarettes dépassait de sa poche de poitrine. Bigre, ça faisait tache. Comme des chaussures de bowling avec un smoking.

Myron et elle s'étaient déjà rencontrés, à plusieurs reprises. Sally Li avait travaillé avec Adam Culver, durant les dix dernières années. C'était même carrément son bras droit. Myron l'embrassa sur la joue, de bon cœur.

Elle ne s'embarrassa d'aucun préambule :

— Salut, Myron. Jessica m'a prévenue que tu viendrais me voir. C'est à propos d'Adam, n'est-ce pas ?

— Oui. T'as une minute ?

— Bien sûr.

Elle l'entraîna vers son bureau. Très clean. Acier dépoli et carreaux de céramique. Chaises en inox. Un magnétophone, dont elle devait se servir pour dicter les résultats de ses autopsies. Deux ou trois cadres sur les murs : ses diplômes. Elle n'était pas mariée, n'avait pas d'enfants. Donc, aucune photo de famille. Mais un cendrier, prêt à déborder. Elle s'en alluma une, tira une bonne bouffée.

— Toi, docteur en médecine ? Honte à toi !

— Mes patients ne s'en plaignent pas.

— Bon, d'accord.

— Alors, mon grand, qu'est-ce qui t'amène ?

— Est-ce que toi et Adam Culver avez eu une liaison ?

— Oui, bien sûr.

Elle avait répondu sans la moindre hésitation.

— Il y a environ quatre ans. « Liaison » est un bien grand mot : ça n'a duré qu'une semaine. Pourquoi ?

— Adam avait-il beaucoup d'histoires de ce genre ?

— Très franchement, je n'en sais rien. C'est important ?

— Ça pourrait l'être.

Elle ôta ses lunettes.

— Je ne vois pas ce que la vie sexuelle d'Adam a à voir avec tout ça.

— Rien, sans doute. Mais je suis curieux : il n'était pas un peu bizarre, les derniers temps ?

— Alors là, oui. On peut même dire qu'il avait déjanté.

— C'est-à-dire ?

— Côté business. Avant, on marchait main dans la main. Mais là, il ne me parlait plus de rien. Il roulait pour lui tout seul.

— Et c'était nouveau ?

— Oui.

— Une histoire de nanas, n'est-ce pas ? Celles qu'on a trouvées mortes dans la forêt ?

— Mais qu'est-ce que tu racontes ?

— Je devine, tout simplement.

— T'es à côté de la plaque, Myron.

— Oui, sauf que moi je lis les journaux, figure-toi. Les gros titres, notamment.

Sally ne répondit pas. En fait, Myron bluffait mais elle n'était pas dupe. Il insista :

— Alors, tu n'as rien d'autre à me dire ?

Elle tira sur sa cigarette, inspira longuement.

— Il était… distrait. On lui parlait mais il n'écoutait pas.

— Rien d'autre ?

Sally écrasa sa clope à peine entamée. Puis en alluma une autre.

— Une façon comme une autre d'arrêter, dit-elle. J'en consomme autant qu'avant mais je ne les fume plus. À ce rythme-là, je devrais être désintoxiquée d'ici une douzaine d'années…

— Bonne chance !

— Merci.

— Sinon, quoi d'autre ?

— Pas grand-chose. À part le fait qu'Adam a demandé des tests un peu bizarres, sur la dernière jeune fille qu'on a retrouvée morte dans les bois.

— Qu'entends-tu par « bizarres » ?

— Des tests qu'il n'avait pas l'habitude de pratiquer. Superflus, à mon avis.

— Mais on n'a jamais réussi à identifier cette fille, n'est-ce pas ?

— Oui, c'est vrai.

— Alors peut-être qu'il essayait tout simplement de faire son métier ?

— C'est possible. En tout cas, je peux te dire qu'il prenait son temps. Chaque fois qu'un résultat lui parvenait, il exigeait un autre test. Mesures anthropométriques, taille du crâne et du bassin, etc.

— Et tu en déduis ?

De nouveau, elle haussa les épaules.

— Je n'en sais rien. Je dis simplement qu'il avait un comportement bizarre. Il faut dire que ce cas n'était pas banal. La fille n'était pas morte du coup reçu sur la tête. En fait, on l'a enterrée vivante. Elle est morte étouffée, tandis qu'elle tentait désespérément de se sortir de là.

Myron en resta muet. Puis :

— Comment était-elle habillée ?

Sally se raidit.

— Où veux-tu en venir, Myron ?

— Nulle part. Pourquoi ?

— Tu sais très bien pourquoi.

— Les vêtements de cette fille ont disparu, n'est-ce pas ?

— Oui.

— Merde ! Non mais quel con !

— Que se passe-t-il, Myron ?

— J'ai besoin de toi, Sally. Il faut que tu fasses un test pour moi !

44

Brian Sanford, détective privé, avait établi son QG dans une boîte de strip-tease située à deux pas d'un luxueux immeuble en copropriété. Typique d'Atlantic City : les palaces sont comme des fleurs de serre entre lesquelles poussent les mauvaises herbes de la pauvreté et du sordide. Contrairement à ce qu'avaient promis les propriétaires des casinos, les jolies fleurs n'avaient pas embelli le paysage. Le contraste rendait simplement les mauvaises herbes encore plus voyantes et hideuses.

La boîte en question, Au Joyeux Castor, était triste à mourir. Enseigne fluo clignotante, dont deux lettres ne s'allumaient plus. À l'intérieur, semi-pénombre du côté du bar et pleins feux sur la scène. Des filles neurasthéniques s'y relayaient, défraîchies pour la plupart. Chair flasque, implants mammaires, peau ravagée.

Myron commit l'erreur de pénétrer dans ce qu'il prit pour des toilettes. Les urinoirs étaient bizarrement remplis de glaçons – façon empirique de pallier les déficiences de la plomberie ? Quant aux WC proprement dits (façon de parler !), ils étaient dépourvus de porte, ce qui ne semblait pas gêner les utilisateurs. Un client, assis sur la cuvette, fit un petit signe amical à Myron. Lequel décida que sa vessie devrait patienter, en fin de compte.

Il s'approcha du barman.

— Pourriez-vous me dire où se trouve le bureau de Brian Sanford ?

— Heineken, Bud, Coors ?

— Non, je veux juste savoir où…

— Heineken, Bud, Coors ?

Myron sortit un billet de cinq dollars que le barman empocha prestement.

— La porte de derrière. Premier étage.

Ah, les miracles du capitalisme !

Une des filles vint vers Myron et lui sourit de toutes ses dents aussi bien rangées qu'un jeu de mikado déployé.

— Salut, beau gosse.

— Bonsoir, madame.

— T'es vraiment mignon, tu sais ?

— Oui, mais fauché.

Elle tourna immédiatement les talons. Ah, le romantisme !

Les marches de l'escalier ne grinçaient pas, elles protestaient avec véhémence. Myron s'attendait à ce qu'elles cèdent à tout moment. Sur le palier, une seule porte. Ouverte. Il frappa contre le chambranle et risqua un œil à l'intérieur.

— Hello ?

Un homme vêtu d'un costume beige qui n'avait pas dû connaître le pressing depuis la baie de Cochons vint l'accueillir, tout sourire.

— C'est vous qui m'avez laissé ce message ?

— Oui.

La pièce ressemblait à un casino miniature. À la place du bureau, une table de roulette. Dans un coin, un bandit manchot. Des jeux de cartes et des dés un peu partout, y compris sur la moquette.

L'homme tendit la main à Myron.

— Brian Sanford. Mais tout le monde m'appelle Blackjack. Vous savez qui m'a donné ce surnom ?

— Euh… non.

— Frankie.

— Ah bon ?

— Mon pote Frank Sinatra, précisa Sanford, apparemment vexé par l'absence de réaction de Myron. Ça lui est venu comme ça, un jour que j'étais en veine. Il a dit « Hé, regardez Blackjack, il a la baraka ! » Et le nom m'est resté. Sacré vieux Frankie, paix à son âme.

— Fascinant, dit Myron.

— Bon, et que puis-je pour vous, monsieur… ?

— Ferry. Brian Ferry.

Blackjack esquissa un sourire qui signifiait clairement qu'on ne la lui faisait pas.

— D'accord, comme vous voudrez. Asseyez-vous, monsieur « Ferry ». Mais tout d'abord, je tiens à mettre les choses au point…

Il tripotait une poignée de dés, machinalement, comme certains managers écrasent une petite balle de mousse dans leur paume pour combattre le stress.

— Je vous écoute, dit Myron.

— Je suis un homme très occupé, monsieur Ferry. Je n'ai pas de temps à perdre. Savez-vous comment j'ai démarré dans le business ?

— Non, je l'avoue.

— J'étais chef de la sécurité au Caesars Palace, à Vegas. Et puis Donny – Donald Trump – m'a demandé de m'occuper de son premier hôtel. Ensuite, il m'a harcelé pour que je dirige le service de sécurité du Taj Mahal. Je lui ai dit « Donny, je peux pas tout faire ! » Mais vous savez ce que c'est… Donc, demain matin, j'ai un rencard avec Stevie – Steve Wynn. À sept heures tapantes. Un battant, Stevie. Debout à cinq heures tous les jours. Vous savez qu'il est pratiquement aveugle ? La cataracte, ou un truc de ce genre-là. Il ne veut pas que ça se sache, seuls ses meilleurs amis sont au courant. Toujours est-il que Stevie a besoin de moi. Normalement j'aurais dit non, mais là je peux pas refuser parce que Stevie est un vrai pote. Pas comme Donny. Donny a la grosse tête depuis qu'il est avec Marla. Je…

— Monsieur Blackjack…

— Blackjack tout court, s'il vous plaît.

— J'aimerais simplement vous poser deux ou trois questions, monsieur… euh, je veux dire, Blackjack. Vous êtes un expert et j'ai besoin de vous pour une affaire extrêmement importante.

L'autre hocha la tête, plutôt flatté.

— De quoi s'agit-il ?

— Vous avez récemment effectué un travail pour l'un de mes amis. Otto Burke.

Large sourire.

— Otto ! Bien sûr. Sacré numéro. Plus rusé qu'un singe. Il passe me voir chaque fois qu'il est dans les parages.

— Vous lui avez confié un magazine, il y a quelques jours. Un numéro de *Nibards*.

Le visage débonnaire de Blackjack s'assombrit. Il lança ses dés sur la table. Rien que des deux et des trois.

— Oui. Et en quoi ça vous intéresse ?

— Nous avons besoin de savoir où vous l'avez trouvé.

— « Nous », c'est qui ?

— Je travaille avec M. Burke.

— Alors pourquoi c'est pas Ken qui me contacte, comme d'hab' ?

Myron se pencha en avant, baissa la voix :

— Ken n'est qu'un exécutant. Maintenant, ça devient très sérieux et vous êtes l'homme de la situation.

Blackjack se rengorgea.

— Mais, bien sûr, poursuivit Myron, tout ceci doit rester entre vous et moi.

— Bien entendu.

— Vous êtes en tête de liste pour remplacer Ken. D'un autre côté, nous savons que vous êtes très occupé…

— Oui, monsieur Ferry, mais pour quelqu'un comme Otto Burke, je pourrais…

— Oublions cela pour l'instant, d'accord ? Revenons-en à ce magazine.

Regard inquiet, de nouveau.

— Ne le prenez pas mal, monsieur Ferry, mais qu'est-ce qui me prouve que vous travaillez avec Otto ?

— Je le savais, dit Myron avec un sourire triomphant.

— Quoi ?

— J'ai dit à Otto que vous étiez l'homme qu'il nous fallait. Vous êtes méfiant. C'est un bon point.

Blackjack lorgna Myron, ramassa ses dés, les relança.

— Je suis un pro.

— De toute évidence. Donc, il ne vous reste plus qu'à appeler Otto sur sa ligne privée. Il vous confirmera notre accord. Vous connaissez le numéro, n'est-ce pas ?

Blackjack perdit un peu de sa superbe. Il ravala sa salive, tenta de garder la face. En fait, il avait l'air d'un lapin de garenne pris dans le faisceau des phares. Complètement paralysé. Myron imaginait les rouages qui tournicotaient désespérément dans son petit cerveau.

— Euh… inutile d'embêter Otto avec ça. Vous savez à quel point il déteste qu'on le dérange pour des détails. Je vois très bien que vous êtes un homme honnête.

D'ailleurs, comment seriez-vous au courant pour le magazine, si Otto ne vous en avait pas parlé ?

— Vous êtes futé, Blackjack. Vraiment.

L'autre leva la main, comme pour récuser le compliment, en toute modestie.

— Donc, comment avez-vous trouvé cette revue ? insista Myron.

— Peut-être qu'on pourrait d'abord discuter de mes honoraires ? suggéra Blackjack. Au téléphone, vous aviez parlé de dix mille dollars.

— Otto m'a dit que vous étiez digne de confiance. Un accord est un accord.

Blackjack hocha la tête, relança son dé. Encore un trois.

— En fait, je n'ai pas trouvé ce magazine. C'est lui qui m'a trouvé.

— Que voulez-vous dire ?

— J'ai été embauché pour un job. Ça consistait à expédier cette revue à pas mal de gens, de façon anonyme.

— Dont Christian Steele ?

— Ouais. C'est là que j'ai commencé à me poser des questions. Je veux dire, les enveloppes me parvenaient toutes prêtes et affranchies. Je n'ai reconnu le nom d'aucun des destinataires, sauf celui de Christian Steele. Or Otto me payait pour trouver n'importe quoi au sujet de Christian. J'ai ouvert son enveloppe, et c'est comme ça que j'ai découvert la photo.

— Qui vous payait pour envoyer ces magazines ?

Blackjack posa un jeton sur le tapis – sur le rouge – puis actionna la roulette.

— Faites vos jeux…

— Non, merci. Qui était votre employeur ?

— Ben, c'est bien ça le plus bizarre : j'en sais rien.

J'ai reçu des instructions par la poste. Une enveloppe en papier kraft, assez épaisse. Du liquide. Mais pas de nom d'expéditeur.

— Cachet de la poste ?

— Ici, à Atlantic City. Le pli est arrivé il y a une dizaine de jours.

La bille s'immobilisa sur le 22. Noir.

— Merde ! dit Blackjack.

— Avez-vous gardé la lettre ? demanda Myron.

— Oui, bien sûr.

Il farfouilla dans les papiers éparpillés un peu partout et lui tendit une feuille, dont le texte était dactylographié.

— Tenez, la voici.

Cher Monsieur Sanford,

Pour la somme de 5 000 dollars (plus les frais), j'attends de vous la prestation suivante :

1. Vous trouverez ci-joint sept enveloppes. Deux d'entre elles doivent être expédiées à partir du service postal interne du campus de l'université de Reston, ce vendredi. Les autres du bureau de poste local.

2. Veuillez également poster cette publicité à propos des multiples services offerts par la compagnie New Jersey Bell à tous les gens qui figurent sur la liste ci-jointe.

3. Débrouillez-vous pour ouvrir une ligne dans la zone postale 201. Vous y brancherez un répondeur dans lequel vous insérerez la cassette ci-jointe. Ensuite, à partir de cette ligne, vous appellerez chacun des numéros indiqués ci-dessous. Samedi et dimanche. Vous appellerez mais ne direz rien, jusqu'à ce qu'ils raccrochent. Le lundi, vous recommencerez mais cette fois vous parlerez. Vous direz simplement : « J'espère que vous avez apprécié le magazine. Venez donc me retrouver. Car j'ai survécu. » Débrouillez-vous pour déguiser votre voix, il faut que ce soit celle d'une femme.

4. Ci-joint, 3 000 dollars. Quand vous aurez terminé cet exercice, je vous contacterai personnellement et vous verserai le solde, plus les frais. Au plus tard le 9 de ce mois.

Je dois garder l'anonymat mais vous remercie de votre coopération.

Myron releva la tête.

— Qui étaient les sept personnes sur la liste ?

— Bof… Je ne m'en souviens plus trop. Il y avait Christian. Et puis un ponte de l'université. Et un mec de Glen Rock.

— Gary Brady ?

— Oui, je crois bien. Et trois types de New York.

— L'un d'eux s'appelait Junior Horton ?

— Possible. Ouais, ça me dit quelque chose.

— Et le dernier ?

— Un autre patelin dans le New Jersey. Près de Glen Rock.

— Ridgewood ?

— Ouais. Un truc qui se terminait par « wood », en tout cas. Et c'était une bonne femme. Je m'en souviens parce que tous les autres, c'étaient des hommes.

— Carol Culver ?

— Oui, je crois bien que c'est ça. Ça m'a frappé, because ses initiales, c'était deux fois « C ».

Myron chercha un endroit où s'asseoir.

— Eh, monsieur Ferry, ça va pas ?

— Non, tout va bien, merci. Mais les autres coups de fil ?

— J'ai eu personne au bout du fil. Sauf Christian, la première fois, mais ensuite plus personne. Il avait déménagé, je suppose.

Exact. C'était l'époque où il avait quitté le campus pour s'installer dans une résidence.

— Pour ce qui est du mec de New York – Junior –, il n'était jamais chez lui. Les autres non plus, d'ailleurs.

— Combien d'entre eux ont rappelé ? Avec le rappel automatique, ils pouvaient tous savoir de qui émanait le dernier appel…

— Y en a que deux qui ont rappelé. Christian et le type de Glen Rock. Pour ceux de New York, ça ne pouvait pas marcher, de toute façon. Le rappel automatique, c'est local.

— Et votre client, il vous a payé le solde ?

— Non. Et hier on était le 9 du mois, bordel ! Je vous le dis, foi de Blackjack, il va pas l'emporter au paradis !

— Oui, je vous crois sur parole. À part ça, vous n'avez rien à me dire ?

— Là-dessus ? Non. Mais ça vous dirait, une petite virée ? Ils me connaissent tous par ici. Je peux nous dégoter une bonne table. Une petite partie de blackjack. N'oubliez pas : Frankie, la baraka…

Drôlement tentant, se dit Myron. Comme de se faire brancher des électrodes sur les testicules.

— Euh, oui… Mais plus tard, si ça ne vous dérange pas.

— OK, pas de problème. Mais à propos de notre affaire… Otto était bien d'accord pour dix mille ?

— Ça roule, ma poule. Dix mille tout rond. Et merci, Blackjack. Ce fut un plaisir.

— Yo, pour moi aussi. À plusse !

Myron allait partir puis se ravisa.

— Au fait, une dernière chose.

— Ouais ?

— Où sont les toilettes ?

45

Il était dix heures et demie du soir quand Myron sonna à la porte de Paul Duncan. Il n'avait pas téléphoné, il tenait à le surprendre.

La villa était pimpante, comme toutes celles de Cape Cod. Manquait peut-être une petite couche de peinture, mais bon… Le jardin était bien entretenu, les rhododendrons en pleine bourre. Myron se souvint que Paul aimait jardiner, à ses moments perdus. Un trait commun à tous les flics. Pour évacuer le stress, peut-être ?

Paul vint ouvrir, un journal à la main, ses lunettes sur le nez. Cheveux gris, impeccablement coupés. Très bel homme, pas un poil de graisse. À l'intérieur, on entendait la télé, en bruit de fond, avec des gens qui applaudissaient sur commande. Paul était seul, à part le labrador qui roupillait devant la télé comme devant une cheminée un soir d'hiver.

— Il faut qu'on parle, Paul.

— Ça ne peut pas attendre demain ? Après l'office en l'honneur d'Adam ?

— Non, ça ne peut pas.

Il entra, presque de force.

— Que se passe-t-il, Myron ?

— Je suis au courant, pour Carol et vous.

Paul le prit de haut.

— Pardon ?

— Écoutez, je vais essayer d'être clair. Votre liaison a duré six ans. Kathy vous a surpris, tous les deux, bien avant sa disparition. Adam aussi, le jour de sa mort. Ça vous dit quelque chose ?

— Comment… Comment avez-vous…

— Carol m'a tout avoué.

Myron s'assit, s'empara de la Bible posée sur la table basse et la feuilleta.

— Tout est là, mais vous avez tout oublié. « Tu ne convoiteras pas la femme de ton voisin »… C'est écrit, n'est-ce pas ?

— Ce n'est pas ce que vous pensez.

— Ah bon ? Et qu'est-ce que je pense ?

— J'aime Carol, et elle m'aime.

— Ben voyons !

— Adam n'avait aucun respect pour elle. C'était un joueur, il la trompait, il ne s'occupait pas de leurs enfants.

— Pourquoi n'a-t-elle pas demandé le divorce ?

— Elle est catholique. Pratiquante. Et moi aussi.

— Bravo à tous les deux ! On ne peut pas divorcer mais on couche ! Décidément, les voies du Seigneur sont infiniment pénétrables !

— Vous n'êtes pas drôle.

— Je vais finir par le croire.

— Qui êtes-vous, pour nous juger ? Vous croyez peut-être que c'était facile, pour nous ?

— Ça ne vous a pas empêchés de continuer. Même après que Kathy…

— J'aime Carol.

— Facile à dire.

— Adam était mon meilleur ami. Il comptait beaucoup pour moi. Mais pour ce qui était de sa famille, il était nul. Il s'occupait d'eux matériellement, point final. Demandez à Jessica. Qui lui a construit sa première balançoire ? Qui l'a emmenée à l'hôpital quand elle est tombée de bicyclette ? Qui est allé avec elle pour son inscription à la fac ?

— Et qui s'est déguisé en Père Noël le 25 décembre ?

— Vous ne comprenez pas, Myron.

— Si, je comprends parfaitement, mais je m'en fous.

Nuance. Et maintenant, si on en revenait au jour où Kathy vous a découverts, vous deux, les tourtereaux…

— Vous savez très bien ce qui s'est passé.

— Étiez-vous nus ?

— Pardon ?

— Mme Culver et vous-même étiez-vous en pleine action ?

— Mais de quel droit ?! Je n'ai pas à répondre à une telle question !

— Quelle position ? À la missionnaire ? En levrette ? Avec des menottes ?

Paul se leva. Il dominait Myron, toujours assis sur sa chaise. A priori, on aurait pu penser que l'un des deux avait l'avantage. Sauf que Myron avait une vue imprenable sur l'entrejambe de Paul. Il lui suffisait de tendre le poing.

— Comment Kathy a-t-elle réagi quand elle vous a vus ?

— Elle n'a rien dit, elle est partie en courant.

— Et aucun de vous ne l'a suivie ?

— Eh bien… On était sous le choc.

— Oui, j'imagine. Vous en avez discuté avec elle, par la suite ?

Paul fit quelques pas dans la pièce, puis se rassit face à Myron.

— On n'en a reparlé qu'une seule fois.

— Quand ?

— Quelques mois plus tard.

— À quelle occasion ?

Paul détourna le regard, gêné.

— Euh… Ce n'est pas facile à dire.

Myron hocha la tête, compréhensif.

— Elle m'a fait des avances.

— Et vous vous êtes avancé ?

— Pardon ?

— Non, excusez-moi, simple lapsus. Je voulais dire : vous l'avez repoussée.

— Évidemment. J'ai fait semblant de ne pas comprendre.

— Mais elle a insisté ?

— Oui.

— Je parie que vous avez pris votre pied ! D'abord la mère, ensuite la fille ! Carton plein. Mes compliments.

Paul Duncan ôta ses lunettes. Il était très irrité.

— Ça suffit.

— Ah oui ? Et si on parlait de votre copain Fred Nickler ?

Et toc ! Du coq à l'âne, en plein dans la tronche !

— Qui ?

— Pour un flic, vous mentez plutôt mal, monsieur Duncan. Je vous déconseille le poker. 1978, ça ne vous dit rien ? Pédophilie et prostitution, mais votre pote Nick s'en tire avec un non-lieu. Joli coup, je vous tire mon chapeau.

— C'était l'un de mes indics. Vous savez comment ça se passe, dans la Maison…

— Oui, hélas. Il vous a aussi aidé, pour Kathy Culver ?

— En quelque sorte.

Il toussota, puis se lança :

— Autant vous raconter toute l'histoire, au point où nous en sommes. Adam a trouvé des photos de Kathy dans son grenier. Il me les a apportées mais ça devait rester confidentiel, évidemment. Il y avait un tampon, au dos d'un des clichés. Fruit Défendu. Mais ce studio n'existait plus. Alors Adam et moi sommes allés voir Nickler, qui nous a dit que ça s'appelait dorénavant Global Globes. Et il nous a donné leur adresse.

— Et vous y êtes allés, pour racheter toutes les photos de Kathy, plus les négatifs.

Ce n'était pas vraiment une question : Myron était déjà au parfum, car Lucy avait identifié Paul Duncan.

— Oui. On voulait protéger la réputation de Kathy. Mais avant tout, on voulait pincer l'ordure qui l'avait lancée dans ce circuit.

— Gary Grady.

— Vous étiez au courant ?

— Disons que je suis… bien informé.

— Bon, de mon côté, je me suis renseigné sur Grady. Il a un pedigree assez glauque, il faut bien le dire. Mais rien qui nous aurait permis de le mettre derrière les barreaux. Je l'ai filé, je l'ai fait mettre sur écoute… Ça n'a rien donné, en fin de compte.

— Et comment a réagi Adam ?

— Pas très bien. Ou plutôt mal. Très mal, même. Il est devenu quasiment fou, il voyait des indices partout. Je le comprends, notez bien. Il adorait sa petite Kathy. Il était prêt à tout pour la retrouver. Il avait même l'intention de kidnapper Grady et de le torturer pour le faire parler. On en a discuté, j'ai essayé de le raisonner, mais je sentais bien que je parlais dans le vide.

— Parlez-moi du soir où il est mort, dit Myron.

Paul inspira, profondément.

— Nous le regretterons tous, il…

— Oui, je sais. Mais dites-moi plutôt comment il a réagi quand il vous a trouvé au lit avec Carol.

Paul Duncan se frotta les yeux, toussota, puis, d'une voix parfaitement calme :

— Il a disjoncté. Il a traité Carol de tous les noms. Et quand je dis tous… On a essayé de le calmer, évidemment, mais que pouvions-nous dire ? Au bout d'un moment, il a parlé de divorce et il est parti.

— Et vous, Paul, qu'avez-vous fait ?

— Je suis rentré chez moi.

— Ah oui ?

— Oui.

— Quelqu'un pourrait nous le confirmer ?

— Non, bien sûr. Je vis seul.

— Donc, personne ne peut confirmer que vous étiez chez vous ce soir-là ? insista Myron.

— Non, évidemment. Et puis à quoi bon le nier, à présent ? C'est vrai, je suis resté avec Carol. On ne voulait pas que ça se sache parce que…

— Ça faisait désordre, conclut Myron. Et vous aviez raison. Ça fait foutrement désordre !

— Mais je ne l'ai pas tué ! s'exclama Paul. Je me suis conduit comme un vrai salaud, je lui ai pris sa femme, mais je vous jure que je ne l'ai pas tué !

Myron haussa les épaules.

— Vous êtes pourtant un suspect plus que plausible, Paul. Vous avez menti à propos de votre emploi du temps le soir du meurtre. Vous aviez une liaison de longue date avec sa femme, que vous pouviez épouser s'il mourait. Il vous a surpris tous les deux au lit. La seule personne au courant de votre secret avait disparu. Puis sa photo apparaît dans un magazine publié par l'un de vos indics. Oui, Paul, je dirais que vous êtes dans de sales draps.

— Je n'ai rien à voir dans tout cela.

— Qu'avez-vous fait des photos de Kathy ?

— Je les ai données à Adam, évidemment.

— Vous n'en avez pas gardé quelques-unes pour vous ? En souvenir…

— Bien sûr que non !

— Et vous ne les avez plus jamais revues ?

— Jamais.

— Pourtant, l'une d'elles refait surface dans une revue porno publiée par votre pote Fred Nickler. Comment expliquez-vous ce mystère ?

Paul Duncan se leva, fit de nouveau quelques pas dans la pièce, se rassit.

— Ça va vous paraître fou, dit-il enfin.
— Je vous écoute.
— C'est Adam qui l'a fait publier. Nickler m'a appelé hier. Il était dans tous ses états parce que vous commenciez à vous douter de quelque chose. Je ne comprenais rien à ce qu'il disait. C'est alors qu'il m'a tout raconté. Adam avait rencontré Nickler quand nous cherchions le studio du photographe. Ensuite il est retourné le voir, seul, en prétendant qu'il travaillait avec moi sur une autre enquête. Et il lui a demandé de publier la photo de Kathy dans l'annonce de Gary Grady. Il lui a aussi recommandé de n'en parler à personne mais de donner le pseudo de Gary si par hasard quelqu'un venait l'interroger.
— Il voulait qu'on remonte jusqu'à Grady…
— Apparemment.
— Est-ce que Nickler vous a dit pourquoi il n'a publié la photo que dans *Nibards* ?
— Non. Je peux l'appeler et lui demander, si vous voulez.
— Inutile.
— Je n'en sais pas plus, conclut Paul. J'ignore ce qu'Adam avait en tête. Peut-être voulait-il piéger Grady. Ou peut-être qu'il a pété les plombs. Pourquoi vouloir publier la photo de sa propre fille dans un tel torchon ?
Myron se leva. Il avait sa petite idée.

46

Win se regarda dans la glace. Il n'était pas loin de minuit mais sa soirée ne faisait que commencer. Il lissa ses cheveux, sourit à son reflet.
— Mon Dieu, que je suis beau ! dit-il.
Myron émit une sorte de grognement.
— Tu comptes appeler Jessica ? demanda Win.

— Je veux d'abord refaire le point.

— Maintenant ?

— Oui.

— Et moi je vais devoir faire attendre ma dulcinée ?

— Elle survivra.

— Tu ne comprends pas. Cette fille compte beaucoup pour moi.

— Ah oui ? Tu connais son nom de famille ?

Win réfléchit, puis haussa les épaules, vaincu.

— D'accord. Qu'est-ce que tu veux, exactement ?

— Je t'ai dit tout ce que je savais. À présent, j'aimerais connaître ton point de vue.

Win se détourna de l'antique miroir. Son appartement de Central Park était un héritage de son grand-père. Immense, décoré comme le palais de Versailles. Myron avait toujours peur de casser quelque chose – pour l'instant, la chaise fragile et très ancienne sur laquelle il était assis.

— Bon, dit Win. Procédons par ordre. Pour moi, il y a trois étapes. Premièrement, la disparition de Kathy Culver. Pendant son année de terminale, elle a brusquement changé. Nous savons maintenant pourquoi. Elle a voulu punir sa mère en couchant avec n'importe qui et en lui envoyant les photos. Mais Kathy avait sous-estimé les conséquences de ses actes. Elle pensait pouvoir s'arrêter quand elle le souhaiterait. Ce qui fut le cas lorsqu'elle a connu Christian, apparemment. Hélas, la machine était lancée et Kathy a été dépassée par les événements. Jusque-là, tu es d'accord ?

Myron acquiesça.

— C'est alors qu'intervient Junior Horton. Il décide de faire chanter la nouvelle Kathy Culver, qui veut se refaire une virginité. Elle accepte de payer, en échange de son silence et des photos. Le fameux soir, au cours de la fête entre filles, il lui passe un coup de fil et lui donne rendez-vous dans les vestiaires de l'équipe de foot. Là, elle se fait violer par Horton et quelques-uns de ses potes.

Win s'interrompit et se dirigea vers le bar.

— Tu veux un cognac ?

— Non, je te remercie.

Il s'en versa un dans un verre ballon et reprit :

— Là, Kathy disjoncte. Elle court se réfugier chez le doyen Gordon. Elle a travaillé pour lui, elle le considère sans doute comme un ami. Elle lui raconte ce qu'elle vient de subir, espérant trouver réconfort et conseils. Or il réagit mal, soit en lâche, soit en salaud. À toi de choisir.

— Probablement les deux.

— Oui. Quoi qu'il en soit, Kathy repart de chez lui désespérée. Elle erre sur le campus, rencontre Ricky Lane. Il lui demande pardon, lui rend la petite culotte – c'est-à-dire la preuve du crime commis contre elle. Ensuite ? Mystère. La seule chose que nous savons, c'est qu'on retrouve la culotte dans une poubelle, quelques jours plus tard. Tu as quelque chose à ajouter ?

Myron fit signe que non.

— Alors passons à l'étape numéro deux : le rôle joué par Adam Culver. Quelque temps après la disparition de Kathy, il trouve les photos salaces de sa petite princesse dans le grenier. Nous savons que c'est Carol qui les y a cachées, mais lui l'ignore. Il a dû supposer que Kathy elle-même les avait mises là. Et il en déduit tout naturellement qu'elles ont un rapport avec sa disparition…

Win fit tourner son cognac dans son verre, en admira la couleur.

— C'est alors qu'Adam s'adresse à son ami Paul Duncan. Ensemble, avec l'aide de Fred Nickler, ils retrouvent le studio du photographe, ainsi que Gary Grady. Ils poursuivent leur enquête mais ne découvrent rien d'autre. Paul veut laisser tomber. Adam est si désespéré qu'il est prêt à tout, y compris à recourir à des méthodes parfaitement illégales.

« Ensuite, ça devient très intéressant. Adam a les photos et nous savons que c'est lui qui en fait publier une dans *Nibards*. Dès le départ, le choix de ce magazine t'avait intrigué.

— Maintenant nous avons la réponse, dit Myron. Il voulait que la photo de sa fille circule le moins possible.

— Par ailleurs, reprit Win, Adam Culver était un habitué des casinos d'Atlantic City. Il a pu rencontrer ton copain Blackjack lors d'une de ses visites. Il a pu également engager un faussaire pour imiter l'écriture de Kathy. Et il avait probablement un enregistrement de sa voix – une bande de répondeur, par exemple. Donc, il a organisé toute la mise en scène. Il a envoyé un exemplaire du magazine à tous ceux qui pouvaient avoir un rapport avec sa disparition. Son fiancé, pour commencer. Et ceux qui figuraient sur les photos, comme Junior Horton.

— Mais pourquoi en avoir adressé un à sa femme ?

— Je ne sais pas.

— Et au doyen Gordon ?

— Peut-être avait-il appris que Kathy était allée chez lui cette nuit-là. Ou bien il ne voulait exclure aucune éventualité. Peu importe, ce n'est pas cela qui nous intéresse. La vraie question, c'est pourquoi il décide tout à coup de ne plus faire appel à Duncan.

— Parce qu'il vient de découvrir que Paul est l'amant de sa femme.

— Exact, dit Win. Dorénavant, Adam est seul. Il envoie les magazines à Blackjack avec ses instructions, s'assurant qu'on ne pourra jamais remonter jusqu'à lui. Puis il tend son piège pour coincer Paul et Carol. Ça fonctionne. Il les surprend, pique sa crise, s'en va en claquant la porte. Et se fait tuer.

— Qui est l'assassin, à ton avis ?

Win posa son verre sur un clavecin du XVIIe siècle et se mit à pianoter distraitement.

— Je vois deux possibilités, dit-il. En premier lieu, Paul Duncan. Il a le mobile et pas d'alibi. Sinon, l'éventuel meurtrier de Kathy. De toute évidence, Adam voulait le faire sortir de son trou. Mais peut-être que l'histoire des magazines a eu encore plus d'effet que prévu.

— Sauf qu'Adam a été tué deux jours avant que Blackjack ne les poste, objecta Myron.

— Quelqu'un a pu découvrir ce que mijotait Adam avant qu'ils ne soient expédiés.

— Otto Burke ?

— Pourquoi pas ?

— Mais Otto ne connaissait même pas Kathy Culver.

— Qu'est-ce qu'on en sait ? Ce qui nous amène à l'étape numéro trois : les inconnues. Dont l'une est de taille. Nancy Serat. On peut raisonnablement supposer qu'elle a donné de précieux renseignements à Adam. Mais nous ne savons toujours pas qui l'a tuée. Ni ce qu'elle a voulu dire dans le message qu'elle a laissé à Christian, à propos des sœurs qui devaient se réunir. Et, surtout, comment se fait-il qu'on ait retrouvé des cheveux de Kathy sur le corps de Nancy ?

Comme si le mot « cheveux » avait fait tilt, Win alla se reposter devant le miroir au cadre doré à la feuille d'or, vérifia l'ordonnance de sa coiffure puis s'adressa un sourire et un clin d'œil d'autosatisfaction.

— D'autre part, dit-il, nous n'avons toujours pas d'explication probante à propos de la cabane au fond des bois. Adam avait-il l'intention de kidnapper les suspects les uns après les autres et de les interroger à sa manière ? J'avoue que là je suis dans le bleu.

Myron, n'ayant aucune idée brillante à suggérer, se contenta de hocher la tête.

— Enfin, conclut Win, reste *the big* mystère. Kathy Culver en personne. Est-elle vivante ? Est-ce elle qui tire les ficelles ?

Il saisit son verre, huma son cognac, en sirota une gorgée qu'il garda longuement en bouche, en vrai connaisseur.

— Fin du troisième acte. Rideau, en attendant l'épilogue.

Ils restèrent assis face à face, silencieux. Myron tournait et retournait les faits dans sa tête. Win l'observait.

— C'était juste un petit exercice intellectuel, dit ce dernier. Allez, avoue, tu connaissais la fin avant même que j'aie prononcé un mot.

Myron lui tendit le téléphone.

— Annule ton rencard. On a du boulot, *amigo*.

47

Cérémonie commémorative.

Myron se pointa en retard et se fit tout petit derrière un pilier. Il avait désespérément besoin d'une douche, d'un rasoir et de quelques heures de sommeil. Et ça se voyait.

Il aperçut Jessica, au premier rang, encadrée par sa mère et son frère. Tous trois tentaient de cacher leurs larmes.

Le prêtre débita le baratin d'usage avec autant de conviction qu'un vieil acteur qui récite son rôle pour la dix-millionième fois. Il n'y avait pas de cercueil et ça semblait le perturber. Il baissait sans cesse les yeux vers cette invraisemblable absence.

Myron demeura à l'écart. L'église était bondée. Paul Duncan était assis au deuxième rang, juste derrière Carol. De temps en temps, il posait la main sur son épaule, mais pas trop longtemps. Question de décence.

Christian était à côté de lui, tête baissée, recueilli. Otto Burke et Larry Hanson étaient installés quelques rangs en arrière. Bonne manip, côté relations publiques. La presse apprécierait.

Win était dans les derniers rangs, Sally Li à sa droite. Elle avait les traits tirés – en manque de nicotine, à n'en pas douter. Myron lui avait parlé, la veille au soir. Elle avait fait le test qu'il lui avait demandé. Et ses soupçons s'étaient confirmés.

Le doyen Gordon et son épouse étaient sur les bancs de gauche, un peu en retrait. Lui très affecté, elle superbe, toute de noir vêtue. Myron reconnut quelques autres visages vaguement familiers, parmi la foule. Mais il n'aurait pu mettre un nom sur aucun d'entre eux. Ça n'avait pas d'importance, de toute façon.

Le prêtre fit deux ou trois autres commentaires vides de sens à propos de la vie et de la mort, et basta. Jessica sanglotait mais personne ne lui tenait la main, personne ne la réconfortait. Myron en eut le cœur serré. Il aurait voulu se précipiter vers elle, la serrer contre lui.

Ite missa est.

C'était fini. Myron se précipita, sans réfléchir. Jessica suivit son instinct, elle aussi, et se jeta dans ses bras. Ils s'étreignirent, les yeux fermés, sans se soucier des grenouilles de bénitier qui les observaient.

Win, pas romantique pour trois sous, eut une grimace désapprobatrice et préféra filer le train à Otto Burke, Larry Hanson et le doyen Gordon. Ça faisait beaucoup pour un seul homme mais peu pour Superwinman.

Jessica relâcha enfin Myron.

— Où étais-tu passé ? Je me faisais un sang d'encre.

Myron n'avait qu'une idée en tête : gagner du temps. Il salua Paul Duncan, serra la main d'Edward, puis celle de Christian, baisa pudiquement la joue de Carol Culver. Enfin, il se jeta à l'eau :

— Je ne sais pas par où commencer.

— Que se passe-t-il, Myron ?

Il la regarda droit dans les yeux.

— J'ai retrouvé Kathy. Elle est vivante.

Silence de mort (si l'on peut dire). Jessica ouvrit la bouche, la referma, telle une carpe hors de l'eau.

— Je dois la voir ce soir, précisa Myron.

— Je… Je ne comprends pas, balbutia Jessica.

— C'est une longue histoire. Mais Kathy est en vie. Je vous la ramène à la maison dès ce soir.

Jessica échangea un regard avec sa mère, laquelle eut l'air tout aussi paniquée.

— Je t'accompagne, dit Jessica.

— Non, ce n'est pas possible.

— Tu plaisantes ? C'est ma sœur, tout de même !

— Non, je lui ai promis. Seulement elle et moi. Elle a peur.

— De quoi ?

— De la personne qui a tenté de la tuer.

— Mais qui ?

— Elle n'a pas voulu me le dire au téléphone.

Il saisit la main de Jessica dans la sienne. Elle était plus froide que du marbre.

— Je te ramène ta petite sœur à la maison, c'est promis. Et on mettra les choses au clair. Mais pour l'instant, je ne veux pas l'effrayer.

Jessica secoua la tête. Elle semblait perdue.

— Comment dois-tu la rencontrer ?

— Dans les bois.

— Comment ça, dans les bois ? Ça n'a aucun sens !

— Je ne peux pas te le dire, Jess. Je lui ai promis. Kathy dit que c'est l'endroit où on l'a laissée pour morte. Elle veut me montrer où ça s'est passé.

Silence dans l'assemblée.

— Seigneur Dieu ! dit Paul Duncan.

Carol, pour sa part, tomba pratiquement dans les pommes. Il la rattrapa de justesse.

— Mais où était-elle, durant tout ce temps ?

— Je n'ai pas encore tous les détails. Elle s'est remise de ses blessures, très lentement, dans une petite île du Pacifique. J'ai retrouvé sa trace grâce aux registres de l'hôpital St. Mary. La nuit où Kathy a disparu, on leur a amené une blessée qui a dit s'appeler Katherine Pierce.

Carol Culver sursauta.

— Pierce ? Mais c'est mon nom de jeune fille !

— Oui, dit Myron. Néanmoins, on ne peut encore rien dire à l'heure actuelle. On l'a frappée à la tête, elle a perdu conscience, et son agresseur l'a crue morte. Il l'a enterrée. Mais elle s'est réveillée et s'est extirpée de sa tombe, creusant la terre, bec et ongles, jusqu'à l'épuisement. C'est un miracle qu'elle ait survécu.

Les yeux de Jessica s'emplirent de larmes.

— Elle est vivante, tu en es sûr ?

— Absolument.

Jessica étreignit sa mère, puis son frère Edward. Christian et Paul restèrent en retrait, ébahis. Myron se dirigea vers la sortie. Win hocha la tête, imperceptiblement.

48

Myron se gara sur le chemin de terre. L'horloge du tableau de bord indiquait 20:30. Il prit sa lampe torche et se dirigea vers l'endroit du rendez-vous.

La végétation était dense. À plusieurs reprises, des branches lui égratignèrent le visage. Il tendit l'oreille. Aucun son, à part le bruit de ses pas écrasant les feuilles et les brindilles. Le faisceau de sa lampe trouait l'obscurité mais ne lui permettait pas de voir à plus de quelques pas devant lui. Il avait la gorge sèche, comme toujours dans ces moments-là.

Il ne devrait plus être loin, à présent. Il appela :

— Kathy ?

Pas de réponse.

— Kathy, c'est Myron. Je suis seul.

Toujours pas de réponse. Soudain, Myron perçut un bruissement, non loin de lui. Puis une tête apparut. De longs cheveux blonds.

— Tout va bien, dit doucement Myron. Ne crains rien.

Kathy s'approcha en hésitant, une main en visière pour protéger ses yeux de la lumière. Myron pointa le faisceau de sa torche vers le sol.

— Tout va bien, répéta-t-il.

Elle continua d'avancer, frêle silhouette apeurée. Elle titubait, tel un zombie sorti tout droit d'un film d'épouvante.

— C'est fini, la rassura Myron. Plus personne ne te fera de mal.

— En êtes-vous sûr ?

La voix venait de derrière Myron. Il ferma les yeux, ses épaules s'affaissèrent.

— Bonsoir, Christian.

— Ne vous retournez pas, monsieur Bolitar. Et mettez les mains au-dessus de la tête.

— À quoi bon ?

— Quoi ?

— Tu vas nous tuer, de toute façon. Comme tu as déjà essayé de tuer Kathy. Comme tu as tué son père et Nancy Serat.

— Je ne voulais pas en arriver là.

— Mais tu l'as fait.

— Ça suffit, maintenant. Mains au-dessus de la tête !

Myron leva les bras, lentement.

— Kathy t'a tout avoué, cette nuit-là. Elle t'a tout

raconté, jusque dans les moindres détails. Elle voulait faire table rase de son passé et repartir de zéro.

— Elle m'a menti ! Tout le temps où on était ensemble, elle me mentait.

— Alors tu as décidé de la tuer.

— Elle voulait que je continue de l'aimer. Mais vous ne comprenez pas ? Je ne l'ai jamais aimée. C'était une illusion. J'étais amoureux d'une fille qui n'existait pas. Et elle aurait voulu que je reste à ses côtés pendant qu'elle déballait son histoire au monde entier ! Elle aurait voulu que je trahisse les gars de l'équipe, que je foute en l'air nos chances de gagner le championnat et le trophée Heisman ! Et tout ça pour une sale petite pute ?

— Comme ta mère, Christian ?

— Oui. Comme ma mère. Mais dites-lui, monsieur Bolitar. Dites-lui ce que ce match représentait pour moi. Des contrats, l'argent, la gloire…

— C'est pour ça que tu as voulu la tuer ?

— Non. J'étais furieux et je l'ai tapée, mais je ne voulais pas la tuer. C'était un accident. J'ai cru qu'elle était morte parce que je trouvais plus son pouls.

— Alors tu l'as emmenée jusqu'ici et tu l'as enterrée. Tu espérais qu'on ne retrouverait jamais le corps. Dans le cas contraire, on accuserait un tueur en série.

Christian se rapprocha de Myron et leva son revolver.

— Assez parlé, dit-il. Si vous croyez que je vais vous laisser me baratiner jusqu'à ce que quelqu'un se pointe…

— Ce ne sera pas nécessaire, mon garçon. Il y a quelqu'un avec nous depuis le début.

Win sortit de derrière l'arbre où il était caché, à un mètre de Christian, et pressa le canon de son Magnum contre sa tempe.

— Lâche ton arme ou je t'explose la tête.

Christian obéit.

— C'est fini ! cria Myron.

Deux policiers en uniforme émergèrent des buissons et menottèrent Christian.

Jake Courter apparut alors, se frayant péniblement un chemin à travers les broussailles.

— Je suis trop vieux pour ce genre de sport, maugréa-t-il. Mais bravo, Bolitar. Vraiment bien joué.

— Ne pas lésiner sur les détails, dit Myron. C'est le secret d'une bonne arnaque.

— Et maintenant, si vous m'expliquiez ?

— Bien sûr. Jess ?

Jessica ôta sa perruque blonde et s'avança. Christian écarquilla les yeux.

— Qu'est-ce que…

— Tu as tué Kathy, dit Myron, mais pas en l'assommant. Elle est morte étouffée en essayant de sortir du trou où tu l'avais enterrée.

Jake tombait des nues :

— Mais où est le corps ?

— À la morgue. Depuis que la police l'a retrouvé, il y a deux mois. Hier soir, Sally Li m'a confirmé qu'il s'agissait bien de Kathy.

— Comment se fait-il qu'on ne l'ait pas identifiée plus tôt ?

— Parce que le médecin légiste était Adam Culver. Il a immédiatement su à quoi s'en tenir mais a fait traîner le dossier.

— Pourquoi ?

— Essayez de raisonner comme lui, Jake. En dix-huit mois, votre enquête n'avait pas abouti. Adam savait aussi que le corps de sa fille ne fournirait aucun autre indice. Il a donc décidé que le seul moyen de coincer le meurtrier, c'était de lui tendre un piège en lui faisant croire que Kathy était toujours vivante – ce qui, après tout, était le cas quand il l'a enterrée dans les bois. Donc, Adam a caché l'identité du corps à la police, à ses amis, et même à sa famille. D'autre part, il était convaincu que les photos de Kathy étaient liées au crime. Alors il les a utilisées.

— Vous voulez dire que c'est lui qui a fait publier cette annonce dans le magazine ?

— Oui. Adam Culver a tout organisé. Même les mystérieux coups de fil avec la voix de Kathy. Il a tout fait pour que l'on croie à la survie de Kathy.

Soudain Jake additionna deux et deux :

— Alors Win et vous…

— Avons simplement pris la relève du pauvre Adam. D'où notre petit numéro à l'église, ce matin.

— Et Christian est tombé dans le panneau.

— À pieds joints.

— Incroyable ! Et qui était au courant ?

— Jessica, sa mère et son frère. Leur donner un faux espoir aurait été trop cruel. Mais Paul Duncan ne savait rien. Ni qui que ce soit d'autre. Win s'est débrouillé pour que tous les suspects – Otto, le doyen, et même Gary Grady – soient convaincus que Kathy était peut-être encore en vie.

— Donc vous n'étiez pas sûr que Christian soit le meurtrier ?

— Si.

— Vous auriez pu me le dire, tout de même !

— En l'absence de preuves, je ne voulais pas vous influencer.

— D'accord, dit Jake. Continuez.

— Adam Culver savait que seul le tueur connaissait cet endroit. S'il pensait que Kathy avait survécu, il – ou elle – ne pourrait s'empêcher de venir vérifier si la « tombe » était vide ou intacte. C'est pourquoi Adam avait loué cette cabane, à deux pas d'ici. Et tout ce matériel vidéo. Il voulait le filmer, pour avoir enfin une preuve.

— L'assassin qui revient sur les lieux du crime…

— Exactement.

— Mais il y a un truc que je ne comprends toujours pas, dit Jake. Adam a été tué avant que les magazines soient postés. Donc, à ce moment-là, Christian était encore convaincu que Kathy était morte.

— N'oubliez pas qu'Adam était médecin légiste, et non enquêteur. Il avait négligé un indice capital. Du moins au début.

— Quel indice ?

— Les vêtements de Kathy.

— Qu'est-ce qu'ils avaient ?

— D'après les lambeaux retrouvés sur le corps, la jeune « inconnue » portait un pull jaune et un jogging gris. Or les copines de Kathy avaient été unanimes : elle était en bleu, ce soir-là. Toutes avaient également affirmé ne jamais l'avoir revue, après son départ. Donc, où et quand Kathy s'était-elle changée ?

Jake haussa les sourcils.

— Adam n'a pas saisi tout de suite l'importance de ce « détail » vestimentaire. Quand enfin il a compris, il s'est adressé à la personne la plus compétente en la matière : l'ex-colocataire de Kathy.

— Nancy Serat.

— Exact. Mais comme il ne voulait pas éveiller ses soupçons, il a raconté une histoire bidon de Papa nostalgique qui cherchait partout le vieux pull jaune favori de sa fifille.

— Et Nancy a dit que le pull en question était sans doute chez Christian. Kathy dormait souvent chez lui, elle y gardait sûrement quelques vêtements de rechange.

— Bingo, dit Jake. Kathy n'avait pu se changer que chez Christian. Et comme Nancy et lui étaient amis, elle lui a parlé de la visite d'Adam. Elle devait trouver que c'était mignon, cette sollicitude paternelle…

Myron se tourna vers Christian.

— Quand tu as appris qu'Adam Culver s'intéressait à ce pull jaune, tu as paniqué. Tu as compris qu'il ne tarderait pas à découvrir la vérité. Alors tu es allé rôder près de chez lui. Tu as entendu la scène de ménage, tu l'as vu sortir de chez lui comme un fou et tu l'as suivi. Pour toi, c'était une occasion en or de faire d'une pierre deux coups. Voire trois ou quatre. Le roi du ricochet.

Christian demeura de marbre, les yeux rivés au sol.

— Comment ça, « d'une pierre deux coups » ? s'étonna Jake.

— Quand vous avez commencé à enquêter sur la disparition de Kathy, sur qui se sont portés vos soupçons ?

— Christian, évidemment. Certains disent « Cherchez la femme », moi je dis « Cherchez le petit ami ».

— Donc, qu'a fait Christian ? Il savait que le service de sécurité passait le campus au crible. Alors il a jeté la petite culotte dans une poubelle.

— Sur laquelle on a trouvé du sperme qui n'était pas le sien. Et pour cause…

— Ce qui le mettait hors de cause.

— Putain ! s'exclama Jake.

— Ensuite, il nous a menés en bateau avec Nancy Serat. Il l'a étranglée et a laissé des cheveux de Kathy sur les lieux.

— Mais d'où est-ce qu'il les sortait, ces cheveux ? Après dix-huit mois !

— Kathy passait souvent la nuit chez lui. Outre un pull jaune, elle avait dû y laisser quelques accessoires. Une brosse à cheveux, par exemple.

— Putain de fils de pute !

— C'était génial, admit Myron. Presque parfait. Faire accuser une morte. Et si par hasard Kathy était toujours en vie, on la prendrait pour une dangereuse psychopathe. Qui croirait les dénégations d'une nana qui vient d'étrangler son ex-colocataire ? Mais Christian n'avait pas prévu l'arrivée de Jessica. Il s'est affolé, l'a assommée et s'est enfui. Le seul problème, c'est qu'il n'a pas eu le temps d'effacer ses empreintes. Qu'importe. Là encore, il a tiré son épingle du jeu. C'est un garçon extrêmement intelligent. Il a tout de suite admis s'être rendu chez Nancy. Et c'est là qu'il a eu l'idée des sœurs réunies.

— Euh… je suis un peu largué, là, s'inquiéta Jake. On en est à combien de coups pour une seule pierre ?

— J'y viens. Christian avait oublié le verre.

— Quel verre ?

— Il a dit qu'il était passé voir Nancy mais qu'elle l'avait pratiquement fichu à la porte, qu'elle n'était pas dans son état normal et qu'elle n'avait cessé de marmonner quelque chose à propos des « sœurs réunies ». Dans ce cas, vous ne trouvez pas bizarre qu'elle lui ait offert un drink ? Or on a relevé ses empreintes sur un verre à whisky.

Myron regarda Christian. Lequel garda les yeux baissés.

— Je… Je ne voulais pas leur faire de mal, monsieur Bolitar.

— Arrête ton cinéma, dit Myron. Tu es un manipulateur, et de la pire espèce. Tu as tout calculé depuis le début. C'est d'ailleurs pour ça que tu m'as choisi comme agent. Je débutais dans le métier mais tu t'étais renseigné et tu savais que j'avais été enquêteur. Tu assurais tes arrières, avec un mec comme moi. Discrétion, loyauté… les règles de base. Tu m'as vraiment pris pour un con, espèce de petite enflure !

Chacun se tut, un peu gêné. Puis Jake réagit :

— Allez, basta ! Emmenez-le.

Les types en uniforme entraînèrent Christian vers leur voiture.

Myron se retourna vers Jessica. Elle n'avait pas dit un seul mot mais elle pleurait. Ce matin, à l'église, aucune de ses larmes n'étaient destinées à son père. Peut-être que certaines de celles-ci l'étaient, finalement.

Win secoua la tête.

— « Lâche ton arme ou je t'éclate la tête ! » C'est pas vrai ! Comment j'ai pu dire ça ? À mon âge ! Je regarde trop la télé.

Jessica esquissa un sourire. Myron passa un bras autour de ses épaules, la serra contre lui et l'entraîna vers sa voiture.

49

Trois jours plus tard, Myron conduisit Jessica à l'aéroport.

— Tu n'as qu'à me déposer au terminal, dit-elle.

— Non. Je veux t'accompagner jusqu'au portique.

— Pourquoi, t'as pas confiance ? Tu as peur que la police m'arrête ?

— Je veux rester avec toi le plus longtemps possible.

— Tu vas avoir des problèmes pour rentrer. Des embouteillages monstres.

— Je m'en fous.

— Myron…

— Quoi ?

— Lâche-moi un peu, s'il te plaît. Tu sais que je déteste les scènes.

— Mais je ne te fais pas de scène !

— C'est plus fort que toi, et tu ne t'en rends même pas compte.

Silence boudeur.

— Que va devenir Gary Grady ? demanda-t-elle.

— J'ai envoyé le dossier au conseil d'administration de l'école et à la presse locale. Je ne sais pas s'il ira en prison, mais en tout cas il peut mettre une croix sur sa carrière d'enseignant.

— Et le doyen Gordon ?

— Il a donné sa démission ce matin. Je crois qu'il va se recycler dans le privé.

— Ben, bravo pour le secteur privé ! Ça donne très envie d'y aller ! Et les violeurs ?

— Cary Roland est chargé de l'affaire. Il est excité comme une puce. Tu imagines la pub, pour un jeune district attorney ? Ricky Lane a accepté de témoigner.

— Et toi, tu l'as viré, Ricky. N'est-ce pas ?

— Oui.

— Et tu as aussi perdu Christian.

— On ne peut rien te cacher.

— En fin de compte, on ne peut pas dire que cette histoire ait eu un effet bénéfique sur tes finances.

— Là, très franchement, je m'en balance. Les sous, ça va, ça vient... Non, le plus grave, ce sont les retombées personnelles de toute cette histoire.

— Ce qui veut dire ?

— Ce qui veut dire que tu es revenue dans ma vie.

— Et c'est si grave que ça ?

— Oui. Parce que tu repars, à peine arrivée.

— Juste pour un mois ou deux. C'est pour la promo de mon bouquin.

Elle se pencha vers lui et l'embrassa. Il la retint dans ses bras. Il ne voulait plus la laisser partir, il détestait cet avion qui allait l'emmener à l'autre bout du monde.

— Je t'aime, dit-il. Je n'ai jamais cessé de t'aimer.

— Moi non plus, dit-elle en descendant de la voiture. Mais faut que j'y aille. Allez, à plusse !

C'est ce qui l'avait toujours fasciné, chez elle. Jessica, totalement insaisissable... intelligente, indépendante. Il la regarda s'éloigner, son léger bagage à la main. Une fois de plus, elle lui échappait.

vigile le frappa sur l'épaule et le sortit de son rêve.
Hé, mec, t'as rien à faire ici. Allez, ouste !
yron eut une dernière vision de Jessica qui dispa-
sait sans se retourner. Il regagna sa voiture, direc-
on le bureau.

Pages 7-91

Impression réalisée sur Presse Offset par Brodard et Taupin
43161 – La Flèche (Sarthe), le 04-09-2007
Dépôt légal : septembre 2004
Suite du premier tirage : septembre 2007

POCKET – 12, avenue d'Italie - 75627 Paris cedex 13

Imprimé en France